le petit futé

LE GUIDE
de
FLORIDE
LOUISIANE

Olivier ORBAN

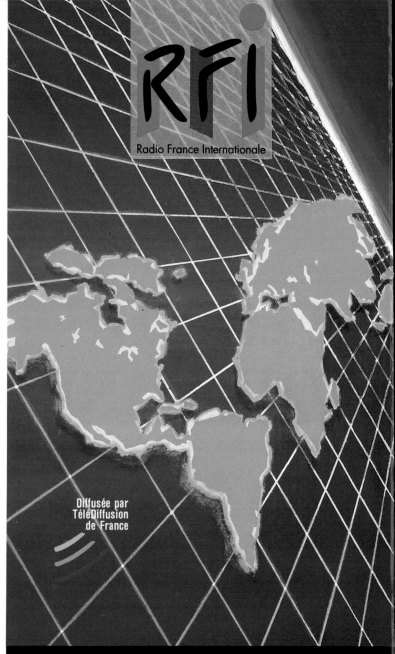

RFI Radio France Internationale

Diffusée par
TéléDiffusion
de France

RFI EN FLORIDE ET EN LOUISIANE

RFI en ondes courtes de 11h30 à 12h30 sur 15365 kHz,
de 22h à 3h sur 5945 kHz et 9790 kHz (heures TU)

116, av. du Président Kennedy 75016 PARIS - Tél. 33 (1) 44 30 89 72

Auteurs et Directeurs de la collection :
Dominique AUZIAS et Jean-Paul LABOURDETTE

Responsable de la collection :
Jean-François CHAIX

Rédacteurs :
Marc Furstenberg *(Floride)* - **Sandrine Dumas** *(Louisiane)*

LE PETIT FUTĒ

COUNTRY GUIDE

FLORIDE

LOUISIANE

OLIVIER ORBAN ©
LE PETIT FUTE de FLORIDE - LOUISIANE
PETIT FUTE, PETIT MALIN, GLOBE TROTTER, COUNTRY GUIDES, CITY GUIDES
sont des marques déposées.™ ® ©
NOUVELLES EDITIONS DE L'UNIVERSITE - DOMINIQUE AUZIAS & ASSOCIÉS ©
Photos : Banc d'Essai du Tourisme - Groupe PIETRI
Dépôt légal : Janvier 94
ISBN : 2-85565-017-8
Achevé d'imprimer en 1994
Imprimé en France par Aubin Imprimeur Poitiers/Ligugé (L 44723)

LE PETIT FUTE
• des guides drôlement débrouillards •

* AFRIQUE DU SUD - Vincent Guarrigues

ALLEMAGNE - Fabienne Biboud, Laurent Bonzon, Catherine Courel, Corinne Poulain

AUSTRALIE - Magny Telnes-Tan

BALEARES - Anna Lahore

BELGIQUE (City Guide)- *Coordination* : Ph. Wyvekens. *Anvers* : M. Raaffels. *Bruxelles* : V. Lohest, A. Desemberg. *Charleroi* : M. Glacet. *Gent* : A. Govaere. *Liège* : J. Renard. *Namur* : M. Bertrand

BELGIQUE (Country Guide) - Franz Uyttebrouck

CALIFORNIE - Alix Pradeilles

*CAMBODGE - LAOS - Chantal Stanek, Cyrille Drouhet

CANADA - Anne-Marie Blessig, Anne Montpetit, Denis Lavoie. **Montreal** (City Guide) : O. Jouanneau, D. Perna

CUBA - Kim Chaix

DANEMARK - Jean-Marie Chazeau

EGYPTE - Philippe Aoust

ESPAGNE - *Aragon* : Véronique Maribon-Ferret. *Andalousie, Estramadure* : Laurent Delsaux. *Catalogne* : Carole Jourdain. *Galice, Cantabrie* : Diane Huidobero. *Pays Basque* : Sylvia Mendizabal. **San Sebastián** : S. Mendizabal

FLORIDE LOUISIANE - *Miami* : Marc Furstenberg. *New Orleans* : Sandrine Dumas

FRANCE (City Guide) - *Amiens* K. Belkadi. *Angers* Ch. Guille. *Auvergne* H. Berthier. *Auxerre* A. Robert. *Avignon* L. Counord. *Bordeaux* N. Stefann, S. Tardieu. *Bourges* C. Catalifaud. *Brest* M. Keriel. *Brive* J.-P. Cauver. *Caen* B. Le Duff. *Charentes* L. Abdallah. *Chartres* C. Lambert. *Clermont-Ferrand* C. Martinez. *Colmar* G. Heinrich. *Dijon* H. Fontaine. *Dordogne* D. Menduni. *Gers* C. Bauche. *Le Havre* A. Stil. *La Rochelle* C. Briand. *Lille* B. Deprez. *Limoges* J.-Y. Berger. *Lorient* C. Martin. *Lyon* M. Ecochard. *Le Mans* M. Duclos, P. Drouinot. *Marseille* G. Touzin. *Metz* A. Angius. *Montpellier* T. Cuché. *Nancy* A. Giaquinto. *Nantes* C. Doucet. *Nice* H. Lemoigne. *Nîmes* Ch. de Béchillon. *Orléans* S. et M. Moser. *Paris* O. Bellami, V. Ragot, L. Serrette, A. Dumas. *Pau* M. Latour. *Pays-Basque* P. Capdepont. *Poitiers* J.-F. Pissard. *Reims* J. Denaveau. *Rennes* J.-M. Frizjer. *Rouen* F. Martz.

St-Brieuc Ch. Esnault. *St-Etienne* D. Berne. *St-Malo* M. D'Ersu. *Strasbourg* N. et R. Métayer. *Toulouse* M. Rodriguez. *Tours* M. Pierre. *Troyes* M. Gauthier. *Tulle* J.-P. Cauver. *Vannes* E. Nicolet

FRANCE (Country Guides) - Jean-Paul Ballon assisté de Alexandra Mille et Sylvain Jousse. *Alsace* : N. et R. Métayer. *Auvergne* : H. Berthier. *Normandie* : E. Reis-Corona. *Midi-Pyrénées* : M.-J. Pince. *Poitou* : J.-F. Pissard. *Provence* : G. Touzin

GRECE - Paulina Lampsa et Annick Desmonts.

GRANDE-BRETAGNE - *Angleterre, Pays de Galles* : Pascale Courtin. *Ecosse* : John Ritchie.

LONDRES - Gail de Courcy-Irlande, Marc Furstenberg

INDONESIE - Joël Supéry

IRLANDE - Olivier Apert

ITALIE du Nord - G. Femiani, C. Romano, R. Rizzo, C. Gambaro, M. Ercole Pozzoli.

LUXEMBOURG (City Guide) - M. Kœdinger et C. Neu

* MAROC - Marc Boudet

MEXIQUE - Marc Furstenberg

NAMIBIE - Jacqueline Ripart

NEW YORK - Jean-François Chaix

NORVEGE - Magny Telnes-Tan

OCEAN INDIEN - Annick Desmonts

OCEAN ATLANTIQUE Nord - *Féroé* : J.-M. Chazeau. *Islande* : G. Garnier, N. Saillard, Jérôme Tubiana. *Groenland* : Denis Lefebvre

OCEAN ATLANTIQUE Sud - *Açores, Canaries, Madère* : Arnaud de la Tour. *Cap Vert* : Marc Trillard

PORTUGAL - Olivier Apert

REP. BALTES - Alec Nyiri

REP. TCHEQUE - H. Cobo-Coulon, Ch. Lelong

REP. DOMINICAINE - Catherine Bardon

RUSSIE - Gari Ulubeyan

SINGAPOUR - Martial Dassé

* SUEDE - Karin Envall, Norbert Grundman

THAILANDE - Martial Dassé

TURQUIE - Paulina Lampsa

VIETNAM - Jeanne-Chantal Stanek

GUIDES DU PETIT FUTE

Fondateur : Dominique Auzias • *Directeur* : Jean-Paul Labourdette

Collection City-Guides : Bertrand Dalin assisté de Véronique Fourré et Nathalie Thénaud
Collection Country-Guides : J.-F. Chaix assisté de Nora Grundman et Dana Lichiardopol
Régie nationale : Isabelle Drezen assistée de Catherine Guérin
Administration : Catherine Issad, Dina Bourdeau, Cécile Brault, Sophie Pavie et Paula Pereira
Diffusion : Patrice Evenor - **Secrétariat** : Nathalie Serres
Montage : M.- H. Martin, Evelyne Marchand, Malik Merazid, Sandrine Pelissero, Brigitte Battin
Cartographie Country : Marie-Hélène Martin assistée de Sylvie Bantigny

NEU - 18, rue des Volontaires - 75015 Paris - Fax 42 73 15 24 - Tél. 45 66 70 13
Sarl au capital de 1 000 000 F. RC PARIS B 309 769 966

EDITORIAL

Dans une Amérique en pleine reprise économique, la Floride fait figure d'outsider. C'est l'un des Etats les plus vieux en termes de démographie, et c'est l'un des plus dynamiques du point de vue économique. Villégiatures vacancières et villages de retraités, haute technologie et trafics de drogue, boom immobilier et immigration clandestine, agences de mode et mamies passées à la chirurgie esthétique... La Floride offre un visage étonnant sur fond de ciel éternellement bleu. Mais à la différence de la Californie, aujourd'hui économiquement sinistrée au-dessus de la faille de San Andréas, la Floride, longtemps convoitée par les Français, n'est située "que" sur la route des ouragans : les effets d'Andrew sont encore bien visibles.

Qui dit Floride dit Miami dit Miami Beach. Ce Country Guide raconte les différentes périodes de cette extraordinaire ville, exemple unique en Amérique d'une plage bordée de gratte-ciel et de chefs-d'oeuvre Art déco. L'histoire de Miami Beach est digne d'un roman policier... ou d'une série télévisée nommée Miami Vice. Le Petit Futé explore minutieusement toutes les possibilités offertes par cette ancienne île désormais reliée au continent par une série de digues : ses hôtels, ses restaurants, sa vie nocturne, ses shopping malls, ses musées et ses sites font l'objet d'un traitement pointu qui en dit long sur l'American Way of Life. Miami de tous les vices... Et pour qu'aucun ne soit oublié, il est ici longuement question de la criminalité et des problèmes raciaux.

Miami ne résume pas la Floride. Il est d'autres symboles : Dysney World, Cape Canaveral ou Palm Beach. Ou plus loin encore, les Bahamas. Autant d'escapades dont nous vous disons honnêtement l'intérêt qu'elles représentent.

Les Keys, au contraire, et Key West en particulier, ont fait l'objet d'un traitement approfondi. C'est que la situation de ces îlots naguère désertiques leur confère un climat particulier, voire envoûtant. Key West où vécut "Papa" Hemingway et où se sont retirés tant de vieux capitaines et de jeunes hippies, mérite en effet une traversée.

La Louisiane et la Nouvelle-Orléans sont une destination traditionnellement appréciée des Français qui aiment tant rêver sur les traces de leur empire perdu. A la capitale du jazz et à son Quartier Français, nous avons consacré une visite minutieuse doublée de précieuses informations sur la manière dont un certain esprit français s'est développé dans une ville symbole d'un Sud émancipé, pour ne pas dire dissipé. Il en reste un climat. La Nouvelle-Orléans, malgré les difficultés présentes, a de beaux jours devant elle. Mais tout ceci fait peut-être un peu "musée", à l'image des plantations qui s'égrènent le long du Mississippi. C'est pourquoi nous sommes allés à la recherche de nos lointains cousins, les Cajuns, si désireux de vous rencontrer. Les voilà révélés dans leur intimité, à coup de bonnes adresses, Bed & Breakfast, restaurants typiques et salles de bal. La Californie a ses Basques, la Louisiane a ses descendants du Québec. Ce n'est pas tout à fait la France, ce n'est plus tout à fait l'Amérique, c'est le domaine des bayous et des rêves peuplés de musique et de chasse à l'alligator.

TABLE DES MATIERES

TABLE DES MATIERES

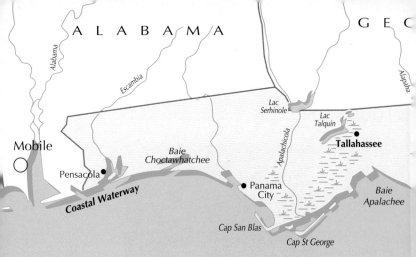

Mobile

Pensacola

Coastal Waterway

Baie
Choctawhatchee

ALABAMA

Escambia

Lac
Serhinole

Apalachicola

Lac
Talquin

Tallahassee

Alapaha

GEC

Panama
City

Cap San Blas

Cap St George

Baie
Apalachee

GOLFE DU MEXIQUE

CANADA

ÉTATS-UNIS

LOUISIANE

MEXIQUE

FLORIDE

100 km

A R K A N S A S

Lake Erling

Bastrop

Minden

Ruston

Monroe

Caddo Lake

Bossier City

Shreveport

L.Bistineau

Ouachita

Natchitoches

Catanoula Lake

Red

Toledo Bend Res.

Alexandria

Sabine

T E X A S

Opelousas

Calcasieu

Eunice

Crowley

Sulphur

Lake Charles

Jennings

Grand Lake

Abbevi

Beaumont

Sabine Lake

Calcasieu Lake

White Lake

COUNTRY GUIDE
le petit futé

G O L F E   D U

CANADA

ÉTATS-UNIS

LOUISIANE

MEXIQUE

FLORIDE

Natchez

MISSISSIPPI

Bogalusa

St Francisville

Mississippi

Atchafalaya

Hammond

Baton Rouge

L. Maurepas

Pearle

Lake Pontchartrain

Donaldsonville

ayette

Breaux Bridge

Atchafalaya Basin

New beria

Grand Lake

Thibodaux

New Orleans

Breton Bay

Breton Is.

Morgan City

Houma

Marsh I.

Atchafalaya Bay

Barataria Bay

Timbalier Bay

Mississippi River Delta

Isles Dernieres

MEXIQUE

Itinéraire du petit futé

100 km

N'importe où, n'importe quand, mais pas n'importe comment.

HAVAS VOYAGES ⋈
Le numéro 1

3615 HAVAS VOYAGES

Tableau des distances entre les villes (en km)

	ATLANTA	BOSTON	CHICAGO	CLEVELAND	DALLAS	DENVER	DETROIT	LOS ANGELES	MIAMI	MINNEAPOLIS	NEW ORLEANS	NEW YORK CITY	SAINT LOUIS	SAN FRANCISCO	SEATTLE	WASHINGTON DC
ALBUQUERQUE	2248	3608	2080	2584	1046	672	2518	1286	3170	1998	1850	3253	1691	1821	2344	3006
ATLANTA		1718	1125	1120	1301	2267	1192	3534	1059	1781	789	1390	896	4069	4419	1010
BOSTON	1718		1589	1037	2907	3182	1150	4691	2474	2245	2507	342	1902	5067	4877	708
CHICAGO	1125	1589		552	1501	1629	474	3366	1184	656	1538	1352	469	3493	3290	1118
CLEVELAND	1120	1037	552		1912	2134	270	3870	2106	1208	1723	811	893	4026	3842	578
DALLAS	1301	2907	1501	1912		1258	1859	2250	2123	1518	801	2566	1032	2867	3390	2198
DENVER	2267	3182	1629	2134	1258		1253	1786	3326	1355	2059	2933	1371	2022	2152	2707
DETROIT	1192	1150	474	270	1859	1253		3800	2251	1130	1766	1064	827	3947	3763	830
LOS ANGELES	3534	4691	3366	3870	2250	1786	3800		4373	3140	3029	4539	2978	667	1842	4293
MIAMI	1059	2474	1184	2106	2123	3326	2251	4373		2840	1418	2133	1955	4990	5478	1765
MINNEAPOLIS	1781	2245	656	1208	1518	1355	1130	3140	2840		2034	2008	904	3211	2634	1774
NEW ORLEANS	789	2507	1538	1723	801	2059	1766	3029	1418	2034		2166	1130	3669	4192	1798
NEW YORK CITY	1390	342	1352	811	2566	2933	1064	4539	2133	2008	2166		1562	4826	4586	368
SAINT LOUIS	896	1902	469	893	1032	1371	827	2978	1955	904	1130	1562		3384	3478	1336
SAN FRANCISCO	4069	5067	3493	4026	2867	2022	3947	667	4990	3211	3669	4826	3384		1330	4592
SEATTLE	4419	4877	3290	3842	3390	2152	3763	1842	5478	2634	4192	4586	3478	1330		4408
WASHINGTON DC	1010	708	1118	578	2198	2707	830	4293	1765	1774	1798	368	1336	4592	4408	

Le Petit Futé vu par la presse

"Ni "baba" ni "pépère", il s'adresse aux nouveaux voyageurs pour lesquels il déjoue tous les pièges à touristes. Des livres-copains rédigés dans un style vivant."

LIRE

"Des guides "boussoles" pour voyager malin et ne jamais perdre le nord."

L'Express

"Humour, vivacité du style, sens de la synthèse. Et de l'économie".

L'Evénement du Jeudi

"Et sachez que lorsqu'un guide est bouclé, il faut déjà se remettre à l'ouvrage. Car un bon "Petit Futé" doit être réédité tous les ans, ou au pire tous les deux ans."

L'étudiant

"L'excellente nouvelle collection des country guides. Ou comment découvrir un pays dans sa réalité propre."

France Soir

"Un traitement thématique des villes, truffé de renseignements utiles, et toutes les possibilités d'escapades autour."

Le Nouvel Economiste

"Chacun de ces guides est une roue de secours pour les aventuriers, qu'ils conçoivent leur voyage comme la gestion de l'imprévu ou le parcours d'une piste balisée."

Terre Sauvage

"Mélange de culture, d'évasion et d'informations pratiques, la collection s'adresse à un public épris d'authenticité."

Le Dauphiné Libéré

"Ils sont bien écrits - un ton vif, incisif, qui plaît au lecteur. Pointus surtout. Leurs sélections ciblées, réalistes, correspondent aux possibilités de la majorité des voyageurs et sont, osons-le dire, "branchées". On y trouve, notamment, des informations pratiques, culturelles et un itinéraire détaillé à travers le pays. Ce qui donne des guides très informés aux rubriques inédites : Who's Who, vocabulaire, présentation des médias s'ajoutent aux bonnes adresses en tout genre."

Le Monde

et si vous voyagiez...
...avant de partir?

avec le n°1 des voyages

Les Bancs d'Essais du Tourisme proposent chaque mois des photo-reportages, des fiches techniques et des bancs d'essais sur les pays de voyages du monde entier. Pour mieux choisir le pays de vos prochaines évasions, abonnez-vous vite. Vous ne serez pas déçus.

Sur France Info, nous parlons toujours de l'essentiel. A quelques exceptions près.

Pour tout ce qui intéresse le quotidien
branchez-vous sur 105.5 ou tapez 3615 code FRANCE INFO

FRANCE
info
105.5
POUR GAGNER SON TEMPS

FLORIDE

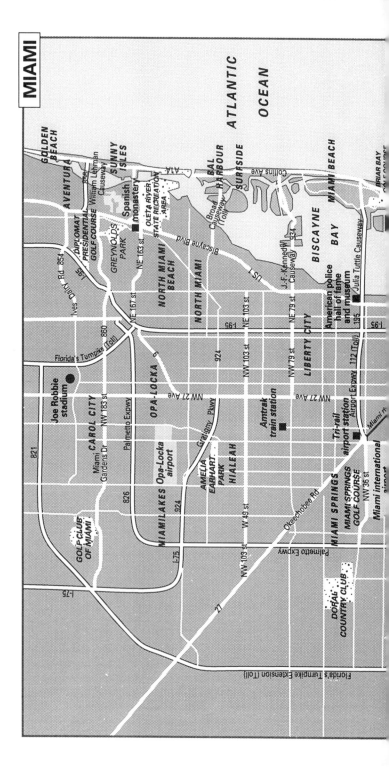

MIAMI

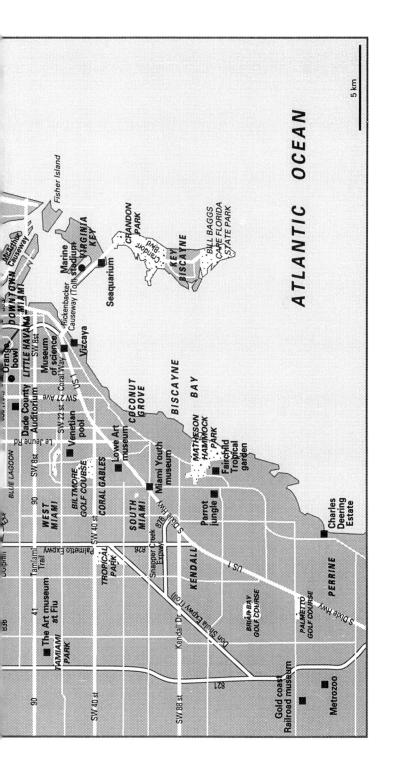

ATLANTIC OCEAN

5 km

Fisher Island

MacArthur Causeway

DOWNTOWN MIAMI

LITTLE HAVANA

Orange bowl

SW 8 st

Museum of science

Dade County Auditorium

SW 27 Ave

US 1

SW 22 st Coral Way

Le Jeune Rd

Venetian pool

SW 8 st

BLUE LAGOON

90

WEST MIAMI

BILTMORE GOLF COURSE

CORAL GABLES

SW 40 st

Lowe Art museum

COCONUT GROVE

Vizcaya

Hickenbacker Causeway (Toll)

Marine stadium

Seaquarium

VIRGINIA KEY

CRANDON PARK

Crandon Blvd

BILL BAGGS CAPE FLORIDA STATE PARK

KEY BISCAYNE

BISCAYNE BAY

Miami Youth museum

MATHESON HAMMOCK PARK

Fairchild Tropical garden

SOUTH MIAMI

Parrot jungle

S Dixie Hwy

878

Snapper Creek Expwy

826

TROPICAL PARK

Kendall Dr

KENDALL

US 1

Don Shula Expwy (Toll)

BRIAR BAY GOLF COURSE

PALMETTO GOLF COURSE

PERRINE

Charles Deering Estate

S Dixie Hwy

Palmetto Expwy

Tamiami Trail

The Art museum at Fiu

TAMIAMI PARK

41

90

bsb

SW 40 st

SW 88 st

821

Gold coast Railroad museum

Metrozoo

PARIS - MIAMI de 2 650F à 4 400 F

PARIS ➡ MIAMI

MOIS	JOURS	PRIX en F
Mai	*QUOTIDIEN*	1 750

Juin	1 → 20	1 750
	23 26 28 30	1 450

Juil.	3	1 700
	5 7 10 12 14	1 900
	17 19 21 24 26	1 750
	28	2 000
	30	2 100
	31	2 200

Août	2 4 7	2 200
	9	2 000
	11	1 800
	14	1 700
	16	1 600
	18	1 500
	21	1 400
	23	1 300
	25 28 30	1 200

Sept	1 4 6	1 200
	8 11 13 15 18	1 450
	20 22 25 27	1 450

Oct	*QUOTIDIEN*	1 750

MIAMI ➡ PARIS

MOIS	JOURS	PRIX en F
Juin	23 26 28 30	1 450

Juil.	3	1 450
	5 7 10 12	1 200
	14	1 300
	17 19 21 24 26	1 450
	28	1 700
	30	1 800
	31	1 900

Août	2 4 7 9 11	1 600
	14	1 700
	16	1 800
	18	1 900
	21 23 25	2 000
	28 30	2 200

Sept	1	2 200
	4	1 700
	6	1 500
	8 11 13 15	1 450
	18 20 22 25 27	1 450

Oct	*QUOTIDIEN*	1 750

Validité 1j / 1 an- Taxes, assurances annulation : +250F
- Aller simple : +200 F - Panachage possible avec tous nos vols Amérique -
Prépayé : +300 F- Assurance assistance, rapatriement facultative : +150F

LA FLORIDE

La Floride, avant l'arrivée de Hawaï au sein de l'Union, était l'Etat situé le plus au sud des Etats-Unis ; c'était aussi, avant que l'Alaska n'entre dans le giron américain, celui qui avait les plus longues côtes (478 miles = 760 km sur la façade atlantique, 674 miles = 1 010 km autour du golfe du Mexique).

La Floride est une péninsule dont la surface calcaire, poreuse et plate sépare les eaux de l'Atlantique de celles du golfe du Mexique. Seule la Louisiane a une altitude plus basse encore. Quelqu'un a dit de la Floride qu'elle est *"aussi basse que peut l'être un endroit qui pourtant peut être encore appelé terre"*. Au début de ce siècle, la moitié seulement du territoire au sud d'Orlando pouvait être qualifiée de terre, et encore était-ce durant la saison sèche. Le point le plus élevé de la Floride (180 m) se situe dans l'angle nord-ouest de l'Etat, une région qui offre une topographie très semblable à celle de l'Alabama.

La Floride est l'état dont la démographie est la plus galopante des Etats-Unis. Résultat : l'afflux d'habitants, la culture intensive des arbres fruitiers (citrons, pamplemousses essentiellement) et l'élevage du bétail ont parfois épuisé les nappes d'eau souterraines au point que des villages entiers ont disparu, entraînés dans des effondrements de terrain. La plupart des lacs et des surfaces aquatiques, qui couvrent 10% du territoire de l'etat, sont le résultat d'effondrements dus à l'action des rivières souterraines.

Le climat y est varié : climat de savane au nord, semi-tropical au centre et sub-tropical dans la partie sud. Les températures, en général confortables durant l'hiver, en font un pôle d'attraction pour des foules de retraités. La Floride est l'Etat le plus âgé des USA, celui où l'obsession des soins médicaux est la plus grande. St. Petersburg, sur la côte Ouest, a été connu pendant des années comme la "Cité des Morts Vivants". Or il n'est pas sans ironie de rappeler que la Floride fut explorée de concert avec la recherche de "Bimini", la légendaire Fontaine de Jouvence.

LA TELECARTE
QUI RELIE LES ETATS-UNIS A LA FRANCE

ECONOMIQUE
- Communications moins chères.
- Evite les tarifs excessifs appliqués par les hôtels.

PRATIQUE
- Utilisable de n'importe quel téléphone à touches
  (cabine publique, hôtel, particulier...)
- Plus besoin de monnaie ni de téléphoner en PCV.
- Une fois votre crédit épuisé, vous pouvez "réactiver"
  votre carte avec votre n° de carte de crédit pour le
  montant de votre choix.
- Carte valable un an.

SIMPLE A UTILISER
- Le mode d'emploi en français est imprimé au dos de la carte.
- Assistance téléphonique en français.

UTILE ET INDISPENSABLE
- Grâce au système "Voice Mail", vous pouvez recevoir vos messages
  enregistrés où que vous soyez aux Etats-Unis.

UN PETIT PLUS QUI SIMPLIFIE LA VIE

RENSEIGNEMENTS : [1] 45 77 10 74

Mosaïc : 47 69 99 49

L'HISTOIRE

L'ère des conquistadores

La Floride est mentionnée pour la première fois sur une carte espagnole en 1502. Il semble que des vaisseaux l'abordèrent dès 1510, mais le premier débarquement officiellement reconnu est attribué à Juan Ponce de León (1460-1521), l'ancien gouverneur de Porto-Rico qui fit partie du second voyage de Christophe Colomb. De León était à la recherche de la Fontaine de Jouvence quand il débarqua, en 1513, à l'embouchure de la rivière St Johns, siège de l'actuelle Jacksonville. Quant au nom du futur Etat, il semble qu'il provienne soit des fleurs dont il y avait abondance, soit du Jour du débarquement, Pasca Florida.

De León reçut la permission de coloniser la Floride, mais l'entreprise échoua en 1521 quand les Indiens attaquèrent la petite colonie. Son chef allait mourir de ses blessures à Cuba. La seconde tentative de colonisation fut celle de Panfilo de Narvaez qui, en 1527, débarqua avec 600 hommes près de la Baie de Pensacola. Les effectifs furent vite réduits à 400 hommes ; six mois plus tard, la flotte ayant été détruite, les survivants tentèrent de regagner Cuba à bord de radeaux. Un ouragan réduisit l'expédition à une poignée de fuyards qui, après avoir été drossés sur la côte du Texas, furent capturés par les Indiens. Huit ans plus tard, Nunez Cabaza de Vaca et trois autres capitaines fondaient enfin une garnison espagnole à Guyamas, sur la côte Pacifique du Mexique. (L'expédition est le sujet d'un récent film mexicain, *Cabaza de Vaca*).

La rivalité franco-espagnole

Fernando de Sota, qui laissa le souvenir d'une incroyable brutalité, (sa petite manie consistait à couper le nez des Indiens qu'il capturait, et des centaines tombèrent entre ses mains...) explora la Floride entre 1539 et 1540. En 1559, Tristan de Luna tentait d'établir une nouvelle colonie dans la Baie de Pensacola ; elle dut être abandonnée en 1561. Un an plus tard, le Français Jean Ribaut (1520-1565) débarquait avec une troupe de huguenots à St Augustine d'abord, puis sur la rivière St Johns, et prenait possession de ce territoire, *"le plus sain, le plus fructueux et le plus plaisant du monde"*, avant de s'installer finalement sur une île près de Beaufort, en Caroline du Sud. En 1564, René de Laudonnière fondait à son tour une colonie, Fort Caroline, à l'embouchure de la rivière St Johns, qu'il était prêt à quitter un an plus tard sans l'arrivée, le 28 août, de Ribaut et de trois cents soldats français. Le même jour, une expédition espagnole commandée par Pedro Menendez de Aviles (1523-1574) débarquait à St Augustine avec le projet exprès de déloger les Français.

Le 20 septembre 1565, Menendez massacrait la garnison de Fort Caroline (*"non en tant que Français, mais en tant que luthériens"*). La flotte française étant détruite, Ribaut et ses hommes se rendirent à Menendez mais furent passés par les armes. Cela fait, l'Espagnol établit une garnison qu'il baptisa Sainte Augustine (la plus vieille ville de l'Amérique du Nord) puis, en 1567, regagna son pays natal.

La nouvelle du massacre atteignit la France, mais bien que la Cour en fit peu de cas, un ami de Ribaut, Dominique de Gourgues, jura vengeance. Ayant affrêté un navire, un an plus tard, en 1568, il arriva en vue de la rivière St Johns. Avec l'aide des Indiens, il s'empara du fort San Mateo, sur le site de Fort Caroline, et pendit tous ses occupants en déclarant qu'il les punissait *"non en tant qu'Espagnols mais en tant que traîtres, voleurs et assassins. "* Cela fait, sans essayer d'attaquer St Augustine, il rentra en France.

Les Anglais s'en mêlent

En 1586, St Augustine manqua de peu d'être attaquée par Sir Francis Drake. La garnison fut bel et bien détruite par le fameux capitaine John Davis soixante-dix-neuf ans plus tard, en 1665. C'est pourquoi, vers la fin du XVIIe siècle, les Espagnols choisissaient d'aller s'établir à l'intérieur des terres. Pensacola fut fondée en 1696. En 1702, les Anglais incendiaient St Augustine. En 1706, Français et Espagnols attaquaient Charleston, en Caroline du Sud. En 1706, puis à nouveau en 1722, les Caroliniens attaquaient la Floride. En 1740, un Géorgien, Oglethorpe, attaquait St Augustine. Deux ans plus tard, en représailles, les Espagnols s'en prenaient à la ville de Savanna. En 1745, le belliqueux Oglethorpe allait récidiver, mais le traité d'Aix-la-Chapelle mit fin à la guerre. Tous les combats furent suspendus. Les Français avaient occupé Pensacola de 1719 à 1742.

En 1763, par le traité de Paris, les Espagnols cédaient la Floride aux Anglais en échange de Cuba. Ces derniers divisèrent le territoire entre la Floride de l'Est, bordée par le Mississipi, et la Floride de l'Ouest. Durant la Révolution américaine, les Anglais essayèrent d'utiliser la Floride comme base contre la Georgie et la Caroline du Sud, mais les Espagnols, basés à la Nouvelle-Orléans, s'emparèrent de la Floride de l'Ouest. En 1783, le nouveau traité de Paris permit à la couronne d'Espagne de récupérer la totalité de la Floride.

L'entrée dans l'Union et la guerre de Sécession

En 1803, quand les Etats-Unis, tout récemment créés, rachetèrent la Louisiane à Bonaparte, les résidents de la Floride de l'Ouest, inquiets à l'idée d'une annexion bonapartiste, firent des pétitions en faveur de leur rattachement à l'Amérique. Le gouverneur espagnol s'opposa à cette demande. Les USA, s'appuyant sur la théorie selon laquelle la Floride de l'Ouest avait été cédée par l'Espagne à la France en 1800 et faisait en conséquence partie du territoire de la Louisiane à l'époque de son rachat, occupèrent tout bonnement ce territoire en 1812 : la partie la plus occidentale fut ainsi rendue à la Louisiane, le reste revenant au Mississippi.

Bientôt, les Etats-Unis et les Anglais entraient en guerre. Le gouvernement américain demandait alors aux Espagnols, concentrés en Floride de l'Est, l'autorisation d'occuper cette partie du territoire afin d'en chasser les Anglais. Devant le refus des Espagnols, les Américains envahissaient la Floride espagnole - c'est l'un des épisodes les plus noirs de l'histoire américaine. En 1814, les troupes britanniques tentaient de débarquer à Pensacola et étaient battues par les Américains commandés par Andrew Jackson.

Andrew Jackson allait continuer la guerre même après la défaite des Anglais sous prétexte que ces derniers entretenaient des foyers d'agitation chez les Indiens et abritaient les esclaves en fuite. En 1816, Jackson détruisait un fort sur la rivière Apolicchicola où s'étaient réfugiés 270 esclaves fugitifs. Or, le territoire où sévissait le futur gouverneur de la Floride, faisant des raids incessants contre les chefs indiens et pendant haut et court les commerçants anglais, ne faisait pas encore partie des Etats-Unis. En 1818, les Espagnols étaient contraints de céder la Floride, dont les Etats-Unis prirent possession en 1821. Andrew Jackson était nommé le premier gouverneur du nouvel Etat.

Le gouvernement des Etats-Unis allait céder une large portion du territoire de la Floride au marquis de Lafayette qui souhaitait y créer une communauté utopique. Mais Lafayette, après avoir imaginé planter des vignes, allait vite renoncer à son projet et s'installer à Tallahassee, où ses anciens quartiers, Frenchtown, existent toujours. Ce fut le tour d'un autre Français, le prince Achille Murat, de débarquer ; s'il épousa une nièce de George Washington, le prince Murat n'allait pas faire grand chose d'autre que manger et chasser et manger.

Ce qu'il est advenu des Indiens

Les Indiens originaires de Floride avaient, quant à eux, atteint un degré de civilisation comparable à celui des Aztèques. Vers le début du XVIe siècle, leurs rituels de funérailles sur des tumulus avait été remplacé par le culte du soleil. Mais ces Indiens, tels les Calusas et les Timucuas, n'ont pas laissé de traces. Qu'ils aient été rayés de la terre de leurs ancêtres par les maladies ou qu'ils aient fait retraite avec les Espagnols à Cuba, au milieu du XVIIe siècle, ils avaient disparu ou avaient été absorbés par la nation Creek.

Les Creeks étaient arrivés d'Alabama et de Géorgie à la même époque. On les connaissait en Floride sous le nom de Séminoles, qui ne désignait pas une tribu à proprement parler, mais signifiait "renégat" ou "vagabond". Peut-être avaient-ils été des éclaireurs engagés de force à l'époque de la guerre contre les Creeks en Caroline. Quoiqu'il en soit, la présence de ces Séminoles en Floride devint l'objet d'un débat capital. Ils furent forcés de s'exiler (bien qu'un traité eût été signé en 1833) vers des réserves en Oklahoma. La majorité des Séminoles ayant refusé de se rendre, il s'ensuivit deux guerres contre les Etats-Unis (1816-1845). Les Séminoles qui n'acceptèrent pas la défaite trouvèrent une base de retraite dans les Everglades. (Leurs descendants sont réapparus en 1976 quand ils ont reçu 16 millions de dollars du gouvernement en dédommagement de leurs territoires perdus.) De nombreux esclaves fugitifs s'étaient battus aux côtés des Séminoles et s'étaient incorporés à la tribu. Aujourd'hui, il reste peut-être 3 000 descendants de Séminoles en Floride.

Le prometteur désert des frontières

En 1845, la Floride était un Etat de l'Union. En 1861, elle faisait sécession et, rejoignant les Etats de la Confédération, s'engageait dans la guerre civile. Mais elle allait perdre la plupart de ses ports et villes côtières au cours du conflit. Après la guerre, la Floride rejeta le 14e amendement qui rendait les esclaves libres et leur accordait les droits civils : elle allait rester sous régime militaire jusqu'en 1846.

Cette attitude intransigeante était d'autant plus incompréhensible qu'à la différence des autres Etats confédérés, la Floride ne pratiquait pas un système d'agriculture à grande échelle qui nécessitait, comme les plantations, une importante force de travail.

Durant la majeure partie de son histoire, la Floride fut considérée comme la frontière ("the frontier"), cette limite extrême des Etats encore en friche de la civilisation américaine. En 1880, alors que sa population était d'à peine 260 000 habitants, 60% de son énorme espace appartenaient à cinq compagnies de chemin de fer, à une compagnie de forage et à un certain Hamilton Disston, lequel possédait à lui seul 4 000 0000 acres (625 000 hectares) ! Fils d'un milliardaire, Disston avait acheté la terre pour 25 cents l'acre, ce qui en avait fait le plus gros propriétaire terrien du pays et peut-être du monde. Mais il n'honora jamais son achat et ouvrit rapidement des bureaux de vente dans toutes les villes américaines et en Europe. S'il allait être balayé par la panique financière de 1893 et se suicider, il fut certainement le premier des grands spéculateurs terriens en Floride et ouvrit la voie à d'autres milliardaires attirés par la possiblité de créer des empires. Carl Fisher, l'inventeur du premier système d'éclairage d'automobile, allait pour sa part creuser 2 100 000 m3 de terre dans la baie de Biscayne, et inventer Miami Beach.

L'entrée dans le XXe siècle

Au tournant du siècle, la Floride n'avait pas de prisons mais louait ses détenus aux services du plus offrant, selon la tristement célèbre méthode connue sous le nom de "chain gang system", qui consistait à enchaîner les forçats. A cette époque, Jacksonville, la plus grosse ville de Floride, comptait 28 000 habitants, tandis que la population totale de l'Etat ne dépassait pas le demi-million. Bien que ces chiffres représentent une augmentation de 50% d'une décade à l'autre, la Floride n'allait vraiment commencer à prendre son envol économique qu'avec le boom immobilier des années 20, que les Marx Brothers ont tourné en ridicule dans leur film *Coconuts*.

Une fraude généralisée et un endettement important allaient cependant précipiter la chute de l'Etat, une banqueroute due à la crise économique de la période. Le déclin fut hâté par une série d'événements naturels incontrôlables : une gelée désastreuse eut lieu durant une réunion de banquiers en décembre 1925, trois ans à peine après le début du boom immobilier, puis cette rigueur hivernale inédite fut suivie d'un été torride qui devait se conclure par un ouragan monstrueux.

Aussi la dépression commença-t-elle en Floride trois ans avant le reste de l'Amérique. Elle ne s'achèverait pas avant la guerre. A l'issue du second conflit mondial, une bonne part du personnel de l'intendance militaire qui avait été dépêché en Floride retourna dans les Etats plus nordiques en vantant le soleil éternel et en faisant Etat des profits mirifiques que chacun pouvait soi-disant tirer facilement de la spéculation foncière. Qui plus est, l'air conditionné, inventé en Floride quelques décennies plus tôt, était devenu d'un usage courant, ce qui permettait à tout un chacun de vivre dorénavant sous ces climats chauds et humides.

Un climat nommé mafia

La mafia n'avait pas manqué de découvrir quelque chose d'unique dans le climat de la Floride. On peut dire que faire un pied de nez à la loi était une vieille tradition de l'Etat. Par exemple, au début du siècle, quand les femmes raffolaient des plumes exotiques pour décorer leurs chapeaux, les autochtones avaient fait d'excellentes affaires grâce aux plumes d'oiseaux exotiques qui abondaient sous ces latitudes. La Société Audubon s'était alors alarmée,et comme certaines espèces étaient menacées d'extinction, on avait voté des lois pour protéger les précieux volatiles. Or ces lois allaient être ouvertement contournées tant par les autorités locales que par les politiciens du cru.

Le terrain était tout prêt pour des opérations de plus grande envergure. Ainsi, quand la prohibition frappa l'Amérique durant les années 20, la plus longue côte des Etats-Unis vit-elle se multiplier le nombre des petites embarcations de pêcheurs qui, allant subrepticement se ravitailler auprès des cargos en provenance de Cuba, en ramenaient des caisses de bouteilles enveloppées dans de la toile de jute - les "hams", comme on les appelait - vers le rivage et les circuits d'écoulement. Ce trafic précédait le commerce illicite des peaux d'alligator et celui, plus récent, de la marijuana et de la cocaïne. Ces détails mis à part, les trafiquants étaient et sont toujours des chrétiens fondamentalistes qui citent la bible et prient Dieu dont ils invoquent la clémence.

Tel était l'Etat où Al Capone passait ses hivers et où - à Fort Lauderdale exactement - un autre grand maffieux, Meyer Lansky, prit sa retraite quand son homme de main à la Havane, Battista, connut son premier exil dans les années 40. Cependant la Floride était devenue si notoirement l'Etat des jeux clandestins qu'elle finit par attirer l'attention du pays. Lansky, expulsé, dut rentrer à La Havane. Ce qui signifiait le retour de Battista à Cuba et dans la foulée le déclenchement de la révolution castriste.

Fusées, Cubains, tourisme

Trois faits ont radicalement transformé la Floride et fait de cet Etat des frontières l'un des plus convoités d'Amérique. D'abord, le gouvernement a décidé de faire de l'inhospitalier cap Canaveral la base de son programme spatial, ce qui a entraîné l'implantation de nombreuses industries de pointe dans la zone placide, pour ne pas dire reculée, de la Floride centrale.

Puis la révolution cubaine a déplacé des centaines de milliers de Cubains des classes moyennes et supérieures dans la partie sud de la Floride. Mais à la différence de la plupart des immigrants en Amérique, ces réfugiés espéraient bien (et espèrent toujours) rentrer un jour chez eux : la plupart n'habitent qu'à 150 kilomètres de Cuba.

Il y avait tant d'anti-castristes à Miami que la CIA, l'un des plus grands employeurs de la région, les a dotés d'une station de radio avec le statut de radio étrangère pourvue de tous les moyens.

Les Cubains étaient précédemment venus en Floride en deux vagues. D'abord des pêcheurs qui formaient de petites communautés le long de l'extrémité sud. Puis, du côté de Tampa, sur la côte Ouest, s'est constituée une plus grande concentration de fabricants de cigares. C'est précisément cette communauté qui aida matériellement le patriote et poète cubain José Marti dans sa lutte contre les Espagnols.

Last but not least, Walt Disney, en décidant de créer Disney World à Orlando sur la côte Est, a lancé la mode de toutes sortes de "worlds" et "lands", à commencer par le Epcot Centre, qui tous se livrent une lutte acharnée pour les dollars du tourisme de masse.

Le tourisme avait été une importante industrie de la Floride dès l'après-guerre civile. Henry Flager, qui fit fortune comme associé de Rockefeller à la Standard Oil (lui-même était un expert en chemins de fer), acheta un train et décida de construire le long de la côte Est une ligne de chemin de fer entre Jacksonville et Key West. Le trajet était ponctué d'hôtels de luxe qui allaient marquer le "boom espagnol". Jusqu'alors, la Floride avait privilégié des structures simples et aérées qui permettaient une meilleure circulation de l'air chaud et humide. Flager privilégia au contraire de lourdes structures dans un style pseudo mauresque-espagnol qui connut vite ses imitateurs. Toutes sortes de villégiatures s'élevèrent le long de la voie. Le fleuron en était Palm Beach, destiné aux riches Américains à la recherche d'un climat certes chaud, mais surtout exclusif. La gare était située de l'autre-côté d'un lac dans la ville "à tout faire" de West Palm Beach, et les énormes propriétés des super-riches se dressaient dans les parcs tropicaux de Palm Beach, tandis que leurs yachts non moins colossaux sautillaient sur les eaux du port.

L'industrie du tourisme en tant que phénomène de masse est venue après la guerre, avec la construction de super-autoroutes descendant du Nord et la mise en place de transports aériens à bon marché.

Une sélection de livres sur la Floride et Miami

- *Tropical Splendor, an Architectural History of Florida*, par Hap Hatton, Knopf, 1987. 40$.
- *Miami Architecture of the Tropics*, Ed. Culot & LeJeune, Princeton Architectural Press 37 E. 7th St. New York, Tél. (212) 995 96 20.
- *Florida Architecture of Addison Mizner*, par Donald W. Curl, Dover, 1992. 14,95$.
- *Mizner's Florida, American Resort Architecture*, par Donald W. Curl, Architectural History Press/MIT Press, 1992. 14,95$.
- *Palm Beach Babylon*, Weiss & Hoffman, Birch Lane Press, 1992. 21,95$.
- *Florida Wildflowers*, par Walter K. Taylor, Taylor Publishing. 26,95$.
- *Florida Birds* par Herbert W. Kale II, David S. Maehr & Karl Karalus, Pineapple Press Inc. 19,95$.
- *Shipwrecks in Florida*, par Steven D. Singer, Pineapple Press. 24,95$.
- *The Everglades - River of Grass*, par Marjory Stoneman Douglas, Pineapple Press, 1988. 17,95$.
- *Dade County Street Finder, Roads Atlas*, Rand McNally. 15,95$.
- *Before and After Hurricane Andrew*, photos : Masud Quraishy, Text : Noorina Mizra, Kenya Foto Mural 13730 SW 107th Ave. Miami Fla. 33176. 25$.

LA GEOGRAPHIE

MIAMI

Miami a grandi sur les rives de la Miami River à l'endroit où elle se jette dans l'océan Atlantique, dans la baie de Biscayne (Biscayne Bay). Le site de l'agglomération, parfaitement plat, s'étend approximativement sur 200 blocks au nord, 250 blocks au sud et 150 blocks à l'ouest. (Un block, faut-il le rappeler, est la distance qui sépare une rue d'une autre rue, une rue d'une avenue, une avenue d'une autre avenue.)

De larges morceaux de territoire sont constitutifs de villes voisines, Coral Gables, Opa Locka, Hialeah et North Beach Miami, laquelle ne se situe pas plus au nord de Miami Beach qu'au bord d'une quelconque plage.

Se retrouver dans Miami et savoir où l'on va pose un problème assez simple à résoudre. Les rues sont dessinées selon un modèle de grille. Les rues vont est/ouest, les avenues vont nord/sud. Les unes et les autres sont numérotées à partir de deux axes. L'est et l'ouest sont divisés par le Dixie Highway, également connue comme la US 1. Le nord et le sud sont divisés par Flager Street qui émerge du centre de la zone appelée "downtown". Par conséquent, tout ce qui se situe au nord de Flager St. est connu comme "le nord"(north). Si un lieu se situe à l'ouest du Dixie Highway, on s'y réfère comme au nord-ouest (northwest). Tout lieu dans Miami est désigné selon l'appellation Northwest (NW), Southwest (SW, sud-ouest), Northeast (NE, nord-est) ou Southeast (SE, sud-est).

A cause de la proximité du Dixie Highway par rapport à Biscayne Bay, la majeure partie de la ville se situe à l'ouest.

Au-delà, la numérotation des rues précise la localisation exacte d'une adresse. Une adresse inclut les intersections des rues et avenues. Ainsi 3504 SW 8th St. est situé près de l'angle de SW 8th St. et 35th avenue. 806 SW 35th Ave. se trouve près de l'angle de 35th Ave. et 8th St.

Les adresses restent uniformes dans Coral Gables, North Miami Beach et d'autres petites villes mitoyennes à Miami, mais pas à Hialeah où NW103rd St. devient W 49th St. Les rues de Miami Beach sont légèrement décalées par rapport à celles de Miami, mais selon le même système.

Les causeways

Ce sont les Causeways (les digues), une combinaison de ponts et d'îles artificielles qui relient Miami Beach à Miami. La plus importante de ces digues est le MacArthur Causeway qui s'étire entre la NE 14th St. à Miami (une zone connue comme "The Omni" à cause de ses complexes hôteliers et ses grands magasins) et la 5th St. dans la zone de South Beach. Cette digue est hideusement datée et l'a toujours été depuis sa construction dans les années 50. Mais c'est la route qu'empruntent la majorité des bus entre Miami Beach et Downtown Miami. Bien qu'elle ait été rénovée à grands frais, la digue a gardé son inconvénient majeur, un pont levant qui n'a pas été éliminé. Ce qui signifie des embouteillages dès que passe le moindre navire de plaisance.

Les week-ends sont particulièrement pénibles quand le pont se lève et s'abaisse régulièrement. Le MacArthur, également connu comme la 1395, mène directement au système des autoroutes de Miami qui vous déposent en quelques minutes à l'aéroport ou à Coconut Grove.

Au nord de MacArthur, et visible à l'œil nu, la Venetian Causeway, construite par Fisher en 1915, reliait à l'origine Miami. Cette "digue vénitienne" est beaucoup moins empruntée que la MacArthur et mène directement à travers Biscayne Bay de la 17th St. à Miami à la 19th St. à Miami Beach. Il y a un péage dont sont exemptés les résidents des chic îles artificielles comme Palm et Belle Isle. Un petit pont levant paraît fonctionner plus vite que celui de MacArthur, 200 mètres plus bas. Il semble que cette voie d'accès soit malheureusement menacée car les ponts doivent être reconstruits ou remplacés. Les résidants exigent le maintien et la conservation de ces jolis vieux ponts de style édouardien. Les reconstruire serait moins cher que d'en construire d'autres, mais les autorités locales souhaitent que le gouvernement fédéral les remplace. Leur argument est que les ponts rénovés ont une vie de 10 à 20 ans, tandis que les ponts neufs ont une durée de vie de 30 ans. L'argument est d'autant plus curieux que les constructions originales fonctionnent depuis 80 ans. L'ingénierie des ponts est-elle un savoir qui se perd comme celui des vitraux ? La réponse, on l'aura deviné, est que le gouvernement fédéral prendrait à sa charge le remplacement des ponts. A cause des lois, on ne peut exiger aucun péage, mais les résidents objectent à juste titre que dans ces conditions la circulation ne cesse d'augmenter à leurs portes. En tout Etat de cause, la construction d'une autre digue destinée à soulager le MacArthur Causeway paraît bien être l'objectif. Les voies des gouvernements sont mystérieuses, mais leurs objectifs généralement évidents.

Le Julia Turtle Causeway fait effectivement partie du réseau des autoroutes inter-Etats (le Interstate Highway System). Dans ce cas, il s'agit de la 195 qui remonte la côte Est jusqu'à New York et au-delà. La digue mène directement du Airport Expressway (NE 36th St.) à Miami, au Arthur Godfrey Drive (41st St.) à Miami Beach.

Plus au nord, le 79th St. Causeway relie la 79th St. à Miami (l'adresse des gares Tri-Rail et Amtrack) à la 71th St. à Miami Beach (adresse de la gare des Greyhound).

Encore plus au nord, la digue qui relie les Sunny Isles à la 163rd St. et à North Miami Beach, traverse le superbe Oleta State Park, tandis que le court 192nd St. (ou Lehman) Causeway est conseillé pour les Malls Aventura et Diplomat, le Gulfstream Park et les villes du Nord comme Fort Lauderdale.

Au sud, une petite digue mène, au-delà de Bayside Market, à l'île artificielle construite pour atteindre les navires qui ancrent dans le non moins artificiel port de Miami, et l'un des plus grands ports des Etats-Unis, le plus grand port de bateaux de croisière du monde.

Le Rickenbacker Causeway, à SW 22nd St., fait un angle plein sud au-dessus de Biscayne Bay en direction de Virginia Key et de la plage favorite de Miami. L'endroit était jadis le luxuriant Key Biscayne, qui a été particulièrement touché par le cyclone Andrew.

MIAMI BEACH

On pourrait dire en risquant une lapalissade que depuis qu'elle a été séparée de la terre, Miami Beach est une île. Ici les rues sont numérotées de manière consécutive du sud au nord. Cependant, Miami Beach n'est pas une ville d'un seul tenant, mais plutôt une juxtaposition de localités, Miami Beach proprement dit occupant la partie sud de l'île, tandis que de plus petites agglomérations, Sunny Isles, Bal Harbor et Hallendale s'égrènent vers le nord.

South Beach (Art Deco District)

La zone de South Beach constitue le cœur du quartier touristique, également connu comme le "Art Deco District". South Beach s'étend de l'extrémité sud de Miami Beach jusqu'à approximativement 23rd St. L'entrée principale à partir du continent se fait par le MacArthur Causeway qui se transforme, dans Miami Beach, en la monumentale 5th Street, large de huit voies.

Comme à Miami, les adresses des rues ont pour clef leurs intersections. En conséquence, 607 Ocean Drive se trouve sur 6th St. et 1407 Avenue s'aligne sur 14th St. Les nombres est-ouest sont plus difficiles à comprendre, disons qu'ils augmentent à mesure qu'on va vers l'ouest.

Miami Beach n'offre guère d'intérêt au sud de 5th Street, sinon le long d'Ocean Drive. Il y a la marina et le restaurant Joe's Stoned Crab, et c'est à peu près tout, bien que cette zone attire depuis peu les spéculateurs immobiliers, en particulier allemands.

Fisher's Island

Au large de South Beach se dresse Fisher's Island. Cette île de 88 hectares faisait elle aussi partie de l'extrémité sud de Miami Beach jusqu'au creusement d'un chenal. Depuis 1986, d'abord sous l'égide de la Mutual Benefit Life Insurance Company (la plus importante compagnie d'assurance à avoir fait faillite aux Etats-Unis) et ensuite, sous le contrôle de l'Etat du New Jersey, l'île abrite, outre des "déchéteries" qu'on a pris soin de dissimuler et quelques cuves à pétrole, des appartements en coopérative de haut standing et des condominiums de luxe disséminés dans des espaces paysagés qui semblent sortis tout droit de chez le manicure. Le condominium moyen sur Fisher's Island vaut 1,6 millions $ (12 6000 000 F) pour une surface d'environ 1 000m2, une paire de voiturettes de golf et quelques chaises longues. L'étincelant sable blanc de la plage est importé chaque années des Bahamas pour recouvrir le sable jaune de Biscayne Bay. Il y a sur l'île un terrain de golf de 9 trous, 17 courts de tennis, deux marinas et un centre de soins proposant des traitements américains et européens. 40 % des résidents sont étrangers, et tout d'abord Brésiliens, mais tous sont sans aucun doute attirés par la sécurité.

En effet, un service de ferry relie l'île au continent 24h/24 (départs sur le MacArthur Causeway, juste avant le pont de Miami Beach), mais une équipe chargée de la sécurité filtre soigneusement les non-résidents et les petits futés qui voudraient s'égarer sur le havre des milliardaires. Seuls les résidents, les relations de travail, les invités et les membres du Fisher's Island Club peuvent prendre le ferry. Les membres du club - 44 000 $ ou 270 000 F pour en être - installés dans l'ancienne demeure des Vanderbilt, jouissent de tous les avantages de l'île. Où les transports se font dans des golf carts électriques et non-polluants.

L'île est nommée d'après son propriétaire, Carl Fisher, le fondateur de Miami Beach, qui la céda aux Vanderbilt en échange d'un de leurs yachts(voir Histoire de Miami Beach).

Dès l'entrée dans Miami Beach, la marina est sur la droite. Alton Road sur la gauche, mène à une série d'énormes immeubles d'appartements qui se dressent le long de Biscayne Bay. Ici vivent les vrais vieux résidents de Miami Beach, ceux (ou ce qu'il en reste) qui étaient là dès les années 50. La zone touristique s'étend plusieurs blocks à l'est, sur 5th St. Les trois rues les plus à l'est sont Washington, Collins et Ocean Drive.

Washington Avenue

Sur Washington, une large avenue de six voies, se succèdent les boutiques de vêtements, les restaurants et les discos à l'origine de la renaissance de Miami Beach, mais aussi les vieilles boutiques de l'âge d'or. Washington monte vers le nord jusqu'à 17th St., où elle croise Lincoln Road Mall et, au-delà, jusqu'au Convention Center. Certaines parties de Washington sont toujours ce qu'on peut qualifier au mieux de minable (en américain, on dirait "seedy"), en particulier entre 14th et 17th.

Ocean Drive

Ocean Drive est le front de mer, centre de toute l'action, la classe en bref. Hôtels Art déco audacieusement peints et ornés de néons tapageurs, restaurants al fresco à la mode, bars miroitants, boîtes de rock and roll, agences de mannequins et boutiques de mode à la mode : tout cela s'étage sur Ocean Drive qui remonte aussi haut que 15th St. Jour et nuit, c'est une animation permanente : piétons plus ou moins sportifs, roller bladers plus ou moins audacieux, gens de toutes sortes dans leurs voitures plus ou moins flambant neuves, sans oublier les cars de touristes en perpétuel mouvement, participent au rituel américain nommé "cruising". Un rituel qui, le week-end, devient frénétique.

Collins Avenue

Collins Avenue s'étend entre Washington et Ocean Drive. Exception faite du Marlin, ses hôtels et restaurants sont sensiblement meilleur marché que sur Ocean Drive - tel est l'effet d'une situation à 200 mètres de la plage, plutôt sur le front de mer, bien qu'Armani ait choisi cette rue pour sa boutique. Pour autant, Collins n'est jamais aussi "fatigué" que peut l'être Washington, et dans la mesure où Ocean Drive s'enlise après l5th St., et Washington après 17th St., seule Collins parcourt la totalité de Miami Beach avant de poursuivre vers les communautés mitoyennes au nord puis de devenir la route A1A qui monte droit vers le nord de la Floride. Par endroits, Collins est à sens unique vers le nord, mais une avenue parallèle, longeant une sorte de canal et dénuée de boutiques et d'hôtels, irrigue la circulation vers le sud.

A la différence de lieux plus anciens, Miami Beach s'est continuellement développée vers le nord sans avoir été rénovée. De nombreux bâtiments ont ainsi conservé leurs structures originelles, ce qui donne à Collins Avenue l'allure d'un rocher stratifié. Ainsi, dans le quartier au nord de 17th St. se concentre un style Art déco d'après-guerre tardif avec des hôtels du début des années 50 considérablement plus importants que les classiques structures Art déco du sud.

Au nord, sur une bande de territoire, des hôtels ont été démolis ou transformés en condominiums d'appartements. Le Roney Plaza Apartment Hotel a pris la place originale du Miami Beach Resort Hotel, celui-là même qui refusait l'entrée aux Juifs.

Encore plus au nord, se dressent de hauts hôtels des années 50 dont les chefs-d'œuvre sont l'Eden Roc et le Fountainebleau, situés dans les n° 4 000 de Collins. La partie des n° 5 000 a été baptisée Condo Gulch (gulch = ravin) ; ici, des buildings créent des deux côtés de la chaussée de hauts murs de condominiums d'appartements.

North Beach

Au niveau des n° 7 000, Collins devient rapidement ce qu'on appelle North Beach. Ce qui était jadis un quartier tranquille de la middle-class avec des hôtels et des motels modestes a récemment recueilli tous ceux qui ont été chassés par le développement de South Beach. Une croissance continue du tourisme à South Beach aurait pour effet de transformer et d'embourgeoiser cette zone, mais le résultat n'est pas encore évident. Dans les conditions actuelles, ce pourrait devenir un ghetto avec les problèmes de violence que cela comporte.

Surfside

Plus au nord, Surfside rappelle le Miami Beach des années 50. Pas le Miami Beach des hôtels de luxe, mais celui où les gens ordinaires passaient leur été en famille après une longue et pénible descente du nord, à l'époque d'avant les autoroutes. Aujourd'hui, Surfside est le lieu favori des Québecois en Floride.

Bal Harbour

Une ligne presque visible sépare Surfside de Bal Harbour. La transformation du mot "harbour" en Bal Harbour devrait vous renseigner sur la nature de l'endroit devenu en effet essentiellement un centre de commerces de luxe à la manière de Sak's 5th Avenue ou de Tiffany à New York. Bien qu'il s'agisse en fait de Palm Beach South, c'est à dire d'une clientèle aisée et âgée, la majeure partie de ceux qui fréquentent Bal Harbour sont de riches Latino-Américains venus principalement en Floride pour faire du shopping.

Sunny Isles

La traversée du pont au-dessus de la coupure originale qui a transformé Miami Beach en une île vous entraînera à Haulover Beach et à sa marina, ainsi qu'aux villes balnéaires de Sunny Isles et Hallendale, cette dernière fermement implantée dans le comté de Broward. Plus loin, vous atteindrez Hollywood et Fort Lauderdale.

MIAMI BEACH

un peu d'histoire

Peu de gens savent que, récemment encore, Miami Beach était une péninsule jusqu'au jour où le gouvernement décida de creuser un chenal pour permettre l'accès des bateaux à Biscayne Bay. Avant de devenir une île, Miami Beach offrait un tout autre aspect. C'était une barre de sable qui faisait face à la mer avec, côté baie, un étang de palétuviers où jeter l'ancre. Au XIXe siècle, une famille tenta en vain d'établir sur les lieux une plantation de copra, mais John Collins fut le premier à percevoir le potentiel de cette étroite bande de terre. Il décida d'y cultiver l'avocat. Les récoltes seraient transportées par bateau de l'autre côté de la baie jusqu'à Miami qui venait d'être reliée au chemin de fer. Le travail commença en 1907. Collins défricha une bande de terrain de 1,6 km de long sur 300 mètres de large, et y planta 3 000 avocatiers. La première récolte fut un échec à cause des effets du sel sur les jeunes plants. Collins planta une barrière protectrice de pins d'Australie et fut bientôt en mesure d'expédier chaque année vers le nord 18 wagons pleins d'avocats.

Dès 1912, l'ingénieux homme d'affaires décida de transformer une partie de son domaine en zone résidentielle. A cette fin, il engagea la construction d'un pont et d'une digue entre Miami Beach et Miami. Pendant longtemps, les Miamiens avaient fait en ferry la traversée de 2 miles 1/2 (3,8 km) qui séparait la ville de leur lieu favori de pique-nique. Etant à cour d'argent avant l'achèvement du pont, Collins fit appel au milliardaire et géant de l'industrie Carl Fisher en lui proposant d'investir dans Miami Beach. Fisher avait fait fortune en inventant le premier système efficace d'éclairage des voitures et en ouvrant le premier circuit de vitesse d'Indianapolis. Il prêta 50 000$ à Collins et devint l'un des premiers milliardaires à rêver d'un empire foncier en Floride. Le pont fut achevé en 1913.

Toutefois, Fisher avait une vision plus ambitieuse, sinon plus grandiose, du potentiel de l'île et c'est ainsi qu'il commença à draguer Biscayne Bay pour apporter de la terre. L'étang de palétuviers ayant été comblé, on en fit un sol ferme. Des engrais de première qualité furent importés des Everglades pour fertiliser les prairies et les buissons d'arbustes, des rues furent tracées et les systèmes d'arrivée d'eau et d'électricité mis en place. En 1915, la ville d'Ocean City était incorporée à Miami ; deux ans plus tard, elle était baptisée Miami Beach.

Le maillot une pièce

En 1920, la population de Miami Beach était de 644 habitants et la valeur totale de la propriété estimée à juste un peu moins de 4 000 0000$. Fisher décida d'utiliser la publicité pour faire descendre les gens à Miami Beach. On lui reconnaît à ce propos l'invention du maillot de bain une pièce pour des photos à usage promotionnel. Le fait est qu'en 1925, la population était de 2 342 habitants et que la valeur des propriétés s'était multipliée par dix. Le grand ouragan de 1926 anéantit le boom foncier et immobilier, mais affecta moins Miami Beach dans la mesure où Fisher avait moins d'hypothèques que la plupart des autres spéculateurs. La dépression n'en rôdait pas moins.

De même que les effets du crash de 1926 furent moindres à Miami Beach, de même on y ressentit moins ceux de la dépression. Les Juifs, en particulier ceux de la middle-class, qui avaient prospéré sans pour autant se voir ouvrir l'accès aux grands hôtels des villégiatures américaines, commencèrent à descendre à Miami Beach dans les années 20. Leur nombre augmentait régulièrement. Ils bâtirent leurs premiers hôtels le long de Washington Avenue. Avec la fin de la dépression, le petit retour à la prospérité qu'elle entraîna fut consacré aux vacances. C'est ainsi que le plus grand nombre de permis de construire dans l'histoire de Miami Beach a été accordé entre 1936 et 1939 (et un peu moins en 1940).

Too much !

Avec l'entrée en guerre des Etats-Unis, Miami Beach fut transformée en une vaste base militaire. Les hôtels réquisitionnés, devinrent des dortoirs et des lieux d'entraînement. De nombreux Américains qui avaient connu les avantages du climat et de la mer émigrèrent sur l'île à la fin de la guerre. La prospérité revenue, d'autres, plus nombreux encore, vinrent y passer leurs vacances. Le boom immobilier et l'explosion touristique n'allaient pas manquer d'entraîner une attitude libérale de la part des autorités locales. Miami Beach devint le centre des jeux clandestins. Al Capone et Meyer Lansky s'installèrent dans la zone. Mais cette attitude très libérale allait rendre Miami Beach trop fameux, et quand le comité Keakaufer eût révélé devant le Congrès l'existence de la mafia (le "crime organisé"), Miami Beach fut priée de laver son linge sale et les joueurs d'aller jouir et jouer ailleurs. Ceci allait indirectement entraîner la révolution cubaine dans la mesure où, pour avoir à Cuba un théâtre d'opérations aussi dégagé que possible, la mafia y installa le brutal Fulgencio Battista.

La chute de Battista et le triomphe de Castro, le 1er janvier 1959, entraînèrent un afflux de réfugiés cubains qui ont transformé à jamais la nature même de la Floride. Cette situation n'allait pas affecter Miami Beach pendant quelques décades et les années 50 et 60 furent vraiment son âge d'or, l'aviation commerciale permettant des vacances brèves et bon marché, les autoroutes ouvrant des voies d'accès rapides, simples et sûres de tous les Etats du nord vers le sud. Cependant, Miami Beach fut virtuellement abandonnée tandis que les constructions se multipliaient plus au nord. Des digues plus larges et plus modernes furent construites sur le continent, des hôtels de luxe géants grimpèrent en étages sur Collins et des quartiers résidentiels se développèrent. Chaque année, à mesure que la villégiature montait un peu plus vers le nord, South Beach sombrait dans la crise.

Bien des vacanciers juifs décidèrent de prendre leur retraite à Miami Beach et les moins fortunés s'installèrent dans les vieux hôtels et les immeubles depuis longtemps abandonnés. Pour illustrer la situation, le comique américain Lenny Bruce faisait un numéro dans lequel South Beach était décrit comme un quartier en pleine dépression où de vieilles Juives attaquaient de jeunes Cubains. Agé, infirme et éventuellement appauvri, South Beach avait vite fait l'objet de plaisanteries vachardes décrivant l'ancienne villégiature de luxe comme "la salle d'attente de Dieu" (God's Waiting Room).

La renaissance

Le malaise de South Beach allait d'autant plus vite se répandre que ceux qui avaient découvert Miami Beach étaient désormais à la retraite, tandis que les nouvelles générations, trop sophistiquées pour passer leur temps dans des fauteuils de plage, cherchaient des lieux plus exotiques. Bientôt, les plus célèbres hôtels allaient sombrer dans le déclin. Un déclin auquel ils avaient échappé même durant la grande dépression. Miami Beach n'était plus le grand lieu des vacances américaines.

Le point d'étiage fut atteint quand des milliers de réfugiés cubains, parmi lesquels des criminels professionnels, des malades mentaux et autres catégories de déviants mêlés à de simples Cubains tout simplement désireux de fuir leur île, arrivèrent à bord de bateaux surchargés dans le sud de la Floride. Beaucoup d'entre eux allaient être parqués à South Beach et ceci devait balayer ce qui subsistait d'activités touristiques.

Quelque chose de tout à fait étrange eut alors lieu. A cause du ralentissement des affaires et de la chute de la valeur immobilière, un phénomène aussi évident, aussi attendu que la remise en chantier de South Beach n'arriva jamais. Conséquence : les vieux hôtels promis à la démolition restèrent sur pied. Ils avaient tous été bâtis sur une courte période de temps et tous uniformément dans le style Art déco. Les passionnés d'architecture savaient quels trésors ils représentaient, et quand les démolisseurs et les promoteurs en eurent réduit en gravats quelques spécimens, un mouvement enthousiaste de solidarité réussit à valoir à South Beach le statut de zone historique préservée.

Les hôtels Art déco étaient sauvés, mais c'est le feuilleton télévisé *Miami Vice* qui réussit à les remplir. A son arrivée, l'équipe ne trouva que des bâtiments ensevelis sous de lourdes couches de brun. Rien d'excitant à filmer. On repeignit en couleurs pastel ces superbes façades et on les orna de néons. Bien sûr, ce n'était qu'un décor, mais suffisamment beau et intriguant pour attirer les spéculateurs quand la nouvelle se répandit comme une traînée de poudre que des gens débarquaient à Miami Beach à la recherche des fameux hôtels. Le temps de la resurrection de Miami Beach était venu.

Back to the eighties

Miami avait retrouvé sa réputation. Il fallait maintenant la garder. Ils vinrent donc d'eux-mêmes, ou attirés par de gros contrats, tous ceux que les années 80 ont compté parmi les chic et les talentueux dans la restauration, la mode, la musique, la publicité. Il s'en trouva même qui baptisèrent South Beach "SoBe" pour faire écho à SoHo, le centre des arts et de la mode new-yorkais.

D'une certaine manière, le rendez-vous tombait à point. La génération de l'après-guerre avait eu sa part de ces voyages à l'étranger devenus de plus en plus chers, voire dangereux. Les héritiers du baby boom voulaient s'offrir le temps de se reposer, et pas celui de refaire inlassablement un tour de plus. Ils cherchaient un lieu où lire en paix les journaux, regarder allongés la télé et les émissions sportives, avoir accès à leur compte en banque, utiliser leur permis de conduire, savoir qu'ils n'étaient pas à la merci d'un système légal inconnu, chausser dignement leurs lunettes pour lire un menu et savoir que des toilettes propres et sûres étaient à portée de caleçon.

Et puis, il y avait le soleil, et ces images jazzy de beautés en bikini, et tout cet hédonisme matérialiste à portée de main. Quant aux plus jeunes touristes, s'ils ne savaient pas où situer l'Europe, ils pouvaient du moins relier Miami aux mots sexe, drogue et rock'n roll. A la même période, les Européens étaient soudain en mesure d'avoir un bon taux de change, et en plus les prix en Amérique et ceux des transports aériens devenaient sacrément abordables ! Ainsi cette bouffée de soleil loin des villes plombées de la vieille Europe était des plus attirantes. Miami Beach venait de renaître sous la forme d'une nouvelle villégiature, South Beach.

A bien des égards, South Beach, c'est toujours les années 80. Une part majeure de l'énergie sous-jacente au lieu est due à la communauté homosexuelle. Alors que l'atmosphère de grand jeu s'est évaporée partout ailleurs devant le spectre du sida, ici la fête se poursuit. Discos, restaurants et ces énormes parties de quartier du dimanche après-midi qu'on appelle "tea dance" : on s'agite toujours sous le soleil. Madonna, Stallone, Cher et autres célébrités ont acheté d'énormes maisons. Gianni Versace est l'heureux propriétaire d'une demeure sur Ocean Drive et dans un hôtel voisin il a fait installer une piscine où recevoir ses beaux garçons. La beauté, c'est à dire la pure beauté physique muette, est la monnaie locale, et les mannequins sont les accessoires du commerce. La vraie vie est la vie nocturne, et n'espérez pas parler à qui que ce soit avant midi. D'ailleurs, les compagnies d'alcools testent leurs nouveaux produits sur le marché de Miami Beach. Les restaurants de SoHo y ouvrent leurs annexes branchées. Les magazines du monde entier y filment la mode, et les agences internationales ont toutes pignon sur Ocean Drive. La cocaïne et autres drogues sont largement utilisées, même si elles ne sont plus "politically correct", et les drogues des classes pauvres comme le crack rôdent dans quelques blocks perdus de Washington Avenue. Quant aux noms des designers, ils sont à ce point idolâtrés ici qu'un jean coupé short vaut 65$. Plus c'est court, plus c'est cher ! Le dollar rapidement gagné et le rêve du gros coup hantent South Beach comme jamais. South Beach est peut-être le lieu où les "eighties" font leur dernier show, mais à chacun de deviner combien de temps il durera. L''histoire semble dire que le boom sera suivi d'une grosse dégringolade, *but as long as the party lasts, enjoy it !*

RACES ET COMMUNAUTES

La composition ethnique de Miami est à 60% cubaine (Cubans), à 25% noire américaine (African Americans) et à 15% blanche (Whites). La domination de la ville par des Cubains est un processus qui suit son cours depuis la prise du pouvoir de Castro à Cuba.

Les Cubains

Bien que les Cubains dominent la ville, les Blancs ont mené un long et désespéré combat d'arrière-garde. Quand ils ont perdu le contrôle de la ville, ils ont manipulé le pouvoir par le biais du comté. Leur parade a consisté à faire voter une loi déclarant que l'anglais, et l'anglais seulement était la langue officielle dans le comté de Dade. Cela signifiait que toutes les transactions, qu'il s'agisse d'emploi, de droit, d'éducation et d'administration, devaient être menées en anglais. Les Cubains ont mis douze ans pour réussir à contourner légalement cette loi. A cette date, les anciens résidents blancs de Miami étaient depuis longtemps montés se réfugier à Broward, Palm, Monroe et autres comtés au nord et à l'est de Miami.

Cette bataille de la langue est significative parce qu'unique parmi tous les groupes ethniques qui se sont installés aux Etats-Unis depuis quatre siècles. En effet, les Cubains semblent être les seuls à avoir émigré aux Etats-Unis avec l'espoir que leur exil serait momentané et qu'ils retourneraient un jour au pays natal.

En 61, les Américains ont appuyé une invasion de Cuba - le débarquement de la Baie des Cochons qui a lamentablement échoué. Depuis, les Cubains guettent la prochaine invasion et la chute de Castro comme les Juifs attendent le Messie. Ils ont continué d'émigrer avec la certitude chevillée au corps qu'ils retourneraient le plus vite possible d'où ils viennent. En conséquence, ils ont recréé sur place leur culture : leurs pratiques sociales, leur cuisine, leurs vêtements, leurs institutions, leur musique et leur langue en particulier, tout est resté en l'Etat. Miami est effectivement devenue de ce fait cubaine. A l'origine, une partie de la ville seulement méritait l'appellation de "Little Havana". Aujourd'hui, la totalité de Miami pourrait être considérée comme La Havane avec des enclaves noires et blanches.

Miami, devenue non pas une ville cubaine mais LA ville cubaine a désormais le statut de capitale de l'Amérique latine. Tandis que les futurologues évoquent une économie mondiale basée sur le bassin Pacifique, Miami bénéficie sans cesse de l'économie des nations caraïbiennes et de leurs voisines. Avant Castro, le centre de la carte politique de l'Amérique latine se situait à la Nouvelle-Orléans, le siège du géant United Fruit Company. C'est à la Nouvelle-Orléans qu'a été organisée la partition de la Colombie pour créer l'Etat-fantôche de Panama et c'est dans cette même ville que Lee Harvey Oswald vivait avant l'assassinat de Kennedy.

La CIA y avait construit un ensemble opérationnel si important (depuis détruit par l'ouragan Andrew) que son directeur jouissait du statut d'ambassadeur. Les cambrioleurs du Watergate en faisaient partie. Qui sait combien d'actions terroristes, d'espionnage interne, de sales coups, de renversements de gouvernements y ont été fomentés ?

Ce n'est pas seulement les affaires de drogue qui injectent de l'argent dans l'économie de Miami. Ainsi, la ville abrite la plus grosse concentration de bijouteries des Etats-Unis, et toutes exportent. Miami est aussi le centre de l'exportation de gros ou de détail de matériel électronique et de construction, de haute technologie, de pièces détachées d'automobiles et de vêtements. Tout ce dont a besoin le consommateur des pays en voie de développement en Amérique du Sud et qu'il ne peut trouver sur place. Bien entendu, Cuba est exclu de ce marché, à cause du blocus. Pour les Américains, y compris les sociétés étrangères filiales des compagnies américaines, il est illégal de faire du commerce avec Cuba.

Elément encore plus prometteur pour l'économie de Miami, la ville fait désormais figure de centre bancaire de l'Amérique latine. Les Miamiens se targuent d'avoir plus de banques représentées à Miami qu'à New York. Effectivement, si l'on tient compte du nombre de banques, et non pas de leur taille ou de leur importance. Pour autant, Miami est un centre financier majeur pour différentes raisons et la drogue, en particulier la cocaïne, y joue un rôle essentiel. Les banques ont pris un bel embonpoint avec l'argent blanchi dans les années 80, et en spéculant sur cet argent durant la période de croissance économique, elles sont devenues encore plus riches.

Mais il y a eu des ratés. Prenez l'immeuble le plus spectaculaire du "skyline" miamien, le CenTrust Building, dû à l'architecte américano-chinois Pei, qui nous a gratifié de la pyramide du Louvre. Il abrite une banque. Le spéculateur financier qui en a pris le contrôle et l'a dirigée d'une manière maniaque en achetant toiles de maîtres et yachts, est maintenant en prison pour fraude. Quant à la banque, elle compte parmi les plus spectaculaires faillites à une époque qui n'en manque pas. Pourtant, la colonne dorsale de l'industrie bancaire à Miami n'est pas la drogue, mais le fait tangible qu'il est beaucoup plus sûr de faire fructifier son argent dans une banque américaine plutôt que dans les banques de n'importe quel pays d'Amérique latine. Il n'est pas difficile pour les riches Latino-Américains de venir en personne réaliser des opérations privées ou commerciales, ou à défaut d'avoir recours à l'électronique. Et pour peu qu'ils viennent avec leur épouse faire du shopping, ils n'auront pas besoin une seconde de tester la qualité de leur anglais. Ils seront chez eux, en Amérique.

Car l'espagnol est la langue dominante à Miami. Si vous parlez l'espagnol, vous vous en sortirez beaucoup plus facilement dans la ville que si vous ne parlez que l'anglais. Virtuellement tous les travaux de main-d'œuvre et toutes les opérations commerciales sont conduits en espagnol cubain. La plupart des habitants de la métropole, en particulier les jeunes nés en Amérique, sont bilingues, mais il reste des poches où l'on parle exclusivement l'espagnol. Même parmi les Cubains américains bilingues, les affaires quotidiennes se traitent en espagnol.

Avec la chute de l'Union soviétique et de l'Europe de l'Est, la population cubaine, dont une large part a pris la nationalité américaine, s'est rendu compte qu'elle ne pouvait pas, ou ne voulait plus, retourner au pays. 20 ans d'exil, c'est assez pour se refaire une vie. Les Cubains sont propriétaires de voitures et ont droit à des autoroutes sur lesquelles ça roule. Ils ont la télévision couleur, l'air conditionné et l'électricité 24h/24. Ils peuvent acheter tout ce qu'ils veulent, n'importe où, n'importe quand. Ils ont des téléphones portables et des gadgets. S'ils revendaient le tout, ils pourraient sans doute vivre comme des princes à Cuba, mais ils n'auraient plus ça. Le constat a des répercussions profondes. Incapables de résister à l'American way of Life, les Cubains deviennent non pas des Cubains américains, mais des Américains qui enrichissent la culture américaine en même temps que leur culture originelle se transforme.

Les Noirs

Vingt ans après avoir catégorisé le monde entre Premier monde (pays capitalistes industrialisés), Second monde (pays socialistes) et Tiers-monde (pays en voie de développement), Barbara Ward a réalisé qu'il y avait un vide à combler. Elle nomma Quart-monde ces pays qui non seulement ne font pas de progrès économiques et sociaux, mais perdent pied et régressent. On peut dire que la communauté noire de Miami fait désormais partie du Quart-monde.

Les Américains, pour désigner les Noirs américains, sont censés utiliser l'appellation "politically correct" d'"African-American". (De même, on ne désigne pas les Indiens par le mot "Indians", mais par le vocable "Native Indians"). Dans le cas de Miami, la tentation est forte de parler plutôt de "black community" parce qu'une majeure partie de cette communauté est composée de réfugiés haïtiens. Mais de quelque manière qu'on la nomme, il n'y a qu'un mot pour désigner la manière dont sont traités les membres de cette communauté : le mépris. Un mépris pur et absolu.

D'une certaine façon, la situation est pire qu'au temps de la ségrégation. Au moins, alors, les Noirs avaient un rôle à jouer dans la société. Aujourd'hui, la situation est désespérée. Il n'y pas de vitalité économique dans la communauté, et l'emploi est au point mort. Il existe bien une minuscule middle-class noire consciente que le volume d'emplois disponibles se trouve dans l'administration (fédérale, de la ville, du comté, de l'Etat), dans les transports, l'éducation, la police..., mais en règle générale personne ne veut embaucher de Noirs. Pas même pour passer le balai : il y a pléthore de Cubains pour se charger des basses besognes.

La communauté noire est passée du statut de minorité à celui de majorité (elle représente environ le double de la population blanche), sans s'être même approchée d'un quelconque pouvoir politique. Aujourd'hui, les Noirs n'ont aucun pouvoir politique dans Miami. Traverser les quartiers noirs de Miami, c'est comme voyager dans quelque pays en ruine loin des rives de l'Amérique. Le meilleur moyen (et relativement le plus sûr) de voir les quartiers noirs consiste peut-être à prendre le metrorail, le métro aérien. Passé la concentration d'hôpitaux au nord de Downtown Miami, on découvre que les quartiers en dessous sont entièrement noirs. La première chose qu'on observe est une absence totale de continuité. Quelques blocks d'appartements, puis une usine abandonnée, des rails de chemin de fer, un no man's land rempli d'ordures, des entrepôts et peut-être quelques autres immeubles. Impression que la zone ne connaît même pas de règles. C'est un vaste mélange de sites résidentiels, commerciaux et industriels. Vu d'en haut, ça paraît encore pire.

Pour comprendre comment le pouvoir politique se traduit en termes réels, prenons cet exemple : tous ceux qui réussissent à fuir Cuba obtiennent automatiquement un statut de réfugiés et sont donc instantanément intégrés aux Etats-Unis. Les Haïtiens qui parviennent à échapper à l'enfer d'Haïti sont au contraire rassemblés, emprisonnés et déportés.

En fait, récemment ils ont été interceptés en mer, mis à l'ombre et remis aux mains du régime militaire de leur île. Il est normalement considéré que, même emprisonnés, les réfugiés illégaux ont le droit de faire appel s'ils peuvent prouver leur qualité de réfugiés politiques.

Bien que Bill Clinton, lorsqu'il était candidat à la présidence et avait besoin du vote des Afro-Américains, eût promis de prendre le contre-pied de cette politique que - fait extraordinaire dans l'histoire américaine - la Cour Suprême avait rendue légale, le premier manquement à la parole du nouveau président fut au détriment des Haïtiens. Ces derniers sont en effet considérés comme des réfugiés "économiques" à la différence des Cubains qui, eux, fuient le "communisme". Certes, pour de nombreux Cubains le communisme signifie le manque de tout. Mais Haïti a le plus bas revenu par habitant dans l'hémisphère occidental et c'est une situation qui remonte à la politique américaine.

Quoiqu'il en soit, la réalité de la situation, c'est que la communauté cubaine a un pouvoir politique, et que la communauté noire n'en a aucun. C'est aussi simple que ça et Le Petit Futé "ne se mêle pas de politique" en décrivant cette situation qui est d'ailleurs largement abordée, sinon dénoncée, par la presse américaine, le New York Times en tête. Les Chinois peuvent réclamer l'asile politique parce que la Chine a une politique de stérilisation et d'avortement forcés. La communauté chinoise n'a pas de pouvoir politique, mais à l'époque Reagan-Bush la droite chrétienne en avait, et une loi est passée. Les Irlandais, quant à eux, ont plus de chances d'être admis en Amérique qu'ils n'ont le désir d'immigrer, et cela parce qu'ils ont un fort pouvoir politique. Les Haïtiens sur leur petits bateaux artisanaux interceptés en haute mer sont traités comme le rebut. Et même s'ils réussissent à s'implanter en Amérique, ce n'est pas un avenir radieux qui les attend, en particulier à Miami. Cela ressemble aux mots de la vieille chanson : *"If you're white all right, if you're brown stick around, if you're black get back"* (si t'es blanc c'est tout bon, si t'es marron attends dans ton coin, si t'es noir tire-toi). Ceci, dans toute sa crudité, décrit la situation raciale à Miami aujourd'hui.

Le crime, dans ces conditions, est rampant dans les quartiers noirs qui sont, à plus d'un titre, des zones interdites. A l'extérieur de ces quartiers, qui ont été totalement négligés, être noir peut être considéré comme un délit. Chaque jour, j'ai vu des Noirs, mains posées sur le capot de leur voiture, ce qui dans le langage policier se dit *"to assume the position"*, tandis qu'alentour la vie continuait comme si de rien n'était.

Le quartier noir de Miami, ironiquement et ridiculement appelé Liberty City, a explosé il y a quelques années en émeutes parce qu'un motocycliste et son passager avaient été tués par un policier d'origine cubano-américaine. D'ordinaire, la police réussissait toujours à épingler quelque crime odieux sur la victime de la "bavure", mais cette fois la victime s'avéra être un citoyen qui avait un métier et était éminemment respectueux des lois. Il en résulta trois jours d'émeutes, de pillages et d'incendies, et trois morts de plus.

En 1980, le drame succédait au meurtre, d'un agent d'assurances noir par quatre policiers de Miami dont l'acquittement avait conduit, là aussi, à trois jours de violences dans Liberty City. Après 16 morts et 370 blessés, il avait fallu, comme à

Los Angeles en 92, faire appel à la Garde nationale pour calmer le jeu.

Cette fois, le policier responsable du meurtre fut jugé à Miami et déclaré coupable, mais il fut fait appel au verdict sous prétexte que les jurés avaient voté coupable pour éviter une autre émeute. Un nouveau procès s'ouvrit à Orlando, qui est à la fois le site de Disney World et le siège d'une ville à la majorité blanche si écrasante qu'elle a plus tard été appelée "la Simi Valley de Floride" (en référence à la localité de Californie où furent acquittés les policiers de Los Angeles impliqués dans le tabassage de Rodney King). Là encore, les jurés d'Orlando, par ailleurs tous blancs, avaient estimé que le seul moyen de contrôler les Noirs consistait à donner pleins pouvoirs à la police. Une femme policier se parjura délibérément mais ne fut jamais poursuivie. Le procès fut transféré à Tallahassee, la capitale de l'Etat de Floride, puis à nouveau à Orlando, et le policier acquitté. Il n'y eut pas d'émeute. Comme si la communauté noire avait oublié sa rage depuis longtemps. La police est une armée d'occupation qui a pour mission de contenir les Noirs dans leur territoire. C'est ce qu'avaient reconnu les jurés d'Orlando, qui délibérèrent en conséquence.

Résultat : la vie des Noirs de Miami est économiquement et socialement limitée. Vous verrez rarement la silhouette d'un Noir dans un restaurant ou une boîte de nuit, à moins qu'il ne s'agisse de quelqu'un d'extérieur à la ville. La situation a eu une influence négative sur la jeune génération qui, à force de vivre en marge de la société, est devenue totalement associale. Cette situation tout à fait tragique ne peut qu'empirer.

Les Blancs

S'ils ne constituent qu'une petite minorité de la ville avec 16%, les Blancs s'accrochent à leurs quartiers en quantités telles qu'ils conservent un pouvoir considérable. Ils sont toujours au sommet de la pyramide et occupent des positions-clé dans les structures de décision. Cela dit, ils n'ont cessé de quitter la ville, qu'ils ont abandonnée à des Blancs arrivés tardivement, entendez à l'échelle du temps floridien, il y a dix ans.

Les "vieux" Blancs de Miami se sont installés dans les comtés de Broward, Palm Beach, Collier, Monroe, Martin et St Lucie, considérés comme leurs territoires. (C'est à West Palm Beach que deux jeunes Blancs ont été condamnés à la prison à vie pour avoir arrosé d'essence et brûlé à 40 % un touriste noir new-yorkais.) Il est à noter qu'au nord de la frontière de la ville de Dade, Dania est le siège actif du KKK et d'autres groupes prônant la suprématie blanche. Ces groupes ont récemment manifesté devant le Mémorial de l'Holocauste de Miami Beach. Dans la mesure où les Juifs ont de longue date élu Miami Beach comme leur villégiature (même si, plus récemment, les retraités juifs ont préféré prendre leurs quartiers à Boca Raton et à Fort Lauderdale), la manifestation des néonazis a été perçue comme un événement notoire.

Des Juifs en plus grand nombre mais aussi des membres des professions libérales non juifs descendent dans la zone de Miami. Beaucoup d'entre eux sont des rescapés du crash yuppie qui font un nouvel essai dans l'environnement plus amical et moins cher de Miami. Ceci explique en partie pourquoi le désir de continuer-la-fête-même-au-milieu-des-ruines- de-la-civilisation existe encore à Miami. Du moins dans la communauté blanche.

LA CRIMINALITE

Miami est peut-être la capitale du crime en Amérique. Récemment, Dallas s'est posée comme le tenant du titre, mais même si la ville texane mérite ce douteux honneur, la vérité est que Miami la talonne de près. La criminalité est le grand sujet de préoccupation et de conversation des habitants de Miami. Elle prend toutes les formes : agressions, cambriolages, vol de voitures avec ou sans prise d'otage, viols, meurtres, fusillades à bord de véhicules... Mais la vraie spécialité locale, c'est le vol avec effraction. Pratiqué essentiellement par des gangs cubains, il consiste en une irruption violente d'individus armés d'armes automatiques qui nettoient la maison de ses objets de valeur devant la famille prise en otage. La victime est souvent forcée de nettoyer son compte en banque par dessus le marché.

Touche pas à mon touriste

Tous les Miamiens semblent avoir leur histoire de voiture volatilisée, d'appartement mis à sac, de canon de pistolet pointé sur leur tempe. Des amis attentionnés qui épluchaient mes listes d'adresses pour les comparer aux leurs, étaient choqués que je puisse inclure dans la liste tel ou tel restaurant parce que j'aurais l'audace d'envoyer des touristes "là-bas". Une connaissance prête à me convoyer à une boutique que j'avais repérée dans Northwest Miami, commença par enlever ses bijoux et vider son portefeuille de tout ce qui fait l'ordinaire de la vie d'une citadine : ses cartes de crédit, son argent liquide. Elle se limita à son permis de conduire, à la photo des enfants, et à un billet de 20$.

La situation pour le touriste est quand même moins désespérée, même si une douzaine d'Européens y sont assassinés chaque année. La mort vient aussi facilement que tourner au mauvais coin de rue. Un incident notoire concerne l'assassinat d'une Allemande qui, ayant loué une voiture à l'aéroport, prit la mauvaise sortie et se retrouva dans Liberty City. Là, son véhicule fut heurté à l'arrière par un autre véhicule. La femme sortit pour constater les dégâts. Elle fut aussitôt agressée, battue, volée et écrasée par la voiture des voleurs. Ses enfants et sa mère assistaient au massacre.

Le scandale a été d'autant plus énorme que la victime venait d'un pays qui envoie de très nombreux touristes. Une semaine plus tard, les criminels étaient arrêtés. Ils avaient déjà fait de la prison et furent pris à cause d'un autre vol perpétré le même jour. Il fallut une semaine pour comparer les biens volés qui étaient en leur possession à ceux qui avaient appartenu à la victime.

Le manuel de survie

Encore ne s'agissait-il pas d'un incident isolé. L'Etat de Floride a étudié le problème des plaques d'immatriculation des voitures de location qui permettent aisément d'identifier le touriste, alors aussi vulnérable qu'un zèbre dans son trou d'eau. Il existe désormais une brochure disponible à l'aéroport avec une liste de *"do's"* et de *"don't"*. On vous recommande notamment, si vous êtes impliqué dans un accident mineur, de ne pas sortir de votre véhicule mais de rouler jusqu'à une zone peuplée et de chercher une voiture de police.

Bon, mais quand vous arrivez à l'aéroport, votre dernière pensée est de mettre la main sur la brochure et encore moins de prendre la peine de la lire, surtout si vous prenez en compte les distances considérables et la confusion qui caractérisent l'aéroport de Miami. En outre, ces recommandations drastiques sont d'un usage peu pratique. Un couple de résidents qui revenait d'un match de basketball fut détourné de sa route habituelle par une voiture de police et dirigé vers des rues où leur voiture fut attaquée par la foule.

Bien que le tourisme rapporte 6$ sur 10 à l'économie locale, la population semble incroyablement peu sensible aux crimes perpétrés contre les touristes. Premièrement il est normal que les visiteurs prennent les mêmes risques que les résidents. Deuxièmement, Miami n'a pas le monopole de la criminalité.

Quand j'ai raconté au personnel du Miami Visitors and Convention Bureau (l'équivalent de l'office du tourisme) que ma chambre d'hôtel avait été cambriolée dans les quatre heures suivant mon arrivée à Miami, je me suis entendu répondre que cela aurait pu m'arriver n'importe où. Alors j'ai réalisé qu'en 25 années de voyages j'avais perdu une serviette à Mexico en 92, une bouteille de scotch à Londres en 91, et une petite amie à New Delhi en 70. Dans tous les cas, ça se passait dans des hôtels et à mon avis c'était un problème interne. Je n'en conclus pas que vous devriez vous attendre à être rançonné le premier jour de votre arrivée à Miami. Mais si cela vous arrive, compte tenu que voyager léger est à l'ordre du jour, dites-vous qu'ils ne font que vous aider...

C'est la faute à la drogue

Les habitants de Miami vous disent que le crime dans leur ville est lié aux affaires de drogues, comme si la drogue seule pouvait transformer une jolie petite ville en enfer. C'est ignorer que la Floride, avec ses interminables côtes situées à l'une des extrémités du territoire américain, a fait fortune dans la contrebande, le naufrage volontaire, le braconnage d'espèces rares, les méfaits sur l'environnement, les schémas directeurs truqués, le travail privé des prisonniers, les armées privées, l'alcool illicite, les jeux clandestins. C'est oublier que parmi les trésoriers de l'Etat et autres administrateurs officiels certains ont été régulièrement pris la main dans les deniers publics, et n'ont jamais moisi longtemps en prison. La Floride est aussi l'Etat qui a le plus grand nombre de policiers tués dans l'exercice de leurs fonctions (après le Texas) et le plus grand nombre de prisonniers exécutés (après le Texas). Mais on veut ignorer en Floride les conclusions qui s'imposent à partir de ces statistiques, d'ailleurs pas toujours fiables. La drogue n'est qu'un des ingrédients d'une mixture à base d'illégalisme, de violence et de crime.

En Floride, le système judiciaire est le plus corrompu des systèmes. Quelqu'un a dit : *"Ne me parlez pas de la loi, parlez-moi du juge."* Tous les gros bonnets de la drogue savent qu'être pris ne signifie pas nécessairement la fin de la route. Le mot s'est donc mis à circuler : à Miami, la loi est monnayable. Les gros bonnets s'en sortaient, pendant que les petits délinquants faisaient leur temps. Mais les prisons sont si pleines en Floride que le gouvernement fédéral a ordonné une limite permanente d'occupation des lieux. Conséquence : des détenus sont régulièrement relâchés quand le nombre fatidique est atteint.

Dernières nouvelles

Ce guide était en cours d'écriture quand deux autres touristes européens ont été assassinés en l'espace d'une semaine à Miami. Le premier, un citoyen allemand, a été tué au cours d'un accrochage dans la nuit du 7 au 8 septembre ; une semaine plus tard, le 14 septembre, un couple de touristes britanniques était attaqué sur une aire de repos de l'autoroute et l'homme tué par balles. Ces deux agressions, à propos desquelles le président Clinton a fait part de sa profonde inquiétude devant la violence qui règne en Amérique, *"qu'elle touche les étrangers ou les Américains"*, ont particulièrement sensibilisé la population de Miami à des crimes qui n'auraient normalement pas fait la Une, tels le meurtre d'un étudiant turc à Tampa, l'assassinat sur l'autoroute d'un New-Yorkais ou l'agression violente de deux Allemands à Miami Beach, sous le regard du public.

L'impact de ces agressions a été international - ce qui prouve que le meurtre d'un touriste touche un nerf sensible - l'économie d'un pays ou d'une région - et concerne des millions de gens.

Mais le dernier de ces meurtres révèle la tragique futilité de toute l'entreprise d'information. En effet, depuis le mois d'avril 93, tous les voyageurs étrangers se voient offrir une brochure leur recommandant l'attitude à adopter en cas d'incident. Il y est précisé qu'au cas où le véhicule est heurté par l'arrière, ils ne doivent ni s'arrêter et sortir ni quitter l'autoroute, mais foncer vers le poste de police le plus proche et signaler l'incident. Or la femme du conducteur allemand était précisément en train de lire la brochure de la police lorsque le véhicule fut heurté à plusieurs reprises par une camionnette avec deux hommes à bord. Le conducteur, s'en tenant aux recommandations, refusa de s'arrêter et reçut une balle dans la tête.

Afin de protéger leurs clients étrangers, les compagnies de location de véhicules ont changé les plaques d'immatriculation (identifiées jusqu'alors par un "X" ou un "Y"). Mais comme la majorité des voitures de location restaient enregistrées dans le comté de Manate qui est indiqué sur la plaque, la relation a vite été établie.

Rien ne prouve d'ailleurs que tout ceci soit significatif dans la mesure où le taux d'analphabétisme est important dans la population carcérale. Il existe d'autres moyens d'identifier les touristes, par exemple les bagages empilés sur la lunette arrière. Qui plus est, la méthode des criminels est la simplicité même et rappelle les techniques d'un prédateur en arrêt devant un trou d'eau tandis que le soleil se lève. Les chasseurs vont guetter leur proie dès son arrivée à l'aéroport. Ils vont la suivre jusqu'au parking de location, repérer la voiture et l'attaquer sur l'autoroute. Un bon conseil serait de ne pas débarquer à la nuit tombée et jamais par le dernier vol de la journée. Or les dernières attaques ont eu lieu en plein jour.

Le système n'a rien de neuf. Il dure depuis des années. Une émission de télévision américaine a interviewé une femme appréhendée après une attaque sur l'autoroute : elle sévissait depuis 20 ans et blâmait la violence de la nouvelle génération de voleurs qualifiés de grossiers amateurs. Cette femme a été condamnée avec sursis puisque les prisons de Floride, les plus fréquentées des Etats-Unis, sont pleines. Ici, le malfrat qui vous pointe un calibre 9mm sur la tempe a toutes les chances d'être relâché par manque de place ; le même malfrat surpris en train de fumer un joint a toutes les chances de faire sa peine en prison.

La réponse de l'Etat à ce problème souvent dénoncé a été de réclamer fort opportunément l'argent du gouvernement fédéral pour créer une force spéciale. Comme on sait, les bureaucraties survivent grâce aux budgets, et un plus gros budget signifie plus d'argent, ce qui veut dire un meilleur poste pour les politiciens et leurs sycophantes.

La vraie question tient aux crédits que la Floride consacre à l'enseignement, les plus bas des Etats-Unis ; en ce domaine, elle est la lanterne rouge : 50e sur 50 Etats. Les retraités, qui sont nombreux à voter, n'ont plus d'enfants à l'école. Leur vision de la vie n'est ni des plus larges ni des plus généreuses. Les derniers meurtriers étaient une jeune fille de 19 ans et un garçon de 13 ans. Le sentiment exprimé par l'un d'eux était simplement que si vous êtes assez idiot pour venir en Floride avec votre argent, eh bien, c'est MON argent. Le vol devient une carrière légitime.

Le tableau est sombre. N'en déduisez pas qu'il est statistiquement plus dangereux d'être un touriste en Floride qu'un résident permanent.

Conseils

La méthode recommandée pour signaler un délit est de composer le 911 (appel gratuit d'une cabine téléphonique). Les standardistes du 911 sont parfois crédules et confiants ; d'autres fois ils exigent que la victime elle-même témoigne. Récemment, à l'occasion du pire accident dans l'histoire du train Amtrack, après s'être fait décrire les wagons en feu et des passagers noyés, un standardiste a demandé si on avait besoin d'aide... Votre intérêt, en particulier en tant qu'étranger, est donc de composer vous-même le numéro et de fournir toutes les informations permettant de vous localiser.

La zone de Miami, faite d'une seule grosse ville et de plusieurs petites localités, offre une réponse policière unifiée : la **Metro Dade Police** (informations générales : 595 6263).

GREATER MIAMI CONVENTION AND VISITORS BUREAU.
Visitors services & consulate Information.   **Tél. 539 3063**
Lundi-vendredi : 8h30-17h30.

TELEPHONES UTILES

Tous les numéros suivants ont le préfixe 305 et sont opérationnels 24h/24.

Commissariats locaux (local Police Departments)

• Bal Harbour	Tél. 866 5000
• Coral Gables	Tél. 442 1600
• Hialeah	Tél. 687 2525
• Miami	Tél. 579 6640
• Miami Beach	Tél. 673 7900
• North Miami	Tél. 8918111
• North Miami Beach	Tél. 949 5500
• Surfside	Tél. 861 4862
Consulat de France. 1 Biscayne Tower Miami	**Tél. 372 9798**

PIETON FUTE

Sachez qu'être un piéton à Miami peu s'avérer, en certaines circonstances, plus dangereux que rencontrer un voleur (voir "transports"). Regardez bien avant de traverser une rue car l'arrêt au feu rouge pour les voitures qui tournent à droite est une option qui est loin d'être respectée. Ne faites pas confiance aux conducteurs ou vous pourriez vous retrouver sous les roues d'une Chevy.

Bien que Washington Avenue, à Miami Beach, soit un large boulevard dont les six voies sont généralement vides, les cyclistes et les rollers bladders n'ont de cesse d'emprunter les trottoirs pourtant bourrés de passants. C'est légal en Floride, mais porter un walkman dans ce contexte ne l'est pas, cependant les "cops" ont autre chose à faire. Vous êtes prévenu, mais le nombre de heurts et d'accidents de la route vous surprendra. J'en ais de toute sorte. Au point que vous prendrez un certain plaisir à voir un roller bladder se casser la figure. Si, si...

Partir à l'étranger
pour le Petit Futé

3615
FUTE

SPÉCIAL FLORIDE

"L'ÉCHAPPÉE BELLE"
1200^{F(*)}

- 2 NUITS À MIAMI (Hôtel Holiday Inn Oceanside)
- 5 NUITS À ORLANDO (Hôtel Colony Plaza)
- 1 SEMAINE DE LOCATION DE VOITURE (ALAMO Cat. E4 - Km illimité)

(*) Prix minimum par personne en chambre double (610 F en chambre quadruple),
assurances et taxes voiture non incluses.

WELCOME TO FLORIDA

TARIFS AERIENS :
NOUS CONSULTER

VACANCES FABULEUSES

PARIS : 45 23 55 77   NICE : 93 16 01 16

OU DANS VOTRE AGENCE HABITUELLE

Mosaïc : RCS 383 692 829

Lic. A1664

TRANSPORTS

Aéroport de Miami

L'un des plus actifs au monde, et aussi l'un des plus idiots, cet aéroport petit à l'origine, s'est constamment agrandi. Son principal défaut : l'énormité des distances entre les zones de départ et les portes d'embarquement. Il y a bien dans les longs couloirs des tapis roulants (*walkways*), mais ils sont en partie seulement opérationnels. Ces tapis roulants donnent sur des sorties largement espacées, ce qui implique qu'il y a encore pas mal de chemin à faire avant les portes d'embarquement. Les sorties de ces tapis sont prévues de façon à orienter les gens vers de sinistres zones commerciales. La zone de départ proprement dite ressemble à un grand magasin mais les néons des différents fast-food obscurcissent l'endroit où vous êtes et, plus important, celui où est votre bagage. Sur tous ces points, l'aéroport peut être mal noté.

Mais un vrai Futé devrait savoir qu'il faut voyager léger et avoir le minimum en fait de bagage. Alors pourquoi ne pas en tirer son parti et prendre au pied de la lettre la définition des compagnies aériennes en fait de sacs à main ? Sans doute plus facile à dire qu'à faire, mais vous éviterez ainsi l'attente et éventuellement la fouille. Surtout, vous ne courrez pas le risque de voir votre sac partir se balader à Dacca ou à Accra. Rappelez-vous que les distances sont longues dans l'aéroport de Miami, et sachez enfin qu'il n'y a pas de chariots. Je répète : aucun chariot. Les seules toilettes publiques sont maladroitement et inadéquatement situées près du foyer, avec d'un côté le hall menant à l'embarquement, et de l'autre celui qui ouvre sur l'aéroport principal.

Les kiosques à Journaux sont omniprésents, mais peu gratifiants. La société qui les dirige a obtenu le marché grâce à la mairie de la ville, mais elle n'a d'expérience ni dans les kiosques à Journaux, ni dans les aéroports. Aussi n'espérez pas y acheter un Journal étranger ou même un Journal local récent. On y vend des cigarettes, des billets de loterie, des tee-shirts et quelques articles de basse qualité. Bref, tout ce qu'on trouverait à un coin de rue dans Little Havana. Un voyageur international au QI même modeste ne trouvera rien à se mettre sous les yeux.

La zone principale des arrivées et des départs est un espace énorme, linéaire et d'un style criard divisé en sections pauvrement distinctes les unes des autres. La section centrale, marquée "E", abrite le comptoir d'informations. A l'étage en dessous, la zone de livraison des bagages est confuse et étriquée. Les cartes sont pauvres, mais indiquent que la zone des transports se situe hors de la rotonde "E", à l'étage en dessous. Vous ne trouverez pas de bureau d'accueil de la ville, du comté ou du Visitor and Convention Bureau. Quelques brochures sont à votre disposition au desk d'informations de l'aéroport, mais après cela, vous êtes livré à vous-même.

Taxis

Les Miamiens aiment bien répéter cette blague : si vous prenez un taxi à l'aéroport, vous serez deux à découvrir Miami, vous et le chauffeur. Comme dans nombre de villes américaines, les chauffeurs de taxis de Miami sont des immigrants récents dont c'est le premier métier aux States. C'est pourquoi ils ne sont pas globalement recommandés.

Location de voitures

C'est sans doute la possibilité la plus envisageable. Des guichets dans l'aéroport représentent les compagnies, grosses et petites, internationales et locales. Toutes ont des navettes gratuites vers leurs parkings.

Miami est la capitale du "rent a car" : 40% des voitures louées aux Etats-Unis le sont en Floride du Sud. De nombreuses grosses compagnies ayant leurs sièges sociaux dans la région, la situation est très compétitive et les prix sont bas. Il faut compter 19,95-29,95$ à la journée et 99,95$ à la semaine. Les prix varient selon la saison. L'assurance est incluse avec une franchise de 250$. Ce qui veut dire que si on vous casse une vitre, vous aurez à la payer, mais une assurance complémentaire est toujours possible pour couvrir la franchise. Les associations de consommateurs calculent que c'est une piètre économie: les loueurs devraient vérifier dans leur propre police d'assurance s'ils sont ou non couverts lors d'une location de voiture. Outre votre permis de conduire international, vous devez avoir une carte de crédit. Les prix de location sont particulièrement intéressants parce qu'ils proposent un kilométrage illimité. L'essence est, bien entendu, à votre charge. La voiture vous est livrée le réservoir plein (vérifiez le et ne faites pas confiance à la jauge) et doit être rendue de même. Sinon, la société ferait elle-même le plein et vous ferait payer le gallon au prix fort (un gallon = environ 4 litres). Les prix de l'essence aux Etats-Unis ont considérablement augmenté à cause des nouvelles taxes fédérales, mais ils sont toujours à moins d'1,50$ le gallon (9F pour 4 litres !).

Il est avantageux d'avoir une voiture si vous envisagez des excursions aux Keys, aux Everglades et à travers l'Etat. Si vous vous cantonnez à Miami Beach, une voiture est indispensable pour faire de petites balades à North Miami Beach, Coral Gables, Calle Ocho ou Little Havana, du shopping dans les grandes surfaces ou pour visiter la ville. La circulation à Miami est très supportable, avec des embouteillages seulement le matin et dans l'après-midi, vers 17h, quand les gens quittent leur travail. Le système des super-autoroutes est bon, et en général en expansion, mais ne vous attendez pas à faire le trajet en quelques minutes : vous êtes en Amérique, les distances sont longues. La nuit, il est virtuellement obligatoire d'avoir une voiture. D'un autre côté, si votre intention est de rester à Miami Beach et de vous limiter à South Beach, avoir une voiture pourrait s'avérer davantage une gêne qu'un plaisir.

Parkings

Se garer à South Beach est impossible. Une poignée d'hôtels seulement ont des parkings. Mais même si vous décidez de loger dans un motel à North Beach ou à Sunny Isles, vous devrez descendre à South Beach pour aller au restaurant ou pour sortir.

La plupart des restaurants et des discos proposent ce qu'on appelle un "valet parking" (cela fonctionne ainsi à Los Angeles). Vous vous arrêtez devant l'établissement et votre voiture est parquée dans un espace public. A la sortie, vous donnez votre reçu et on vous ramène le véhicule. Cela vous coûte 5 ou 6$, plus le service. Mais il y a un truc : la municipalité de Miami Beach loue des espaces de parking. Un établissement peut ainsi "acheter" tout un étage de parking pour le week-end. Au lieu de payer 1$ l'heure à un parc-mètre, vous devez payer le prix fixé par le loueur.

S'il y a des endroits dans Miami où il est possible de se garer mais dangereux de marcher à pied, il en est d'autres où il n'est pas sûr de conduire, même durant la journée. Le seul conseil qu'on puisse vous donner, c'est de laisser dans la voiture ce à quoi vous ne tenez pas. En effet, les voitures de location sont toujours identifiables, même si les dernières réglementations ont rendu les choses moins faciles (voir "criminalité").

En bref, louer ou non une voiture dépend du type de vacances que vous avez prévu. Tout est dans la préparation.

Bus

Livré à vous-même décrit bien la situation où vous êtes pour vous rendre à votre destination si, arrivant par avion à Miami, vous souhaitez prendre le bus. La "bus station" est un kiosque doté de l'air conditionné où vous pourrez vous installer si la chaleur humide rend la température insupportable. Un téléphone vous relie directement au Miami Transit Center. A vous de savoir quel bus vous convient et quels sont ses horaires de départ : vous ne le devinerez pas aux inutiles panneaux à l'extérieur qui semblent avoir été plantés là dans les années 50.

Le bus pour Miami Beach est le "J" qui s'y rend directement par le Julia Tuttle Causeway et 41st St. puis oblique vers le nord. Vous devez changer de bus si vous allez à South Beach. Cette information est toute théorique. J'ai attendu le "J" pendant 1h 15 minutes, et il n'est jamais arrivé. Selon le panneau, il y en a trois au minimum par heure. Je ne savais pas qu'ils pouvaient être à ce point en retard. Il n'y avait personne au compoir et comme le téléphone ne fonctionnait pas, je ne pouvais pas deviner que j'avais intérêt à prendre un des nombreux bus qui mènent Downtown où une correspondance était possible pour South Beach. Prendre un bus municipal (Metro bus) ne revient pas cher (1,25$ + 25 cents pour le transfert), mais c'est un pari. Si le "J" fonctionne, il vous mènera à Miami Beach en 45 mn/1h.

Les bus s'arrêtent à divers points sur un croissant formé par les terminaux, mais où exactement, c'est un mystère : vous vous épargneriez ainsi bien des efforts à ne pas traîner votre bagage jusqu'à la rotonde "E".

Super Shuttle

Il existe bien un service de minibus appelé "Super Shuttle" et qui est comparable au Jitney's. Mais ils s'entourent d'un mystère comparable à celui de l'âge de Za Za Gabor. Il semble qu'on les trouve à chaque terminal, excepté le "E", et qu'ils utilisent une voie interne que n'empruntent pas les autres bus. Le prix de la course est de 9$ et ils sont censés vous mener directement à la porte de votre hôtel. J'ai eu vent de cette information seulement après être arrivé à Miami Beach. Si vous voulez utiliser ce moyen de transport, prévenez la réception de votre hôtel au moins un jour à l'avance.

Vous verrez aussi des signes indiquant les arrêts des Greyhound et de la Grey Line. Si vous savez précisément où aller, ces bus pourraient vous y mener, mais personne ne vous aidera à l'aéroport.

Tri Rail

Le seul rayon de soleil qui brille sur l'aéroport de Miami vient de la facilité avec laquelle on se rend à Ft. Lauderdale et à Palm Beach, deux villes dont les aéroports sont très actifs sur les lignes intérieures et les liaisons avec le Canada. Si votre destination est Hollywood, Ft. Lauderdale, Boca Raton ou Palm Beach, vous êtes chanceux. La gare du Tri Rail est reliée à l'aéroport par une navette gratuite de bus. En semaine, les trains partent toutes les heures de 4h47 à 8h47, à 12h et 13h, et toutes les heures entre 14h30 et 20h30. Le samedi, départs à 6h56, 10h, 11h25, 14h et toutes les heures de 15h30 à 20h30 (dernier départ 23h). Le dimanche, départs à 8h10, 10h10, 13h, 16h10, 19h. Le trajet entre l'aéroport et West Palm Beach dure 1h40.

Détail important : vous devez prendre une navette pour la gare au minimum 15 minutes avant le départ.

Pour plus d'informations sur les arrêts du train : 1 800 TRI RAIL (874 7245). Il y a des navettes gratuites dans toutes les gares du Tri Rail.

TRANSPORTS PUBLICS URBAINS

Quoiqu'en disent les Miamiens, le système des transports publics est plutôt très correct. Il serait excellent sans quelques particularités. Bien entendu, vous ne rencontrerez personne à Miami qui utilise ce type de déplacement, et tout le monde vous dira que vous êtes fou d'y songer, mais c'est une alternative rapide et bon marché à la location d'une voiture.

Les transports urbains sont de quatre niveaux : bus, Metrorail, Metromover et Tri Rail.

Prix

Le jeton valable pour un trajet vous coûtera 1,25$. Des sachets de 10 jetons sont disponibles dans toutes les stations du Metrorail et à certains points de vente. Pour connaître l'emplacement de ces points de vente : 638 6700.

Le Metropas coûte 60$. Il y a des prix spéciaux (30$) pour étudiants et personnes âgées.

Metropass

Vous pouvez acheter un Metropass aux endroits suivants :
- Aéroport. Airport Check Cashers, Inc. 7275 NW36th St.   Tél. 599 2367
  Lundi-vendredi 9h-20h.
- Miami Beach.
  Hernandez Check Cashing Services. 1452 Washington Ave. Tél. 531 1256
  Lundi-dimanche 8h-20h.
- Lee Ann Drugs, Inc. 955 Washington Ave.   Tél. 531 1256
  Lundi-samedi 8h-19h, dimanche 10h-15h.
- Hot Stop Grocery. 7103 Collins Ave.   Tél. 868 6100
  Lundi-dimanche 8h-23h.

- Mt. Sinai Hospital. 4300 Alton Road. Tél. 674 2812
  Lundi-vendredi 8h-17h, samedi 8h-16h.
- Zelicks Tobacco Co. 326 Lincoln Road.   Tél. 538 1544
  Lundi-samedi 8h30-21h.
- Downtown Miami. Flager Kiosk. 78 E. Flager St.   Tél. 579 2244
  Lundi-vendredi 9h-17h.
- Government Center Station. 111 NW First St.
  Lundi-vendredi 7h-18h.
- Cash Your Check. 23 E. Flager (dans McCrary's).   Tél. 377 0037
  Lundi-samedi 9h-18h.
- Coconut Grove.
  Office of Community Services. 3750 S. Dixie Highway.   Tél. 446 3311
  Lundi-vendredi 8h-17h.
- Coral Gables. Miami-Dade Water and Sewer. 3575 S. LeJeune Road.   Tél. 665 7471
  Lundi-vendredi 8h-17h.

L'une des caractéristiques du systèmes des transports publics de Miami est la possibilité d'utiliser le "transfer" entre le bus et le Metrorail ou entre les bus. Vous pouvez acheter un "transfer" en montant dans le bus ou en le quittant. Vous êtes supposé l'acheter uniquement en entrant dans le Metrorail, mais la plupart des conducteurs de bus acceptent les "transfers" dans l'un ou l'autre cas. Les compteurs de bus prennent les billets d'un dollar, la monnaie (pièces de 25 cents) et les jetons, mais les conducteurs n'acceptent pas de rendre la monnaie. Ce qui n'est d'ailleurs pas particulier à Miami. Conclusion : ayez toujours sur vous des piles de quarters, également utiles pour le téléphone.

Bus

Les bus de Miami (ou plus précisément, les **Metrobus**) sont climatisés au point que sur certaines lignes il y fait même frisquet. De nombreuses lignes relient Downtown Miami et Miami Beach via le MacArthur Causeway (5th St.) avec des durées de transport de l'ordre de 20 à 30 minutes. Le "C", le "M" et le "S" empruntent Biscayne Blvd et passent devant Bayfront Park et la gare des Greyhound. Le "K" et le "T" roulent un peu à l'intérieur des terres via NE 1st Ave/NE 2nd Ave. Ils quittent Miami Beach au sud sur Washington Ave et traversent 5th St. jusqu'au MacArthur Causeway. Dans les deux sens, les bus font un petit détour via le Omni Complex (17th St. à Miami). Le "F", le "M" et certains "S" prennent Alton Road jusqu'au Causeway. Le "S", le "C" et le "K" prennent Washington et Lincoln Road. Le "F" emprunte Alton Road mais, dans Miami, il ne va pas vers le sud et Downtown, mais continue vers l'ouest jusqu'au quartier du Civic Center.

- Le "A", qui est une sorte de minibus, démarre à Lincoln Road et se rend à Miami via le Venetian-Causeway, il dépasse le Omni Complex en direction de Overtown Arena, siège de l'équipe de basket locale, le célèbre Miami Heat.
- En direction du nord, au départ de Washington et Lincoln, le "C", le "G", le "H", le "L", le "M" et le "S" remontent Collins Ave.
- Le "C" va vers l'ouest sur 41st St.
- Le "L" va jusqu'à 71st St., tourne vers l'ouest et traverse le 79th St. Causeway.
- Le "G" oblique à 96st St. et traverse le Borad Causeway.
- Le terminus du "T" est Haulover Beach Marina.

- Le "S" traverse le 192nd St. Causeway à l'Aventura Mall.
- Le "K" remonte au nord jusqu'au Diplomat Mall où il fait la liaison avec les bus de Broward County (Hollywood et Ft. Lauderdale).
- Le "L" va à l'ouest sur 79th St., et passe devant la gare de l'Amtrack et le terminal du Tri Rail.
- Le "J", qui arrive de l'aéroport, traverse le Julia Tuttle Causeway et tourne vers le nord sur Collins (angle 41st St.) en direction du terminal des Greyhound (sur 71st St.) Descendez sur 41st St. pour prendre un bus vers South Beach.
- Le "K" remonte Washington et continue au nord sur le Biscayne Blvd. C'est la ligne à prendre pour se faire une idée exacte de la manière dont les gens vivent loin de fantaisies en trompe l'œil de Collins Ave.
- Le "R", que vous aurez rarement à prendre, longe Biscayne Bay vers Alton et tourne vers le nord sur Meridian Ave. dans la partie la plus résidentielle et la plus privée du district Art déco.
- Le "W" après avoir dépassé les Co-ops de Biscayne Blvd traverse South Beach jusqu'à l'extrémité de l'île.
- Le "H" explore aussi le fond de South Beach puis remonte sur Washington et sur Collins avant de tourner direction ouest et Sunny Isles Blvd.

La plupart des bus passent par ou près du terminal des bus (juste un rond-point) sur Flager et SW 1st Ave. Le **11** va direction ouest sur Flager St. Le **7** mène à l'aéroport. Le **8** passe à un bloc à l'est sur Miami Ave. et va direction sud après le petit quartier des restaurants sur SW 1st Ave. puis direction ouest le long de 7th St. jusqu'à 22nd Ave. où il rejoint 8th St. - calle Ocho. Au retour direction est, il descend directement 8th St. Le **6** va plein sud jusqu'à Brickell Ave. avant de remonter vers Flager (et 7th Ave.). Le **48** va direction sud vers Coconut Grove et direction nord sur Biscayne jusqu'au Omni Complex.

En règle générale, les bus est-ouest fonctionnent mieux que les bus nord/sud. J'ai essayé de prendre le **22** South sur Flager à travers le cœur de Little Havane et j'ai attendu une heure en vain. Les mêmes efforts avec le **42**, le **37** et le **21** ont obtenu les mêmes résultats.

Le trajet Downtown-Washington et Lincoln Road peut durer 20 minutes, mais le trajet à partir de 71st St. sur Collins vers Washington et Lincoln peut prendre aussi 20 minutes. Le trajet 79th St. et Biscayne Blvd pour Washington et Lincoln prend 45 minutes. Cependant, le trajet Calle Ocho-South Beach dure lui aussi 45 minutes.

L'un des inconvénients du système est que les conducteurs ont droit à des périodes de repos de 15 minutes durant la journée. Mais vous ne savez jamais quand et où ils vont s'arrêter. Selon une routine bien établie, ils s'arrêtent Downtown sur Flager à un block du rond-point. Ils stoppent aussi à l'angle de Washington et Lincoln et parfois au Omni Complex ou sur Washington et 5th. Il n'y a ni annonce ni explication ; soudain, vous vous retrouvez dans un bus momentanément sans chauffeur. Pour les cartes des bus, il faut téléphoner (!) au 645 6586. Le service des objets perdus est au 375 3366.

Metrorail

Le Metrorail est un système fabuleusement cher que le gouvernement fédéral a voulu construire pour en doter des villes qui n'avaient pas à prouver son utilité à d'autres villes qui n'en voulaient pas. Cela veut dire qu'il y a eu assez de membres du Congrès pour faire admettre ce projet à des gens qui ne voulaient pas en entendre parler. A l'exception des industries des transports. Le Metrorail est un métro aérien construit sur des piliers de ciment. Il ne pouvait pas être souterrain à cause de la texture géologique du terrain calcaire, trop mince au-dessus de l'eau. La ligne traverse la Miami River sur un pont spectaculaire tout illuminé la nuit, et d'où la vue sur la ville est magnifique.

Le nombre des passagers ne justifie certainement pas la construction du Metrorail dont la ligne, longue de 21 miles (34 km), comporte des arrêts tous les miles (2-3 minutes entre chaque station). Le Metrorail va de Hialeah au nord jusqu'à Dadeland au sud. Le trajet de bout en bout dure 40 minutes. Le métro fonctionne de 5h30 à minuit. L'intervalle entre deux rames est d'environ 7 à 15 minutes les jours de semaine et de 20 minutes les week-ends.

La station Government, Downtown Miami, est la station centrale de la ligne. On y trouve des cartes et des informations. On peut aussi rejoindre le Metromover.

La majorité des habitants de Miami affirment que le Metrorail est dangereux à toute heure du jour. Je préconise de l'éviter tôt le matin et tard la nuit.

Metromover

Le Metromover est une attraction touristique en lui-même qui ne manquera pas de vous rappeler les déménageurs du film de Truffaut, *Farenheit 451*. Le Metromover fait une courbe de 1,9 mile (environ 3 km) au travers de Downtown. Aucun personnel humain ne s'en occupe, ni pour la conduite des trains (informatisée), ni pour l'entretien des stations (sous surveillance vidéo). Une voix synthétique annonce les stations et une sonnerie vous propulse dans 2001, l'odyssée de l'espace.

Le système est censé fonctionner dans les deux sens en même temps, mais comme il n'y a personne dans le train, le Metromover va sagement dans un sens, puis dans l'autre. La ligne compte 9 stations et les rames arrivent environ toutes les 90 secondes entre 6h et minuit. Le trajet coûte 25 cents, mais le transfert est gratuit à partir de Government Center Metrorail Station. Pour passer du Metromover au Metrorail, il en coûte 1$.

Le Metromover est en général totalement vide quand il va au nord de Government Center, mais dans la direction opposée, il peut y avoir une foule d'employés aux heures de sortie des bureaux entre Biscayne Blvd et Government Center. Tout inutile qu'il soit, le Metromover a été récemment étendu - au nord vers l'Omni Center et au sud vers Brickell Ave. Il traverse la Miami River sur un spectaculaire pont étroit et élevé. Aux extrémités, deux stations en hauteur sont reliées au sol par des torsades en forme d'escaliers enroulées autour d'ascenseurs. On peut se demander si l'argent n'aurait pas été mieux investi dans une extension est-ouest du Métrorail.

Aussi inutile qu'il soit, ce mode de transport est un must du genre Disney pour les touristes. Installez-vous dans le premier wagon. Comme il n'y a pas de conducteur, une vitre de verre plate à l'avant, dans une niche tapissée, vous sépare du spectacle tandis que le petit monstre se précipite au-dessus des rues.

Tri Rail

Le Tri Rail, abréviation de Tri County Rail System, a été construit sur des voies déjà existantes pour relier trois comtés : Dade, Broward et Palm. Bien que destiné aux banlieusards, il fonctionne sept jours par semaine (sauf pour Thanksgiving et Noël) et permet aux touristes de visiter Palm Beach en l'espace d'une journée extrêmement bon marché. Le prix du billet pour n'importe quel point est de 3$ et l'aller-retour coûte 5$. Toutes les stations au nord de la ligne ont des navettes de bus. Les arrêts sont les suivants : Miami Airport, Hollywood, Metrorail, Ft. Lauderdale/Hollywood International Airport, Ft. Lauderdale, Pompano Beach, Boca Raton, Delray Beach, Boynton Beach, Lake Worth, Palm Beach Airport et West Palm Beach.

Le premier train est à 4h45 en semaine et à 6h le week-end. Le dernier est à 23h. Le week-end, le dernier train quitte Palm Beach à 21h05. Les bus des stations aux aéroports sont gratuits, tout comme le service de liaison avec le Metrorail. Un service pour handicapés peut être arrangé gratuitement 24 heures à l'avance. Informations: tél. 1 800 874 7245 ou (305) 728 8445.

Jitney's

Les Jitney's sont des minibus privés qui parcourent la ville en empruntant essentiellement les trajets des bus urbains. Ils coûtaient 1$ sans transfert et on appréciait leur caractère informel et leurs chauffeurs amicaux dans la mesure où ils prenaient et déposaient leurs passagers où ceux-ci le voulaient. Enfin, les Jitney's peuvent être plus nombreux en certains endroits que les bus.

Certes, le prix des Jitney's a "grimpé" à 1,25$ sans pour autant le privilège du transfert. Surtout, les véhicules sont désormais dans un Etat de délabrement plus ou moins avancé. Enfin, il est difficile de savoir où un Jitney se rend car les chauffeurs parlent souvent l'espagnol seulement (ou le français, s'ils vont à Little Haïti). Il arrive parfois qu'un Jitney vide vous prenne et que vous ayez à attendre que le chauffeur ait trouvé d'autres passagers allant dans la même direction. Bref, les difficultés que présentent les Jitney's surpassent parfois leurs avantages...

TRANSPORTS LONGUE DISTANCE ──────

Bus

La station des bus a l'air d'une plaisanterie. Avec la fusion de Greyhound et de Trailways, la gare de Downtown a été abandonnée. Il y a de petits arrêts à l'aéroport, à Miami Beach et sur Biscayne Blvd. Difficile de dire lequel est le meilleur. Personne n'a pu me donner les horaires et les tarifs à l'aéroport. L'arrêt de Miami Beach (71st St. et Harding, à un bloc de Collins) ferme à 17h et la gare de Biscayne Blvd est une station à essence transformée. On n'y trouve pas d'horaires mais l'employé solitaire qui vend des billets est censé donner des informations. Alors mettez-vous dans la queue et posez-lui une question précise, pas une question générale de touriste. Vous n'aurez pas de tuyaux sur des offres spéciales ou des tarifs intéressants. Pour cela, vous devez téléphoner au Greyhound. Mais c'est l'enfer. En Amérique, ceux qui prennent les bus longue distance sont méprisés ; l'entreprise évoque une punition. Le court et cher voyage à Key West par ce moyen de transport en est une preuve.

La nouvelle gare des bus n'est pas indiquée sur la plupart des cartes. Les bus de Miami Beach et ceux qui vont vers le sud et Biscayne Blvd font un arrêt sur un espace vide à un block de là. Ce serait l'objet d'une fastidieuse enquête bureaucratique de rechercher combien de temps il faudra aux pouvoirs publics pour décider de déplacer l'arrêt du Metrobus en face de la gare des bus.

Amtrack

Le système Amtrack a été fondé quand les services de passagers des chemins de fer privés (qui n'ont jamais gagné d'argent) ont été abandonnés. Etant donné que 45% du trafic ferroviaire se passe dans le corridor nord-est américain, Amtrack a réellement été créé pour récupérer des installations qui, autrement, auraient été perdues dans la faillite de l'énorme système Penn Central, qui couvrait le nord-est du pays. Selon le contrat passé, les compagnies privées (à l'exception du système Conrail, qui couvre le nord-est et est une entreprise publique) sont propriétaires des voies, tandis qu'Amtrack loue le droit de les utiliser.

Actuellement, trois trains desservent Miami.

Trains au départ de Miami

Le Silver Meteor (quotidien) quitte Miami à 7h21 et arrive à New York le lendemain à 10h10. Le Silver Star part à 17h57 et arrive à New York le lendemain à 19h38. Les trains comportent des wagons-lits et des wagons-restaurants où l'on vous sert un "buffet" - mais n'attendez pas des repas de gastronomes. Leurs trajets sont très sensiblement identiques. Celui du Silver Meteor parcourt 1 404 miles (2 246 km), celui du Silver Star 1 424 miles (2 278 km). Les trains américains ne sont pas très rapides. Ainsi, le Silver Star met plus de cinq heures pour couvrir les 272 miles (435 km) qui séparent Miami d'Orlando.

Un nouveau service transcontinental a été récemment inauguré. Il s'agit du Sunset Limited qui relie Los Angeles à la Nouvelle-Orléans et a été prolongé jusqu'à Miami. Ce train quitte Miami à 13h30 les dimanches, mardis et vendredis, arrive à la Nouvelle-Orléans à 11h55 et à Los Angeles à 7h, deux jours plus tard. Ainsi, si vous quittez Miami le dimanche, vous parviendrez à Los Angeles, 3 066 miles (4 905 km) plus loin, le mercredi. C'est un train à deux étages, avec vitres panoramiques, guide, films, jeux, etc.

Trains au départ de New York et Los Angeles

Le Silver Meteor quitte New York à 15h35 et entre en gare de Miami le jour suivant à 17h55. Le Silver Star part à 9h20 et arrive à destination à 13h10 le lendemain. Le Sunset Limited quitte Los Angeles à 22h50 (dimanche, mardi, vendredi) et la Nouvelle-Orléans à 23h (arrêt de trois heures, mardi, mercredi, dimanche). Il est à Miami à 23h10 (mercredi, vendredi, lundi). Ces horaires sont sujets à changements et il est nécessaire de réserver des couchettes à l'avance au 1 800 USA RAIL. Même téléphone pour informations, tarifs (renseignez-vous sur les tarifs spéciaux "See America") et réservations.

Atteindre ou quitter la gare Amtrack est au mieux problématique. Sans l'ombre d'un doute, si vous arrivez de nuit vous devez prendre un taxi. La ligne "L" s'arrête à la gare. Elle prend 79th St., emprunte le Kennedy Causeway et arrive à Miami Beach. Elle passe à un block de la gare des Greyhound et descend directement Collins vers Washington Ave. Ce trajet en bus vous rend la vie on ne peut plus simple, mais c'est long : 1h30.

Il vous faudrait la moitié de ce temps pour vous rendre à la plus proche station du Metrorail, direction Downtown Miami, de sortir à Government Center Station et de prendre une correspondance en bus jusqu'à Miami Beach. Mais il y a un hic : la liaison entre Amtrak et Metrorail. La station du Metrorail est réellement connectée à la gare du Tri Rail à 150 mètres au sud et 50 mètres à l'est de la gare Amtrack. La voie du Tri Rail court parallèlement à celle de l'Amtrack de Palm Beach à Miami, mais le terminal de l'Amtrack est à trois blocks de 79th St. au-dessus de laquelle passe le Metrorail. On peut se demander à quoi les ingénieurs pensaient quand ils ont fait creuser la station à cet endroit. Non seulement il n'y a rien alentour, mais il suffisait de quelques dizaines de mètres de plus pour faire la liaison avec le Metrorail.

Bref, quand vous arrivez par le train, il n'y a aucune information sur la proximité de la station du Metrorail. Prenez donc votre courage à deux mains, descendez trois blocks sud dans une rue sans nom ni chiffre et sans trottoir, tournez à droite sur 79th St. : vous ne pourrez manquer la station du Metrorail.

S'il y a un "L" à la station, n'hésitez pas : montez, achetez un billet et un ticket de transfert, et faites-vous transporter jusqu'à la prochaine station du Metrorail, en fin de ligne, à Northside. En semaine, le "L" commence à fonctionner à 4h48 jusqu'à 21h39 avec des intervalles de 20 minutes ou plus. La nuit, les bus (direction Miami) passent sur 79th St. à 22h11, 23h13 et minuit 24, mais forget it ! Le samedi, les bus fonctionnent entre 4h48 et 21h45 au rythme de deux ou trois par heure. Le dimanche, comptez un ou deux bus par heure entre 6h08 et 21h19. Comme vous pouvez le constater (voir horaires Amtrack), les horaires des bus n'ont aucune relation avec ceux d'Amtrack. Si vous êtes un incurable romantique, vous prendrez le train, mais souvenez-vous que sortir de la gare est une entreprise à haut risque et prenez un taxi.

COMMENT S'Y RENDRE

Vacances Fabuleuses. Dans toutes les agences de voyages ou :

6, rue de la Chaussée d'Antin 75009 Paris Tél. 45 23 55 77
2, rue de Rivoli 06000 Nice Tél. 93 16 01 16

Choix infini de formules aux meilleurs prix. Par exemple, location de voiture, km illimités, une semaine : 225 F ; avec 7 nuits d'hôtels en Floride : 1 200 F, 2 060 F en Louisiane. Vols pour la Floride à partir de 2 950 F (combinés Orlando / Miami).

Discover America Marketing. 85, av. Emile Zola 75015 Paris Tél. 45 77 10 74
Et dans les agences de voyages.

Idéal pour organiser seul son circuit. Hébergement avec un Hotel Pass, coupons sans surcharge pour des chambres de 1 à 4 personnes, petit déjeuner inclus ; ou avec les Embassy Suites, offrant une suite pour le prix d'une chambre avec petit déjeuner américain et boissons (pendant 2 heures tous les soirs) ! Car Pass : location de voiture la journée (coupons). Autres prestations : tickets d'entrée pour les studios Universal, croisières au départ de la Floride sur les bateaux de Royal Caribbean Cruise Line et The Big Red Boat / Premier Cruise Line. Et aussi une carte téléphone qui permet non seulement d'appeler facilement depuis les Etas Unis, mais surtout, de recevoir des messages téléphoniques là-bas !

Voyag'Air. 55, rue Hermel 75018 Paris Tél. 42 62 20 20

Look Charter. Tél. 44 10 76 76 ou 3615 Promovol

3615 AIRWAY. Tous les vols réguliers et les charters à prix d'ami. Devis gratuit.

PRATIQUE

TELEPHONE

Il est facile d'appeler l'Europe - et le monde entier - en vous servant de votre téléphone à touches. Vous pouvez cependant vous attendre à de mauvaises surprises si vous appelez de votre hôtel, même si vous avez utilisé votre carte téléphone, carte de crédit ou un appel en PCV. A Miami, la plupart des téléphones sont la propriété de compagnies indépendantes qui vous rajoutent une taxe de connexion sur votre note. Pour l'éviter, il suffit de choisir un appareil portant la mention AT&T ou SOUTHERN BELL. Il est également possible de passer ses appels à partir de MR. PHONE, 1907 Collins Ave., Miami Beach, 33139. Tél. (305) 534 1893 - Fax 538 8175. MR. PHONE est ouvert du lundi au samedi de 9h à 22h ; le dimanche de 9h à 17h.

Pour téléphoner facilement depuis l'étranger vers la France et dans certains cas vers d'autres pays : le service FRANCE DIRECT de FRANCE TELECOM propose des numéros d'accès directs (voir au dos de ce guide). Egalement à votre disposition, le Téléphone Interprète : un service de traduction simultanée par téléphone. Pour connaître la marche à suivre et le numéro d'accès qui vous concerne, appelez avant votre départ le : **N°Vert 05061919**
APPEL GRATUIT

CHANGE

Vous pouvez changer de l'argent dans toutes les banques, mais de préférence à la City Bank, au coin de Collins Ave. et de Lincoln Ave. (on y parle français), ou à Thomas Cook, 155 SE Third Ave. 33131. Tél. (305) 381 9252 - Fax 374 0655. Ouvert du lundi au vendredi de 9h à 17h. Mais également à l'agence Cook à l'hôtel Fountainbleau, dont les bureaux sont ouverts même le samedi de 9h à 13h.

Les Etats Unis ont un réseau très dense de commerçants et de distributeurs de billets acceptant les cartes Eurocard MasterCard : Plus de 74 000 distributeurs automatiques de billets, 84 000 points cash et 2 800 000 commerçants affichent les logos MasterCard et/ou Cirrus. Pour les cartes EUROCARD MASTERCARD, voir page 198.

PHARMACIE OUVERTE 24H/24H

Walgreens 1845 Alton Road, Miami Beach.   **Tél. (305) 531 9922**

A pied, c'est assez loin du quartier des hôtels de South Beach. Mais si vous avez une voiture, Walgreens vous paraîtra être en plein centre de Miami Beach. Vous trouverez la pharmacie sur Alton Rd. et 19th St. (Alton Rd. est la route utilisée par tous les petits malins du coin pour atteindre la MacArthur Causeway. 19th St. coupe Miami Beach et Collins Ave. à une extrémité, ainsi que la Venetian Causeway à l'autre extrémité. Plus qu'un drug store, Walgreen est presque un hypermarché. Walgreens jouxte PUBLIC, un grand magasin très connu pour ses prix élevés et ses attentes interminables aux caisses.

PRESSE GRATUITE

Vous remarquerez dans des boîtes de métal (pratiquement à chaque coin de rue de Miami Beach) et dans les boutiques et restaurants, des piles de journaux. Cette presse-là est gratuite, car payée entièrement par la publicité selon un système généralisé aux Etats-Unis. Dans la mesure où ces journaux sont orientés vers des "marchés" différents, il y en a plusieurs.

Miami New Time 330 Biscayne Blvd 10th Floor Miami 33132   Tél. 372 0004
Ce magazine, le plus complet et le mieux informé sur tout Miami, est absolument indispensable. Il recense les événements de la semaine : lectures, films, sports, expositions, musées, restaurants, clubs, dancings, musique, etc. Essayez d'avoir un exemplaire de leur numéro annuel spécial "Best of Miami".

Wire 1638 Euclid Ave. Miami Beach 33139   Tél. 538 3111
Privilégie plus que ses concurrents les potins mondains et sociaux. Points de vue gays. Chaque semaine, le mercredi, de 18h à 21h, une party célèbre la sortie du dernier numéro, au Passport Cafe 1300 Collins Ave. Recommandez-vous du Petit Futé et buvez un coup gratis.

Post Mortem 1688 Meridian Avenue Suite 702 Miami Beach 33139   Tél. 538 9700
Hebdomadaire "post-modern". Arts, mode et mœurs pour les 20 ans et quelque chose.

Outpost 1688 Meridian Avenue Suite 702 Miami Beach 33139   Tél. 538 9700
Il s'intitule "South Beach only Gay and Lesbian Weekly", mais s'adresse réellement aux gays qui vivent au-delà de Ft Lauderdale.

Enfin, il existe également des journaux pour les Latinos-Américains, les Noirs américains, les yachtsmen et les Allemands (*Treffpunkt*, Tél. 940 3174).

PRESSE INTERNATIONALE

Beach News 651 Washington Ave. Miami Beach   Tél. 672 0081
Ouvert tous les jours 11h-22h.
Journaux français vieux de la veille. Et aussi une sélection excentrique de cravates, montres, savons importés, cartes de vœux et magazines.

The New Cafe 800 Ocean Drive Miami Beach Tél 508 NEWS
Ouvert 24h/24.
Magazines de mode français et journaux et magazines européens (allemands). Quelques livres de poche français.

AGENCE DE VOYAGE

Superior Travel 521 Lincoln Road Miami Beach   Tél. 673 5558 - Fax 532 3515
Une grosse et sérieuse agence de voyages. Ils préparent des excursions en bus et s'occupent de réservations de billets d'avion et de train. Le personnel parle français.

SE LOGER

L'hôtellerie à Miami pose définitivement problème. La quasi majorité des activités diurnes, et la totalité de la vie nocturne sont centrées sur la zone de South Beach. Il y a bien des motels vieux style au nord, mais il faut louer une voiture pour se rendre à South Beach, et compte tenu des difficultés de parking, la solution n'est guère pratique, sauf pour les plus disciplinés. Pour toutes ces raisons pratiques, vous descendrez dans un hôtel de South Beach.

Le "problème" évoqué plus haut tient au fait que, pour un ensemble de causes aisément identifiables, la tenue des hôtels de South Beach approche du degré zéro du professionnalisme. Cependant, soulignons-le, ces hôtels sont ornés de détails fantaisistes et anachroniques qui amusent l'œil tant par l'unité du projet que par les variations de ce style extrême.

Jadis, ces établissements accueillaient des foules de retraités, ce qui leur avait valu l'appellation d'"antichambre de Dieu". Puis vint l'époque du feuilleton *Miami Vice* qui permit aux décorateurs de repeindre les façades en tons pastel tropicaux et de les mettre en valeur à l'aide de néons et de savants éclairages extérieurs. Enfin, les nouveaux propriétaires voulurent remettre en l'Etat les bâtiments pour qu'ils aient l'air de ce qu'ils étaient. Les nouveaux acheteurs n'étaient malheureusement pas des spécialistes de l'hôtellerie. Ils avaient gagné beaucoup d'argent, mais dans de tout autres affaires, et s'étaient lancés dans ces opérations comme on achète une voiture de collection : oui, vous pouvez, je vous permets de conduire ma Bugatti type 57 Coupé Atlantique, mais vous devez payer l'esssence, et si ça casse et que vous restiez en carafe, eh bien c'est le prix à payer pour le privilège de conduire un monstre sacré.

Comme pour prolonger la mentalité des années 80, on adopta une "door policy", un filtrage à la porte. Pour avoir le droit d'entrer dans ces hôtels très bien fréquentés, il fallait montrer patte blanche. En effet, durant leur période d'exclusivité brûlante, les discos, pour donner aux heureux élus l'excitation artificielle de la singularité, pratiquaient un examen visuel d'entrée qui se voulait un impitoyable critère de sélection. En conséquence, les directions des hôtels de South Beach n'avaient aucune idée - le concept leur était étranger - que des clients assez privilégiés pour descendre dans ces nouveaux palaces attendaient d'être traités comme des invités, voulant appartenir à une sorte de société fermée, de "Cafe Society" dont l'illusion remontait précisément à l'âge des bâtiments, la période des années 30. Cette illusion était réciproquement partagée par les nouveaux propriétaires qui, eux-mêmes, se prenaient tous pour des Charles Ritz pommadés dominant du regard une foule de femmes sophistiquées et de gentlemen paradant en costumes du soir dans de vastes espaces décorés de Lalique. Seulement, c'est la Hi-fi qui retransmettait des airs de Gershwin ou de Cole Porter, et non pas des orchestres. En vérité, les nouveaux heureux propriétaires des hôtels de South Beach connaissaient mieux les crackers Ritz que les hôtels du même nom. Quant à leur clientèle, elle était composée de jeunes gens très actifs qui, aux smokings préféraient les shorts et les Nikes, et avaient l'habitude de boire leurs cocktails dans des verres en plastique.

Les employés posaient un autre type de problème. La plupart se conduisaient comme s'ils étaient en vacances et devaient à contre-cœur payer leur note en faisant des heures de garde derrière le comptoir. Ajoutez à cela qu'à l'instar de nombreuses villégiatures de Floride, vous pouviez déduire les préférences sexuelles de l'heureux propriétaire des lieux au sexe dominant du personnel. Dans un certain hôtel, officiaient de véritables brigades de jolis garçons, de sorte que vous n'aviez jamais affaire à la même personne à l'accueil. Dans de nombreux autres établissements, les jeunes femmes du personnel étaient jolies, mais pas assez pour être des mannequins. Toutes semblaient avoir quelque chose de mieux à faire que ce qu'elles étaient en train de faire, c'est-à-dire travailler dans un hôtel. Vous aviez l'impression d'interrompre leur vie personnelle chaque fois que vous faisiez appel à elles - une expérience fréquente en Floride.

Ainsi, ni la direction ni le personnel n'avaient de liens professionnels avec l'hôtellerie, et peu semblaient avoir suivi un stage. Cela n'avait d'ailleurs pas d'importance puisque ces hôtels, comme des yachts ou des voitures de collection, étaient perpétuellement en vente, étant des objets de spéculation comme n'importe quelle autre propriété. La restauration avait été chère et intensive, mais seulement pour la façade. La décoration intérieure ne faisait pas preuve d'une grande imagination, elle n'était ni moderne ni d'une époque particulière. L'Etat des tapis et moquettes laissait à désirer. Le téléphone fonctionnait mal, les messages étaient rarement délivrés. Enfin, pour les ascenseurs, soit ils subissaient un lifting qui leur rendait leur charme initial, soit ils étaient transformés en banals ascenseurs modernes, mais tous conservaient le système de fonctionnement à leviers, l'un des plus vieux de l'Etat, ce qui signifie qu'ils étaient fréquemment en panne.

La vie d'une disco des années 80 suit un cours comparable. Quand elles ouvrent, vous n'y avez pas accès, enfin elles se démocratisent et vous acceptent, puis elles ouvrent leurs portes à n'importe qui, mais c'est trop tard, ça n'intéresse plus personne, et elles ferment.

La liste des hôtels ici mentionnés est valable pour 1994. En 93, elle aurait été différente. Certains établissements étaient en cours de rénovation, d'autres étaient toujours fermés. Plusieurs hôtels ouverts en 93 étaient déjà à vendre quelques mois plus tard. Ainsi vont les choses en Amérique...

La leçon de tout ceci, c'est que vous devez nuancer votre attente.

Tous les hôtels cités ci-dessous ont le code postal 33139 et l'indicatif téléphonique 305, sauf information contraire. Les numéros 800 indiquent un appel gratuit de n'importe quel point des Etats-Unis. Enfin, les taxes locales sont de 11 1/2%.

SOUTH BEACH

The Park Central Hotel 640 Ocean Drive   **Tél. 538 1611 - Fax 534 7520**
16 octobre-30 avril : ch. double Ocean Front 150$; standard 110$.
1er mai-15 octobre : ch. double Ocean Front 125$; sur le côté 80$; standard 60$.
Immeuble Art déco 1937. Appartient au même propriétaire que l'Imperial Hotel mitoyen.

Imperial Hotel 650 Ocean Drive Tél. 538 1611 - Fax 534 7520

16 octobre-30 avril : ch. double Ocean Front 125$; standard 95$.

1er mai-15 octobre : ch. double Ocean Front 125$; standard 60$.

Un peu plus cher que le précédent, un peu plus prétentieux et peut-être un peu mieux que la moyenne. Les discounts en basse saison peuvent être une affaire.

Barbizon Apartment Hotel 530 Ocean Drive Tél. 1 800 662 6461-531 6262-531 6463

Eté 39-210$ par semaine. Hiver 49-300$ par semaine.

Le dernier hôtel vieux style à accueillir des gens âgés et des retraités. Il donne sur la plage. Récemment vendu, il sera ce que la nouvelle direction en fera. Les chambres sont simples et sans chic, mais elles sont pourvues d'une cuisine pour les longs séjours. Téléphone ATT près de la piscine.

The Winterhaven 1400 Ocean Drive Tél. 1 800 395 BEACH-531 5571 - Fax 538 3337

15 mai-14 décembre : Ocean Front 75$; standard 50$.

15 décembre-15 avril : Ocean Front 105$; standard 85$

Cet immeuble Art déco 1939 est l'une des plus hautes structures d'Ocean Drive. C'est un des lieux favoris des visiteurs qui reviennent régulièrement parce que, malgré ses défauts, on y pratique de sérieuses réductions. Cependant, les douches sont à demi-fonctionnelles, les chambres sont médiocrement tenues, et à 2h30 du matin la réception m'a appelé pour exiger que je paie ma note en liquide. Quand je suis allé me plaindre le lendemain, je me suis retrouvé devant le bureau du directeur avec un client à la corpulence très, très large qui, furieux, voulait qu'on lui explique pourquoi l'une de ses notes avait mystérieusement doublé de volume. J'imagine que la source de leur paranoïa vient de la manière plutôt obscure dont ils gèrent leurs affaires. Les chambres n'ont pas de verrou de sécurité et l'ascenseur est fréquemment en panne.

The Clay Hotel 1438 Washington Ave. Tél. 534 2988 - Fax 673 0446

Basse saison : single 27$, double 30$. Haute saison : single 30$, double 35$. l$ de moins sans l'air conditionné.

Chambres Youth Hostel (pour quatre) 10$ membres, 11$ non-membres.

L'auberge de jeunesse de Miami a aussi des chambres bon marché, sobrement meublées, mais suffisantes et adéquates. Les salles de bains sont collectives et il y a un salon télé. Située au croisement d'une des sections les plus "légères" de Washington St. (en face du lieu de rendez-vous des alcooliques, des flâneurs de tout poil et des cinémas porno) et d'Espanola Way, cette bâtisse en pré Art déco (dans le style espagnol nommé "Boom Spanish") était en pleine rénovation. C'est l'hôtel des voyageurs avec les meilleures petites annonces de la ville pour les offres de transport, les "drive away" (le convoyage d'un véhicule d'un Etat l'autre), les billets de concerts ou de théâtre, les rollers skates d'occasion, etc.

Les trois hôtels qui suivent appartiennent à la même direction que les hôtels Art déco. Les chambres comprennent la télévision câblée et le VCR. On peut aussi y écouter ses compacts favoris. Le petit déjeuner continental et le parking sont compris dans le prix. Ces établissements sont joignables aux numéros suivants (tél. 1 800 338 9076, - Fax 531 5543) ou via le Cavalier Hotel.

The Cavalier Hotel 1320 Ocean Drive
Haute saison (15 décembre-4 avril), basse saison (1er mai-14 décembre).
Double Ocean View 150-130$; suite 180-160$; Standard 125-105$.

The Leslie Hotel 1244 Ocean Drive
Standard 105-85$; Ocean View 140-125$.
Actuellement le siège de la Art Deco Society qui a toujours une boutique dans le lobby. Les clients doivent se signaler à la réception du Cavalier Hotel.

The Marlin Hotel
Studio 200-135$; Delux Studio 215-145$; suite 225-155$; Delux suite 240-175$; suite à deux lits 310-210$.
Bien que situé à un block du bord de mer, le Marlin est beaucoup plus cher que les précédents. J'ignore si le personnel est plus professionnel ou s'il fait simplement semblant. Les chambres n'étaient pas prêtes quand j'ai demandé à les visiter, mais on m'a dit que toutes sont différentes les unes des autres. Les lits sont super-larges (Queen size), il y a une couette, un mini-bar et une kitchenette dans chaque chambre. On mentionnnera un studio d'enregistrement dans le bâtiment, ainsi qu'un Jardin sur le toit. Gianni Versace a occupé la penthouse du Marlin jusqu'à l'achèvement de la restauration de son "palazzo" sur Ocean Drive. L'hôtel attire une clientèle internationale solide. Un restaurant caraïbien très populaire et très actif occupe le lobby.

Betsy Ross Hotel 1440 Ocean Drive   Tél. 1 800 755 4601 - Fax 531 5282
Hiver (15 novembre-30 avril). Eté (1er mai-15 novembre)
Standard 90-70$; côté piscine (pools side) 105-80$; Ocean Front 130-95$; suite 180-135$.
Pas un hôtel Art déco, mais une bizarre interprétation du mont Vernon de George Washington. Légèrement surévalué, il n'est pas meilleur que les hôtels à 10-20$ de moins.

Penguin Hotel 1418 Ocean Drive   Tél. 1 800 235 3296-534 9334 - Fax 672 6240
Eté (avril-novembre). Hiver (décembre-mars)
Standard 69$; Ocean Front 89$; angle 99$; standard 399$ par semaine. Ocean Front 10% de réduction pour une semaine.
Petit déjeuner continental gratuit. Négociation possible. Une bonne trouvaille, malheureusement il était en vente.

Waldorf Towers 860 Ocean Drive   Tél. 1 800 933 BEACH-531 7684 - Fax 672 6836
Standard 109-89$; Ocean Front 139-119$

The Beacon Hotel 720 Ocean Drive   Tél. 531 5891
Standard 90-75$; Ocean Front 155-105$.

LE PETIT FUTÉ du MEXIQUE, dans toutes les librairies

The Clevelander Hotel 1020 Ocean Drive   Tél. 531 3485 - Fax 534 4707
Hiver/été ch. double 110/75$.
Le noyau dur des hôtels rock'n'roll, avec de la musique jouée à un volume sonore à vous rendre sourd depuis le matin tôt jusqu'à tôt le matin au bar très fréquenté de la piscine (deux boissons minimum par nuit). Les chambres ne sont pas élégantes, mais il y a une grande salle de sports sur les lieux.

Henry Hotel 536 Washington Ave.   Tél. 672 2511
Single 100$ par semaine ; double 110$.
Prolétarien. Les chambres sont sommaires, et occupées principalement par des habitués. Les portes sont fortement gardées et la direction est vigilante. Plusieurs chambres n'en restent pas moins disponibles pour les petits futés qui n'ont pas trop d'exigences. Ce n'est pas joli, mais l'adresse est excellente si vous êtes en panne de "fraîche" tout en souhaitant rester dans le circuit.

Clinton Hotel 825 Washington Ave.   Tél. 538 1471
Single 50$; double 55$. En haute saison 75/85$.
Pas du tout à la mode. Basic. Les prix sont un peu élevés mais paraissent négociables.

Century Hotel 140 Ocean Drive   Tél. 674 8855 - Fax 538 5733
Pour réserver de New York :   Tél. 212 929 9473, - Fax 738 7117
Novembre-avril : single 95$; double 110$; suite 160$.
Mai-octobre : 75/90/130$.
Les suites ont VCR, téléphone avec répondeur, fax. Toutes les chambres ont la télévision câblée et des serviettes de plage. On vous sert un breakfast New Age et vous avez droit à la presse internationale. Le personnel est très au courant de ce qui se passe et dans le lobby trône une sculpture très hip semblable à un instrument sadique. Selon le point de vue et le goût, une bonne trouvaille pour son luxe, ou une adresse prétentieuse.

Lord Balfour Hotel 350 Ocean Drive   Tél. 673 0401-531 9386 - Fax 531 9385
Haute saison : double 75$. Basse saison : 60$.
Pas de vue, de larges chambres propres, tranquilles à l'arrière. Un staff amical, mais légèrement amateur. Une très bonne adresse. Des frigidaires disponibles, gratuits.

Beach Paradise Hotel 600 Ocean DriveTél. 1 800 258 8886-531 0021 - Fax 674 0206
Décembre-avril : standard 90$, Ocean View 125$; suite 125$; Ocean Front suite 175$.
Vraiment de jolies chambres, bien tenues, une équipe sympathique, la télévision câblée et, encore mieux, des prix négociables.

Adrian Hotel 1060 Ocean Drive   Tél. 538 0007 - Fax 532 3048
Standard 49$; Ocean View 69$.
Une nouvelle direction pour une poignée de petits hôtels moins restaurés que les autres au centre d'Ocean Drive. Adrian fait partie des rares hôtels non-Art déco. On peut marchander, mais ça ne va pas loin.

Avalon & Majestic Hotels
700 Ocean Drive   Tél. 1 800 933 3306-538 0133 - Fax 534 0258
Cinq saisons : 23 décembre-3 avril ; avril ; mai ; 31 mai-7 octobre ; 8 octobre-22 décembre.
Standard 99/89/75/65/95
Partial Ocean View (sur le côté) 110/105/85/75/110
Ocean View 130/125/105/95/125
Ocean View Delux 140/135/129/115/145$
Les prix incluent le petit déjeuner. Des chambres standard pas différentes de celles de bien d'autres hôtels sur Ocean Drive. La qualité Delux est plus agréable, mais plus coûteuse aussi. Télévision câblée.

Hotel Colony 736 Ocean Drive   Tél. 1 800 2 COLONY-673 0088 - Fax 532 0762
Haute saison : 15 octobre-16 avril. Basse saison : 17avril-14 octobre.
Single 95/75$; double 105/85$; Ocean Front 125/105$; Queens size 150$.
L'une des plus célèbres façades Art déco sur Ocean Drive. Trois Packard 58 couleur pourpre sont garées devant le bâtiment. Les chambres étant différentes les unes des autres, visitez-en plusieurs avant de vous décider. Télévision câblée et serviettes de plage gratuites. Le petit déjeuner est compris dans le prix.

Fairmont Hotel 1000 Collins Ave.   Tél. 531 0050-531 8877 - Fax 531 0565
Chambre double 50$.
Cet hôtel, dirigé par une équipe professionnelle, appartient à une compagnie de bateaux de croisière qui y héberge son personnel navigant. Les chambres sont louables en fonction de la disponibilité, la période du week-end étant sans doute la plus favorable. Les réservations ne sont pas acceptées. Les prix, faut-il le dire, sont excellents.

Palmer House 1119 Collins Ave.   Tél. 538 7725
Chambres doubles à 40$. Pas de cartes de crédit.
L'hôtel change constamment de propriétaire sans pour autant être rénové (ça finira par arriver ?). Toutefois, les chambres (avec kitchenette) sont propres, même si les meubles sont un peu tristounets. Les prix sont vraiment corrects.

Lafayette Hotel 944 Collins Ave.   Tél. 673 2262-534 5399 - Fax 534 5394
Septembre-mai 135$. Mai-septembre 99$.
Des chambres très propres et décorées avec goût pour un hôtel efficacement dirigé par une équipe de pros. Un petit goût d'"hôtel des artistes". Le staff parle français. Télévision câblée. Un peu plus cher, mais le mérite.

Mermaid Guest House 909 Collins Ave.   Tél. 5328 5325
Huit chambres à 80$, deux chambres sur rue à 65$.
Un peu croulant mais d'un cachet tout à fait local, le Mermaid est le lieu favori de professionnels de la mode et d'écrivains new-yorkais qui y retournent régulièrement. Chacune de ses vastes chambres est décorée individuellement par des artistes qui ont apporté des couches et des couches de peinture. L'absence de télé, de frigo et de téléphone est compensée par l'atmosphère loin-de-tout-au-temps-Jadis. Les brunchs du dimanche (gratuits pour les résidents) sont légendaires, tout comme leurs parties impromptues et leurs buffets. L'hôtel est en train de mettre sur pied un service de minibus directs pour Key West, dont il semble, d'ailleurs, être un avant-poste.

Kent Hotel 1131 Collins Ave.   Tél. 531 6771 - Fax 531 0720

Haute saison : 15 octobre-1er mai. Basse saison : 1er mai-15 octobre.

Standard 65/45$; avec kitchenette 70/50$; Ocean View 80/60$. Petit déjeuner inclus.

Direction française. Une bonne affaire avec des chambres parfois étranges. Jetez un coup d'œil avant de vous décider.

Essex House Hotel
1001 Collins Ave.   Tél. 1 800 255 3050-(local) 800 553 7793-534 2700 - Fax 532 3827

1er Juin-1er décembre 75$. 1er décembre-30 mai 125$.

Un hôtel datant de 1938 dont l'énorme peinture murale de Eart LePan a été restaurée par l'artiste lui-même. L'établissement (propriété de la chaîne Travelodge) est dirigé et entretenu de manière professionnelle. Télévision câblée. Conditions de sécurité de haut niveau.

Hotel Tudor 111 Collins Ave.   Tél. 5324 2934 - Fax 531 7445

10 octobre-1er mai : 80$. 1er mai-15 octobre : 60$.

Le bâtiment, chef-d'œuvre de Dixon, est légèrement défraîchi et l'hôtel n'est pas terriblement bien entretenu, mais les chambres sont pourvues d'un frigidaire et d'une kitchenette avec four micro-ondes. Acceptable pour le prix. Vérifiez que la télévision fonctionne.

Chesterfield Hotel 855 Collins Ave.   Tél. 531 5831/32 - Fax 672 4900

Haute saison 50$. Basse saison 40$.

Pas le plus propre de la ville, mais acceptable compte tenu du prix. Dans chaque chambre télévision, frigidaire, ventilateur, air conditionné. Pour le décor, des photos de fleurs sans grâce et des meubles usés qui ne vont pas ensemble.

Tiffany Hotel 801 Collins Ave.   Tél. 531 5796

Chambre double 39$. Plus en haute saison.

Spécialisé dans l'accueil des groupes de Scandinaves. Difficile dans ces conditions d'y trouver une chambre. Frigo, télévision câblée, coffre-fort et cuisinière.

21st STREET

Cette rue marque la limite nord du district Art déco. On y trouve des hôtels intéressants, en particulier ceux qui sont en relation avec le proche Convention Center, le Performing Arts Theatre et la Bass Art Gallery.

The Governor Hotel 435 21st St.   Tél. 1 800 542 0444-532 2100 - Fax 532 9139

Hiver : 20 décembre-10 avril. Eté : 4 avril-18 décembre.

Standard 75/55$; superior 95/70$; Delux 105/85$; suite 135/105$ et au-delà.

Le nom de cet hôtel récemment rénové par une chaîne nationale aura peut-être changé à l'heure où vous lirez ces lignes, mais vous n'aurez aucun mal à trouver l'établissement, exemple novateur de design moderne dans le genre aéroport. L'ascenseur ne fonctionnait pas au moment de ma visite, mais il est certainement réparé depuis. Télévision câblée et frigidaire dans toutes les chambres. Piscine.

Adams-Tyler Hotel & Apartments Park Ave. & 21st DSt.　　　Tél. 534 2114
Basse saison 50$/jour, 200$ /semaine. Haute saison 250-300$/semaine.
Accueillant essentiellement une clientèle d'habitués qui réservent la même chambre chaque hiver, l'établissement est principalement destiné aux longs séjours. Les tarifs à la journée sont une affaire si vous supportez la honte de descendre dans l'endroit le moins à la mode qui soit, à condition qu'il y ait des chambres libres, ce qui est le cas en dehors de la période hivernale. L'intérieur, à défaut d'être spectaculaire, est authentiquement signé années 50. Chaque chambre a la télévision câblée et une cuisine. Il y a des studios et des petits appartements. Les prestations sont efficaces. Piscine.

Abby Hotel 300 21st St.　　　Tél. 531 0031
Single 50$; double 60$.
Pour ce prix, vous avez droit dans votre chambre à un frigo, à un micro-ondes, à la télévision et au petit déjeuner.

Normandy South 2474 Prairie Ave. (code postal 33140)　　　Tél. 674 1197
Hiver : novembre-Pâques

Park Washington 1020 Washington Ave.　　　Tél. 582 1930
Haute saison 60$. Basse saison 50$.

Kenmore 1050 Washington Ave.　　　Tél. 674 1930
(voir "criminalité").

Sagamore 1671 Collins Ave.　　　Tél. 1 800 648 6068-538 7211 - Fax 674 0371
(voir "criminalité").

Les hôtels suivants, situés sur Ocean Drive, ont été restaurés mais ils étaient fermés pour une raison ou l'autre lors de mon séjour à Miami. Ils pourraient avoir rouvert au moment où vous lirez ce guide.

Netherland

Cardozo

Carlyle

The Tides
En complète déconfiture, The Tides est la plus haute structure sur Ocean Drive, et le sujet de spéculations considérables.

OCEAN TERRACE, NORTH BEACH

A la pointe nord de la ville de Miami Beach, du côté de la 70e rue, Ocean Terrace est une petite rue sur laquelle s'alignent des hôtels et des bars non loin d'une plage (North Beach State Park) située à l'est de Collins Ave. C'est un quartier où ont reflué de nombreux habitants de South Beach, chassés de leurs pénates par le succès de la partie chic de Miami Beach. N'attendez pas beaucoup d'animation dans le coin, mais le site est intéressant pour un séjour de longue durée. Le quartier étant fluctuant, il est difficile de prédire s'il va connaître de bons ou de mauvais jours.

Deux superbes cinémas Art déco ont fermé sur Collins Ave., et Pumpernick's, selon de nombreux témoignages, le meilleur Deli de Miami, a quitté l'angle de 73rd St. Le centre commercial situé entre Collins (côté nord) et Harding (côté sud) abrite la station des bus municipaux. Le 71st A mène à 79th St à Miami. Le code postal de North Beach est 33141.

Days Inn of Broadmoor
7450 Ocean Terrace   **Tél. 1 800 352 2525-866 1631 - Fax 868 4617**
Haute saison 15 décembre-15 avril : 79$. Basse saison : 55$.
Donnant sur la plage, l'endroit est dirigé de main professionnelle par une chaîne nationale de motels bon marché. Télévision câblée et frigo dans les chambres.

Ocean Way Hotel 7430 Ocean Terrace   **Tél. 866 4595**
Single 30$; double 40$, 125/150$ par semaine ; Ocean View 175$.
Frigidaire et possibilités de cuisiner dans les chambres.

Colonial Inn Oceanfront
181st St. Miami Beach   **Tél. (305) 932 1212/1 800 327 0696**
1er avril-20 avril, 20$ par personne, 20 avril-30 décembre18$ par personne en occupation double dans 22 des 300 chambres de l'établissement. Deux piscines, parking gratuit, animation nocturne.
Situé à un peu plus d'un kilomètre de la plage, et bien au nord de la ville, alors que les hôtels de South Beach essaient d'imiter les fifties, le Colonial Inn EST tout entier les années 50.

SURFSIDE et BAL HARBOUR

Mitoyen de Miami Beach côté nord, Surfside propose des motels qui remontent aux années 50. Ils étaient destinés aux voyageurs à petit budget à une époque où l'animation se concentrait dans la zone de Collins autour du Fountainbleau et vers le sud.

Au nord de Surfside, Bal Harbour est un Palm Beach miniature avec des magasins de standing allant de Tiffany à Sack's. Le lieu est dominé par l'ancien Americana Hotel, aujourd'hui le Sheraton Bal Harbour. Surfside était le site de la série télévisée de la Warner Bros, Surfside 6, une sorte de réplique préhistorique de Miami Vice, laquelle recyclait les vieux scripts de 77 Sunset Strip. Même si l'action se situait à Surfside, le tournage avait lieu dans les studios de Burbank, en Californie. A cette époque, Surfside représentait le fin du fin en matière de vacances à la plage. Aujourd'hui, l'endroit est colonisé par des familles de Québecois qui ne se soucient que des prix abordables et apprécient l'atmosphère particulièrement peu animée des lieux. Chaque motel a au moins une chaîne francophone câblée, sinon deux ou trois. Le code postal de Surfside est 33154.

Singapore Resort Hotel
9601 Collins Ave. Bal Harbour   **Tél. (305) 865 9931/1 800 327 4911**
15 Avril-18 décembre : 28,50$ par personne en chambre double. Tarifs spéciaux dans 24 des 240 chambres.
Dans la meilleure partie de Bal Harbour, près du Sheraton (ex-Americana), en face du Shopping Mall. Chaque chambre est censée avoir un balcon et une vue sur la plage qui est à 200 mètres. Parking gratuit, deux piscines.

The Rodney 9365 Collins Ave.   **Tél. 1 800 327 1412-864 2232 - Fax 864 3045**
Hilyard Manor 9541 Collins Ave.   **Tél. 1 800 327 1413-866 7351 - Fax 864 3045**
(Ces deux établissements ont la même direction.)

Période	chambres	suite côté piscine	suites Delux côté océan
18/12-18/1	56/$/380$	66$/455$	86$/590$
19/1-20/3	66$/445$	76$/525$	99$/650$
21/3-1/5	56$/380$	64$/435$	84$/570$
1/5-22/6	42$/290$	47$/330$	66$/450$
22/6-3/9	46$/310$	52$/355$	72$/480$
3/9-18/12	42$/290$	47$/330$	66$/450$

Seabrook Resort 9401 Collins Ave.   **Tél. 866 5446 - Fax 866 8053**
Basse saison 35$. Haute saison 65$.
Le motel typique des années 50. Cela pourrait être n'importe où, mais c'est ici, sur la plage, et autour d'une piscine.

The New Coronado 9501 Collins Ave.   **Tél. 866 1625 - Fax 861 1881**

Période	Exposition nord	Exposition sud	Ocean Front
15/12-15/1	59$	64$	80$
15/1-15/3	69$	74$	90$
15/3-30/4	59$	64$	80$
30/4-15/12	44$	49$	69$

Le propriétaire est très amical et parle français. Fétichisme de propreté.

CORAL GABLES

Dans le cas improbable où vous devriez séjourner à Coral Gables soit pour vos affaires, soit pour un séjour universitaire, j'inclus les hôtels suivants en signalant que le lieu est très pratique pour se rendre à Little Havana ou à Coconut Grove. Le code postal de Coral Gables est 33134.

Miracle Mile Hotel 79 Miracle Mile Coral Gables   **Tél. 442 9217**
Chambres au premier étage avec bains privés 110$/semaine une personne. 5$ de supplément pour une seconde personne. Chambres du second étage (single seulement) avec bains partagés 85$/semaine. 25$ en dépôt. Air conditionné. Pas de télévision.
L'hôtel ordinaire, un cran au-dessus de la débâcle. La juxtaposition de cet établissement sans classe avec les prétentions espagnoles du reste de la rue est plutôt hilarante. L'endroit existe pour faire face au genre de situation désagréable quand vous êtes à court d'argent, à la veille du départ. Les meubles viennent de chez l'Emmaüs local, mais les prix sont plancher, aussi pas d'illusions. En plus, c'est près des restaurants cubains bon marché.

Hotel Ponce de Leon 1721 Ponce de Leon Blvd. Coral Gables   **Tél. 444 9934**
La chambre double 45$.
Mieux que le précédent, mais ce n'est pas encore ça. Vous pouvez trouver mieux sur la plage, mais si vous devez rester dans le coin, si vous vous sentez mal à l'aise au Miracle et si le Chateaublue est plein, eh bien, vous êtes en plein dans le mille.

Hotel Chateaublue 1111 Ponce de Leon Blvd   Tél. 448 2634-448 2017
La chambre double 58$.
L'hôtel le plus proche de la Calle Ocho dans Little Havana. Chambres style motel, vastes et caverneuses. Ca n'a aucun charme, mais ce n'est pas la ruine. Demandez à voir plusieurs chambres avant de vous décider.

Hotel Place St Michel
162 Alcazar (angle Ponce de Leon Blvd.)   Tél. 444 1666 - Fax 529 0074
Single 99$; double 115$. Petit déjeuner inclus.
Un peu au-dessus de la mêlée locale, et si romantique avec son nom de chez nous, il essaie d'avoir du charme, mais une inspection détaillée révèle la faillite. Par exemple, la table "antique" tient debout, mais le poste de télé posé dessus est vraiment vieux.

Hyatt Regency Coral Gables At The Alhambra
50 Alhambra Place   Tél. 441 1234 - Fax 441 0520
Single 165$; double 190$, prix groupes 148$. A la basse saison, certaines chambres sont disponibles à 133$/single/148$ double.
Pour ceux assez riches pour se l'offrir, et qui sont fatigués de toutes les opérations Mickey Mouse en ville. L'Alhambra est un nouvel hôtel conçu pour ressembler aux piliers du boom Spanish de Miami Beach. Allez jeter un coup d'œil à la piscine/plaza au 6e étage. Orchestre dans le lobby.

The Biltmore Hotel
1200 Anastasia Ave.   Tél. 1 800 727 1926-445 1926 - Fax 448 9976
Haute saison: 18 décembre-15 av ril. Base saison 16 avril-19 décembre.
Single 159$/119$; double 179$/139$.
L'hôtel originel autour duquel, vers 1926, Merrick dessina une Petite Venise, la pièce centrale de sa "City beautiful". Les canaux ont été remplis et remplacés par un golf et des courts de tennis.

DOWNTOWN

Hotel Leamington 307 N. E. 1st St. Miami 33132   Tél. 373 7783. - Fax 536 2208
Single 39,40$; double 45$.
Ce vieil hôtel dont la rénovation ne lui vaudra aucun award (ou César) est situé à 1/2 block de Biscayne Park. Bayside Market est juste au-delà. Vous êtes Downtown Miami, mais ce pourrait être n'importe où en Amérique latine. Le personnel parle l'espagnol. Les clients sont essentiellement des Sud-Américains qui viennent faire des achats dans les boutiques d'électronique et les bijouteries du coin.

Everglades Hotel. 244 Biscayne Blvd   Tél. 1 800 327 5700-379 5461
Réservations   Tél. 372 8656 - Fax 577 8445
Double 85$ toute l'année ; suite 110$ (+ 10$ pour les chambres dominant la place du marché d'en face).
Ce vieil établissement est très apprécié des passagers des croisières qui embarquent au port de Miami, dont l'accès est juste en face. Cette clientèle obtient un discount. Si vous louez une chambre à l'Everglades par une agence, exigez-en un.

DÉCOUVREZ LE MEILLEUR DE L'AMERIQUE

AVEC

DISCOVER AMERICA HOTEL PASS

500 PARTICIPANTS

HAMPTON INN•LA QUINTA INNS•VAGABOND INN

LES MEILLEURES CHAÎNES AU MEILLEUR PRIX

370^F

Tarif sujet à modification

Par nuit/par chambre de 1 à 4 personnes • Sans surcharge
Petit déjeuner continental inclus dans les 3 chaînes
Taxes locales à payer sur place • Parking gratuit (sauf rares exceptions)

Discover America Marketing

RENSEIGNEMENTS ET RESERVATIONS : 45 77 10 74

Mosaïc - 47 69 99 49

SE NOURRIR

La grande révélation de Miami en matière de nourriture est la cuisine cubaine. Les Cubains, qui n'ont pas honte du tout de ce qu'ils avalent, la servent en grande quantité et tout spécialement "con sabor". La cuisine cubaine n'a rien à voir avec le médaillon de viande large comme une pièce de 20 francs nappé d'une sauce aux groseilles, avec une fioriture de céleri et cinq haricots verts en guise d'accompagnement. C'est une cuisine qui s'amoncelle dans votre assiette, le tas de riz et le grouillement d'haricots noirs à part. Si vous réussissez à ingurgiter pour 10$ de cuisine cubaine, alors je peux vous le dire, soit vous êtes un champion de la fourchette, soit vous êtes tombé sur le mauvais restaurant. (Je ne suis pas loin d'être moi-même un champion, mais après avoir récuré mon assiette du déjeuner, j'ai eu ma dose pour le dîner et pour le petit déjeuner du lendemain.) Et le goût ! Quel goût ! Quand ils utilisent de l'ail, vous pouvez le voir, le sentir, le goûter et vous en parfumer. Subtile, cette cuisine ? Pas vraiment, mais extrêmement satisfaisante. Vous remarquerez d'ailleurs que les obèses sont nombreux à Miami.

Un autre problème avec la nourriture cubaine tient à la difficulté d'en trouver en dehors de Little Havana, ou du moins de Miami. Il y a bien une poignée de restaurants cubains à South Beach et au-delà de Biscayne Blvd., mais pour faire une vraie expérience "con sabor", vous devrez aller là où se trouve la cuisine.

COCONUT GROVE

Coconut Grove qui est considéré comme le quartier "artiste", peut-être parce qu'on y est moins restrictif sinon coincé que dans le reste de la ville, a délibérément tenté d'importer une atmosphère genre Greenwich Village ou SoHo. Vous y rencontrerez des Noirs de la middle-class et des individus qui se promènent avec leur chien en laisse. (Le code postal de Coconut Grove est 33133.)

Scotty's Landing (près de Chart House) **Tél. 854 2626**
Dimanche-Jeudi 11h-22h ; vendredi-samedi 11h-23h.
Un restaurant d'hamburgers dont le gros avantage est sa situation sur l'eau avec une vue excellente sur Biscayne Bay. La nourriture est meilleure que celle d'un fast-food, et dans la norme de ce type d'établissements qui pratiquent les mêmes tarifs sans avoir l'avantage de la situation. Par contre, elle est bien meilleur marché que celle des restaurants voisins qui abusent précisément de cette situation.

Janjo's 3131 Commodore Plaza **Tél. 445 5030**
Lundi-Jeudi 11h30-15h 18h30-23h ; vendredi-samedi 11h-16h 18h30-minuit ; dimanche 9h-16h 18h-22h30.
Le meilleur restaurant de Coconut Grove. Son propriétaire, le chef Jan Jorgensen et le sous-chef David Slone, préparent une cuisine des Caraïbes dans le style californien. Crevettes grillées avec épinards, poivrons et truffes (8,50$) et excellent thé glacé à volonté (1,50$). Le four est la dernière merveille américaine. On y brûle les bois aromatiques qui sont de rigueur dans la nouvelle cuisine californienne.

Flanigan's Seafood Bar & Grill 2721 Bird Road   **Tél. 446 1114**

11h30-5h tous les jours.

Décontracté et légendaire, ce restaurant sert, outre des fruits de mer, des côtes de porc en BBQ et des hamburgers. Une centaine de marques de bières du monde entier. La douzaine d'huîtres 4,95$; la douzaine de praires 5,95$; la pleine assiette de côtes en BBQ 10,95$; le burger cajun 3,95$. Les prix des poissons dépendent des prises. Essayez le sandwich au poisson. Vin disponible.

Big City Fish, Cocowalk 3015 Grand Ave.   **Tél. 445 2489**

Dimanche-jeudi 11h15-23h ; vendredi-samedi 11h15-minuit Happy Hour 17-19h 25 cents

Crevettes, huîtres et ailes de poulet. Cocktail 3$, bières 2$. Des boissons étranges : Louisiana Lightning-151 rhum, liqueur de banane, Moonshine-vodka citron...

Cafe Tu Tu Tango,Cocowalk 3015 Grand Ave.   **Tél. 529 2222**

De bons brunchs dominicaux. Mais ils se prennent un peu au sérieux avec leur style Greenwich Village du Sud, et exposent des artistes locaux qui jouent les "Talouse Latrek" (Toulouse-Lautrec) un peu trop ostensiblement. Or, en fait de peinture, c'est pire que ce qu'on peut voir au festival annuel de peinture de Greenwich Village à New York. Appelons ça un marché aux puces de l'art. La nourriture est OK, mais inégale. Une excellente pizza peut être suivie de plats médiocres ou d'expériences immangeables. Les drinks sont excellents, tout comme l'ambiance du brunch.

CORAL GABLES

Sushi Chef 3100 Coral Way Miami 33145   **Tél. 444 9286**

Lundi-vendredi 10h-22h, samedi, dimanche 12h-22h.

Sushi 7 pièces à 8,50$, 12 pièces à 10$. Plutôt une épicerie japonaise avec un service Take-away, mais on peut manger sur place.

Phoenicia Restaurant 2841 Coral Way Miami 33145   **Tél. 443 1426**

Lundi-vendredi 12h-22h, vendredi, samedi 12h-23h, dimanche 13h22h.

Une bonne cuisine libanaise.

Latin American 2940 Coral Way Miami   **Tél. 448 6809**

Reconnu comme servant le meilleur sandwich cubain de Miami, et le fait est qu'ils sont excellents. Le "regular" est à 3,89$ et le "special", beaucoup plus gros, à 4,09$. Un "Virginia Ham Special" (special jambon Virginie) est à 6,99$. Ils sont ouverts tard et les voitures s'y arrêtent toute la nuit. Une annexe à Bayside Market.

Latin America 3164 Coral Way   **Tél. 568 0849**

Dimanche-jeudi 7h-1h, vendredi, samedi 8h-3h.

A un block du précédent, le "n" en moins, ils sont connus pour être bons, mais pas transcendants comme le concurrent. S'y replier si le Latin American est plein.

Viet House 2690 Coral Way   **Tél. 858 5115**

Déjeuner 11h30-15h, dîner 17h-22h, vendredi-samedi 17h-23h.

A la réputation d'être le meilleur viêtnamien de la ville, sans être pourtant comparable en rien à ce qu'on trouve à New York et surtout à Paris. Les plats sont trop cuits et graisseux. Les plats végétariens sont à 5-6, mais ce n'est pas ça. Compter 10$ pour un dîner.

Villa Habana Restaurant 3398 Coral Way   Tél. 446 7427
Un vieux cubain à la bonne réputation intacte. Plus habillé que le voisin Latin American.

Cafe 94 94 Miracle Mile   Tél. 444 7933
Lundi-vendredi 7h-17h30, samedi 8h-17h30.
Le petit déjeuner comporte un breakfast spécial entre 7h et 11h : 2 pancakes, 2 œufs, café au lait, ou encore 2 œufs, 2 saucisses/jambon/bacon, toasts et café cubain - 2,50$. Sandwich cubain 3,50$. Picadillo (bœuf à la cubaine, riz, haricots noirs, bananes frites) 4,50$.

SOUTH BEACH

Selon la rumeur publique, le meilleur restaurant de South Beach était A Mano, mais son chef, Norman Van Aken, l'a quitté après un désaccord. Il devrait ouvrir son propre établissement. Par conséquent, si vous entendez parler d'un restaurant dirigé par Norman Van Aken, faites vite une réservation, mais ne vous attendez pas à un repas bon marché.

King David Deli 1339 Washington Ave.   Tél. 534 0197
Lundi-Jeudi 10h-18h, dimanche 9h-15h.
Le pastrami chaud à 5,50$. Le pastrami était un peu sec. Ce n'est pas le meilleur Deli de South Beach, mais il n'est pas mal non plus, et près de là où ça se passe.

Gertrude's 826 Lincoln Road Mall   Tél. 538 6929
Lundi-Jeudi 11h-23h, vendredi, samedi 11h-minuit, dimanche 16h-22h.
Expresso 1,25$, expresso spécial 1,50$, pot de café 2,75$. Un café est un café est un café. L'endroit, nommé d'après Gertrude Stein, est le meilleur de Miami Beach. Ils servent aussi les cafés parfumés pour lesquels l'Amérique est fameuse. Café vendu au poids.

**South Beach Pita Israeli Restaurant and Fruit Juice Bar
1448 Washington Ave.**   Tél. 534 3706
Dimanche-Jeudi 11h-2h, vendredi 11h-2 heures avant le coucher du soleil, samedi 20h-2h.
Un café avec terrasse, même si Washington ce n'est pas exactement la plage. Falafel 3,50$, kebab et pita 4,95$, shawama 7,95$.

Our Place 830 Washington Ave.   Tél. 674 1322
Lundi-Jeudi 11h-21h, vendredi, samedi 11h-23h, dimanche 13h-20h.
Les entrées végétariennes sont à partir de 4,95$, la soupe 2,75$, la pizza pita 4,95$, le cône sushi géant 3,95$. Résolument orienté diététique, dépourvu de charme et servi de mauvaise grâce.

Toni's New Tokeo Cuisine and Sushi Bar 1208 Washington Ave.   Tél. 673 9368
Dimanche-Jeudi 18h-23h, vendredi, samedi 18h-minuit.
Sushi à l'honneur. Le normal à 9$, le Deluxe à 12,50$ et le suprême à 15,50$. Une bonne sélection. Le suprême inclut deux qualités d'œufs de poisson. La bière est à 3$ la bouteille mais le saké à 8$ est un peu cher. Le Hamachi était un peu filandreux.

Maiko 1255 Washington Ave.   Tél. 531 6369
Lundi-vendredi 11h30-14h30, dimanche-jeudi 18h-minuit, samedi 18h-1h.
Sushi à la planche 15,95$. Pas aussi bien que chez Toni de l'autre côté de l'avenue, mais toujours plein, l'endroit est assez spectaculaire avec de la musique plein tube et des beautiful people attablés devant leur poisson frais. Service 15% compris.

Dab Haus Restaurant & Kneipe 852 Alton Road (et 9th St.)   Tél. 534 9557
Restaurant allemand proposant des bières allemandes (DAB ou Spaten) à la pression (3,26$ le 1/2 litre). Certaines nuits, la première est gratuite. Les principaux plats, servis avec de la salade et des pommes de terre, vont de la saucisse à 5,25$ aux crevettes à l'ail, 12,50$. Egalement des plats végétariens.

11th Street Diner 1065 Washington Ave.   Tél. 534 6373
Ouvert jour et nuit.
Un vrai "dinner" d'acier dont certains éléments viennent de Wilkesbarre, en Pennsylvanie. Superbe d'apparence, la nourriture devrait être à la hauteur de son plumage. En fait, et ceci vaut pour bien d'autres établissements de South Beach, la qualité varie selon la personne qui travaille en cuisine au moment où vous êtes là. Ainsi, on m'a servi un superbe milk shake au chocolat (la spécialité, 2,75$). Une autre fois, ayant commandé la même boisson, j'ai vu l'équipe faire preuve d'une telle négligence que je me suis levé et suis parti. Bien pour un très tardif gâteau au chocolat à 3,95$, mais dépendant de qui vous sert.

The Frieze Ice Cream Company 129 5th St.   Tél. 538 0207
Ouvert jusqu'à 23h, minuit les vendredis et samedis.
Glaces et crèmes glacées maison.

The Villa Deli 1608   Tél. 538 4552 (53 VILLA)
Lundi-samedi 6h-20h, dimanche 8h-20h.
Juste au-delà de l'extrémité de Lincoln Road Mall, près d'une section de hauts immeubles d'appartements habités essentiellement par de vieux résidents juifs. Le restaurant est divisé en deux parties, l'une avec des tables, l'autre, moins chère, avec un comptoir. Gigantesques sandwichs pastrami 5,75$. Corned beef.

Wpa 685 Washington Ave.   Tél. 534 1684
Lundi-jeudi 17h-2h, vendredi 17h-4h, samedi 11h-4h, dimanche 11h-2h.
Bon choix de rock généreusement retransmis, et une fresque genre Front populaire avec des touches érotiques. Malheureusement, la cuisine n'était pas au rendez-vous. Le hamburger à 5,95$ était bon, mais les frites qui automatiquement l'accompagnent étaient coupées en petits morceaux, et sèches, la nouvelle génération ayant pour critère les frites servies par MacDonald's. Le service était ronchonnant.

Cielito Lindo 1626 Pennsylvania Ave. (au-delà de Lincoln Road Mall) Tél. 673 0480
Lundi-vendredi 11h30-15h, 17h-22h, vendredi, samedi 17h-23h, dimanche 17h-22h.
Une cuisine mexicaine un peu trop raffinée pour être authentique. Les goûts étrangers ont été trop habilement combinés pour satisfaire un désir de vraie cuisine mexicaine. La sauce originelle Veracuzana comportait-elle des raisins secs ?

News Cafe 800 Ocean Drive   Tél. 538 NEWS
Ouvert 24h/24 tous les jours.
La terrasse de ce café est "the" endroit où voir et être vu à South Beach, du moins tant que ça durera. Ainsi appelé parce qu'il y a un comptoir à l'intérieur avec la presse internationale. Vous y trouverez des cigarettes françaises, des magazines de mode français et des livres de poche français, mais curieusement pas vos chers journaux (français).

Barocco 640 Ocean drive   Tél. 538 7700
Tous les jours 7h-23h30.
Situé dans le Park Central Hotel, cette annexe d'un restaurant de TriBeca (New York) du même nom, offre les mêmes avantages : un bar premier choix et une animation sophistiquée (certains disent pas tant que ça). La cuisine est de qualité, les portions abondantes. Plus cher que ses confrères cubains, ça reste bon marché.

Rivera 6550 Ocean Drive   Tél. 534 WINE
Ouvert jusqu'à minuit 30.
Même direction que le précédent, et la porte à côté, mais une ambiance moins "formal". Le bar, ouvert jusqu'à 2h, est plus fort en bières et vins qu'en cocktails.

The Lazy Lizard 646 Lincoln Road Mall (angle d'Euclide)   Tél. 532 2809
Lundi-jeudi 13h-23h, vendredi 13h-24h, dimanche 13h-22h.
Une cuisine du Sud-Ouest qu'on appelait Tex-Mex, à quoi on ajoute BBQ. Les plats sont bon marché et copieux. Certaines salades suffisent pour deux. Un demi-poulet BBQ 7,95$. On peut dîner à la fraîche au le centre commercial. Parking gratuit.

Uncle Sam's Musicafe 1141 Washington Ave.   Tél. 532 0973
Dimanche-jeudi 12h-1h, vendredi, samedi 12h-2h.
Une combinaison magasin de disques-salon de jeu avec CD, posters, tee-shirts, billard. Le bar dispense de bonnes bières étrangères et des "smart drinks", mélanges d'herbes, de vitamines et de compléments minéraux supposés exciter l'activité cérébrale, etc. 4$.

Stefano 1430 Washington Ave (et Espanola)   Tél. 674 1760
Une épicerie "à l'européenne", avec des salades préparées et des sandwichs to take away, mais aussi du café expresso, des cold drinks et du vin. Cold sandwichs (there are 17 types) and hot sandwichs (like Chicken Cutlet Parmigiana with mozzarella) are 5$ ($1 extra for sun dried tomatoes). Tables are available outside to consume the food. A favorite place to get food to take to the beach three blocks east. Livraison à domicile gratuite.

The Strand 671 Washington Ave.   Tél. 532 23 40
Escalope de dauphin (Dolphin Safe Rare Grilled Tuna), échalotes caramélisées à la vinaigrette, légumes vapeur 18,50$. Considéré comme le meilleur cusine à Miami Beach. Nouvelle cuisine style californien. Pas donné.

Barrio 1049 Washington Ave.   Tél. 532 8585
La grosse attraction ici est la nuit du lundi, la "drag night",où les serveurs se travestissent avec des résultats variés. Un spectacle impromptu s'improvise après minuit, mais on ne vous en dira pas plus.

Lulu's 1053 Washington Ave.   Tél. 532 6147

Ouvert tard tous les jours, samedi, dimanche, brunch 11h-16h.

Chicken Fried Steak 7,95$. Hell Fire Chicken Wings 4,50$. Elvis Fried Peanut butter & Banana sandwich 4,50$.

Cuisine du Sud-Ouest, parfois nommée par dérision *"white trash cooking"* (*trash* = ordure). Des choses étranges que seul un Elvis aurait aimées. Ou un imitateur d'Elvis. Bon marché, ouvert tard, happy hour. Thé glacé, thé glacé-citron ou limonade à volonté. Les desserts sont super, tarte au citron Key Lime Pie, et gâteaux composés à partir de barres de chocolat et de marshmallow. Tandis que le rez-de-chaussée est décoré d'objets venus de l'Amérique profonde, la salle au 1er, la "Elvis Room" est l'un des must en matière de décors à South Beach.

Puerto Sagua Restaurant 700 Collins Ave.   Tél. 673 1115

La meilleure cuisine cubaine de Miami Beach. Les crevettes sont très bonnes, et le porc réputé excellent (mais seulement si vous êtes trop paresseux pour traverser vers le continent). Essayez leur Picadillo. Après La Esquina, El Panamerica ou Versailles qui sont meilleur marché, et servent des plats copieux plus goûteux, vous ne serez pas vraiment satisfaits. Ouvert très tard.

Mappy's Restaurant 1390 Ocean Drive   Tél. 532 2064

Ouvert tous les jours 7h-23h.

Un vrai lieu sain, où se reposer du spectacle d'Ocean Drive. C'est simple : bons petits déjeuners, sandwichs convenables et bières pour votre pique-nique à la plage. Bon marché et amical.

Wolfie's 2038 Collins Ave. Rél. 538 6626

L'accoutumance engendre l'ingratitude, ainsi, personne n'avait nommé Wolfie's quand j'ai demandé quel était le meilleur "Deli" en ville. Et cependant j'y ai trouvé le meilleur sandwich au pastrami (5,95$) de ce côté sud de Washington, des cornichons à volonté, des serveuses point jeunes mais professionnelles, une clientèle exigeante, le Dr. Brown's Cel-Ray Tonic (1,35$) au menu et une nourriture cashère qui fait plaisir au cœur (et au ventre) et paraît virtuellement "nouvelle" comparée à la cuisine cubaine. Le dîner spécial gourmet, servi entre 15h30 et 18h, inclut soupe, jus de tomate, pâté de foie ou salade, café, thé ou soda, petits pains et, au choix, langue découpée ou 1/4 de poulet bouilli.

Hiro Japanese Restaurant 1801 Collins Ave.   Tél. 672 5303

7,95$ l'Early Bird Special entre 17h et 19h.

Parfait pour un déjeuner tardif. Jazz le mercredi soir.

Penrod's Beach Club 1 Ocean Drive   Tél. 538 1111

Tous les jours 11h-23h. Tiki Bar 11h-19h ; Sport's Bar 11h-3h ; Penrod's Night Club vendredi, samedi minuit-5h.

L'entrée sur Miami Beach est le grand et bruyant Sport's Bar. Il y en a un sur chaque plage. Celui-ci est situé à l'extrémité sud de l'île. Plage, piscine, orchestre près de la piscine jour et nuit, écrans de vidéo, parking 5$, et une clientèle (très "white bread") composée de très jeunes et d'ados. L'endroit est définitivement un produit royal du marketing de masse pour une villégiature aux composantes très américaines : alcool, chair fraîche et rock n' roll.

The Cactus Cantina Grill 630 6th St.   Tél. 532 5095

Savourez toujours l'expérience la plus extrême, dans ce cas la déception. Ce Cactus a l'air d'un bon restaurant mexicain : il est funky, sert une liste limitée d'amuse-gueule classiques et la bière (notamment la Pacifico, la meilleure du Mexique) arrive dans des seaux à glace. Mieux encore, il y a un orchestre de musique folk tous les soirs. Alors comment ont-ils réussi à rater leur coup ? Oublions que la bière demande à être bue bien fraîche en petites bouteilles (les "chicas" de Pacifico). Ne nous apesantissons-pas sur le fait que la musique folk était à la fois archaïque et médiocre car la mauvaise musique folk peut avoir une saveur mélancolique. Les choses se gâtent côté cuisine mexicaine : celle du Cactus Cantina s'est révélée la pire que j'ai jamais goûtée. Sur un tableau, une liste indiquait entre autres sauces la Gallo (douce) et la Cipola, faite à partir d'un piment marron au goût puissant. La sauce Cipola qu'on m'a apportée était douce et rouge. J'ai pensé que la serveuse, Shelly, s'était trompée. Mais quand elle a déposé mes burritos sur la table, je n'en ai plus été aussi sûr. J'ai mangé des burritos faits à partir de haricots noirs, marrons et blancs, mais je n'avais encore jamais avalé des burritos à base de haricots Heinz. Je veux dire : directement de la boîte de conserve. Le menu indiquait que j'avais droit à du guacamole et à de la sauce aigre, mais quand je lui ai fait remarquer leur absence, Shelly a répliqué qu'ils étaient là en haussant les épaules. La musique s'est arrêtée et ma serveuse a disparu. Je veux dire : elle a sérieusement disparu. Comme il n'y avait pas de nouveaux clients, j'ai dû chercher Shelly pour qu'elle me donne l'addition. Je l'ai trouvée confortablement installée dans l'arrière-salle en train de fumer une cigarette avec le cuisinier. Nous sommes convenus qu'elle me préparerait l'addition, mais quand elle est arrivée dix minutes plus tard, ça a été pour nous faire observer que nous étions des imbéciles. Elle voulait dire : de vrais idiots. Selon elle, nous aurions dû calculer l'addition nous-mêmes et aller payer. Je dois dire que j'en suis resté bouche bée : Shelly était extrêmement jolie, ce qui, j'en suis sûr, convenait aux exigences premières du ou des propriétaires du lieu. Malgré tout ce que je viens de vous raconter, je vous recommande toujours la Cactus Cantina pour y boire quelques bières fraîches écoutant de la folk music, mais pas pour y dîner.

Et aussi :

Au Natural Gourmet Pizza   Tél. 531 0666

Réputée être la meilleure pizza de South Beach. Ils livrent à domicile (gratuit). Très bon marché.

Alex's Place 857 Washington Ave.   Tél. 538 1534

Lundi-samedi 8h-18h

Le petit déjeuner y est servi "all day long".

Rolo's Latin and American restaurant 38 Ocean Drive   Tél. 532 2662

"175 beers from around the world".

La Sandwicherie 229 14th St.   Tél. 532 8934

Sandwichs à base de baguette et de fromage, de facto c'est donc "french". Croissants pour le petit déjeuner et café expresso. Original, l'établissement est situé sur un emplacement de parking à côté d'un tatoueur et juste en face du concessionnaire Harley Davidson.

Joe's Stone Crab 227 Biscayne St.   Tél. 673 4611/673 9035

Un "stone crab" (littéralement crabe de pierre) est une pince de crabe arrachée au crabe et remise à la mer pour devenir un nouveau crabe ! Joe's était déjà une institution quand les Miamiens venaient à Miami Beach en ferry. Situé sur ce qui devrait être 1st Street, aujourd'hui l'endroit, d'allure bien renfermée, est fréquenté par une clientèle au QI inversement proportionnel au nombre de rayures des shorts en Madras qui s'y affichent, avec valet pour les voitures s'il vous plaît. La tarte au citron (Key Lime Pie) n'en reste pas moins fameuse. L'intérêt de Joe's est le comptoir de take out.

Osteria del Teatro 1443 Washington Ave.   Tél. 538 7850

Excellente cuisine italienne avec fruits de mer et plats du jour entre 9,95$ et 14,95$.

Collage 610 Lincoln Road   Tél. 538 6629

Lundi-samedi 11h30-21h.

Jus de fruits fraîchement pressés (2-2,50$), crèmes glacées, expressos (99 cts).

BAYSIDE MARKETPLACE

Cet énorme centre commercial offre la plus grande concentration et la plus large sélection de fast food dans l'agglomération de Miami : sushi, cuisine thaï, pizza, cuisine indienne, mexicaine, californienne, du Sud-Ouest... Ajoutez que le Hard Rock Cafe a récemment choisi d'élever ici plutôt qu'en dix autres lieux de Miami son dôme des plaisirs du hamburger, cela vous dira assez l'importance commerciale de cette Bayside Marketplace, bâtie par les promoteurs qui ont aménagé les bords de quais à Boston, New York et Baltimore (code postal 33132).

Los Ranchoes of Bayside 401 Biscayne Blvd. N-100   Tél. 375 8188/375 066

Dimanche-jeudi 12h-23h, vendredi, samedi 12h-23h30.

Cet établissement, l'un des fleurons d'une chaîne de restaurants nicaraguayens spécialisés dans l'excellente viande de ce pays, appartiendrait à un neveu de l'ex-dictateur Somoza. Les carnivores sauront que c'est la meilleure adresse du complexe de Bayside Marketplace. La spécialité, le Churrasco Los Ranchoes, est un énorme steak mariné à 15,99$.

American Bandstand Grill 401 Biscayne Blvd. S-128   Tél. 381 8800

Ouvert tous les jours 11h-minuit.

Dick Clark, qui a fait fortune en vendant du Rock n' Roll et tout ce qui pouvait satisfaire les besoins hormonaux des adolescents américains, récidive en essayant de les initier au fonctionnement d'un restaurant qui est un peu plus qu'une interprétation frelatée du déjà frelaté Hard Rock Cafe et de la formule du "sports bar". L'endroit est décoré de souvenirs de rock (de seconde catégorie, mais authentiques). Quant à la musique, ce n'était même pas du rock classique mais tout ce qui passait à l'antenne de la radio, ce jour-là. Le burger à 5,50$ était terrible et l'équipe d'ados chargée du restaurant ne savait visiblement pas comment et où donner de la tête. La spécialité de l'endroit, est le Philly (nom familier de Philadelphie, la ville des débuts de M. Clark) Cheese Steak, une mince tranche de steak recouverte de fromage, d'oignons et de poivrons (6,95$). Il y a l'inévitable boutique de souvenirs pour ceux, assez naïfs, qui croient qu'ils étaient quelque part.

CALLE OCHO

La huitième rue (8th Street) est le cœur de Little Havana. Vous y trouverez des épiceries et des restaurants non seulement cubains, mais nicaraguayens, panaméens, mexicains et de toute l'Amérique latine. Officiellement, le quartier de Little Havana commence sur 27th Avenue et se poursuit au-delà vers l'est, mais dans les faits la majeure partie de Miami sud est cubaine. Le trajet du bus "8" suit parallèlement 7th St. vers l'ouest avant de rejoindre la 8e rue proprement dite sur 27th Avenue. En direction de l'est, le bus emprunte 8th St.

Versailles 3555 SW Eight St.   **Tél. 444 0240**

Versailles est unanimement considéré comme le meilleur restaurant cubain de Miami. On se montrera donc pointilleux en déplorant que sa décoration soit quelque peu criarde et que l'endroit soit toujours plein. La première fois que je m'y suis rendu, c'était à bord du bus "8" qui longe Calle Ocho. Bien que l'enseigne eût été enlevée pour être remise en état, je l'ai immédiatement reconnu. La fausse architecture française se déploie à l'intérieur où une salle est entièrement décorée de verre et de miroirs, mais je n'ai pas trouvé cela outrancier. Le restaurant a la réputation d'être très bruyant, mais j'y ai mangé une fois en milieu d'après-midi et une autre fois à 9 heures du soir, et dans chaque cas j'ai pu trouver sans difficulté un coin tranquille dans cet énorme espace. Leur spécialité est le porc, mais il y a des plats du jour (daily specials). J'ai pris un gigantesque filet de maquereau à la sauce à l'ail servi avec du riz blanc, des bananes frites et une petite salade (5,95$). Un cocktail d'huîtres m'a coûté 2,99$ et une portion de haricots noirs 1,99$. Le pain, la pâtisserie et les glaces sont maison. A ce propos, j'ai pris leur somptueuse spécialité, le Turrons de Jijona, une crème glacée à base d'amandes, le dessert le plus cher (2,75$). L'établissement propose également un service de "take out". Quand vous irez au Versailles, installez-vous dans la salle aux miroirs et demandez Teresa. Montrez-lui ce guide. Elle prendra particulièrement soin de vous.

Uncle Tom's Barbecue 3988 SW 8th St.   **Tél. 446 9528**

Ouvert tous les jours 10h-22h. Selon la rumeur publique, le meilleur BBQ de la ville. Il est situé vers la fin de 8th St., près du concessionnaire de voitures aux immenses drapeaux américains et de l'intersection avec Ponce de Leon Blvd. qui mène à Coral Gables. Le décor n'est pas particulièrement à la mode, et l'endroit évoque une certaine décrépitude blanche bien américaine dans cette partie du Sud, mais ce qu'on y mange - Baby back ribs 7,95$. Jumbo beef sandwich 325$, servis avec de l'ail, du pain et des pommes frites - est très parfumé.

The Taco Bar & Grill NW 57th Ave. (& NW 6th St.)

Vous le reconnaîtrez, c'est ce qu'on appelle un "mobile lunch wagon". Ils servent la meilleure cuisine mexicaine que j'ai goûtée à Miami, limitée toutefois aux tacos et aux burritos. Vous avez une chance de les voir le week-end au marché aux puces de Bayfront Market.

Mundial 78 2901 SW 8th St.   **Tél. 642 6603**

Déjeuner lundi-vendredi 11h-15h30. Un restaurant argentin ce qui signifie de la viande et encore de la viande, et sans façon. Le mixed grill pour un (Parrillada mixte) à 11$ est assez gros pour deux. Le grill pour deux est à 21$. Le faux-filet est énorme (12,50$), mais l'entame (skirt strip steak) est une meileure affaire (13,40$). Le restaurant fait aussi boucherie et épicerie avec des produits et des spécialités d'Argentine comme le Maté.

ICI ET LA EN VILLE

Padrino's 2500 East Hallendale Beach Blvd. Miami 33009   **Tél. 456 4550**
Ce restaurant, situé sur la digue menant de Hallendale à Aventura, est spécialisé dans le porc rôti (le meilleur de Miami) 8,25$, les côtes de porc 7,95$ et le steak de poulet farci 9,50$. Ces plats sont servis avec un choix de trois garnitures, riz, haricots noirs et pommes frites, accompagnées d'excellentes bananes frites. Les "specials" du déjeuner sont en plus petites quantités. Sandwichs 4,50$.

La Esquina de Tejas 101 SW 12th St. Miami 33130 Tél. 545 5341/325 0564/325 0568
Ouvert tous les jours 7h-23h. A quelques blocks de Downtown, en face de l'un des rares "vieux" immeubles de Miami, une station-service Firestone datant des années 20, La Esquina s'enorgueillit d'avoir accueilli un hôte de marque. Le président Reagan y a déjeuné le 20 mai 1983. Le menu présidentiel était composé de poulet grillé, haricots noirs, riz, bananes frites, flan et un café cubain. Le tout a coûté 7,25$. Des plats du jour comme le Pavo en Jerez (dinde en sauce au vin) avec bananes et riz (5,95$) sont plus qu'un être humain normal ne peut absorber. Leurs sandwichs (cubains naturellement) 4$, concourent pour le prix du meilleur sandwich de la ville, mais leur spécialité sont les fruits de mer. Le sériole (Yellowtail) servi avec frites et salades est à 5,50$. La paëlla valencienne, qui demande 15 minutes d'attente, coûte 12$ et un assortiment de fruits de mer en sauce créole est à 24$. Thé glacé à répétition pour 75 cents.

Siam Bayshore 1524 79th St. Causeway 33141   **Tél. 864 7638**
Lundi-vendredi 11h30-15h, dimanche-mardi 16h30-22h30, vendredi, samedi 16h30-23h. Amical et bon marché. Tom Yam Goong (soupe de crevettes) 3,95$. Plats principaux à 9$ et au-delà. Toutefois, surveillez les insectes dans les aliments. L'adresse : sur la digue menant à l'extrémité nord de Miami Beach.

Enriqueta's 2830 NE 2nd Ave. Miami 33137   **Tél. 573 4681**
Ouvert 6h50-14h50. Cet endroit a également ses partisans pour le prix du meilleur sandwich cubain. Essayez leurs plats du jour (poulet le mercredi). Vérifiez les heures d'ouverture. L'établissement est situé dans une zone sensible près de l'angle de 28th St. et Biscayne Blvd., mais le quartier devrait être sûr dans la journée.

Bangkok City 7378 SW 40th St (est de Highway 826). Miami 33155   Tél. 261 4171
Déjeuner lundi-samedi 11h30-15h, dîner 17h-22h, vendredi, samedi 17h-22h30.
On peut douter que la cuisine thaï atteigne la perfection sur la côte Est des Etats-Unis. Mais on trouve parfois un bon restaurant qui a le mérite d'être meilleur que l'ordinaire et banal chinois dont les afficionados de cuisine asiatique doivent se contenter en dehors des principales zones métropolitaines. Celui-ci est un honorable restaurant thaï qui sert de bons curries à la noix de coco. Si vous insistez, on vous apportera vos plats très chauds. Le canard était excellent. Plats principaux 7-10$.

Laurenzo's Italian Center 16385 West Dixie Highway (U. S. 1)   **Tél. 948 8008/9**
Cet énorme magasin - ça s'appelle un "pasta grill"- propose une large sélection de vins californiens et étrangers, et des produits italiens : fromages, pains, pâtisseries, viandes froides, jambons, salades préparées, sandwichs colossaux... Le plat du jour : poitrine de poulet farcie, pâtes, salade, pain à l'ail et Coca Cola est à 4,98$.

Fishbone Grill 650 South Miami Ave.   Tél. 530 1915
Ouvert jusqu'à 22h lundi-jeudi, jusqu'à 23h vendredi et samedi.
Situé dans un coin étrange entre Downtown et Calle Ocho, près du Tobacco
Road Blue Club et du Firehouse 4 Bar. Les connaisseurs considèrent le Fishbone
Grill comme le meilleur restaurant de poissons de la ville. Soupe de gombo 3,50$
le bol, excellent Cioppino 10,95$, poisson du jour servi grillé, bouilli, sauté ou à
l'étouffée. Regardez la liste des autres spécialités. Les poissons sont servis avec
des salades maison, du pain de maïs Jalapeno, du riz et un plat tel que l'igname
en beurre de miel, le yucca à l'huile d'ail, des haricots noirs ou rouges, ou un
choix de légumes du jour. Le personnel vous apportera très certainement des
hors-d'œuvre gratis.

Tino's Coffee Shop 140 WXest Flagler SDt. 104 Miami 33130   Tél. 358 5925
Ouvert lundi-vendredi 7h15-15h30.
Coincé au bout du rez-de-chaussée d'un immeuble de bureaux parfaitement
anonyme, voici un endroit incroyablement peu cher si vous vous retrouvez
Downtown Miami pour visiter les musées et que vous ne souhaitiez pas changer
de quartier. Tous les plats coûtent moins de 2$ et un petit déjeuner avec
croissant ne dépassera pas 1$! Le lieu, très connu des employés de bureaux, est
géré par un organisme chargé des aveugles.

S&S Restaurant 1757 NE 2nd Ave.   Tél. 373 4291
Lundi-vendredi 6h30-20h, samedi 6h30-14h30, fermé le dimanche.
Ce que d'autres "dinners" aspirent à être, le S&S l'est vraiment avec sa vraie
façade Art déco et son intérieur d'un aspect si vivant qu'aucun réaménagement
n'aurait pu parvenir à meilleur effet. La nourriture est celle d'un vrai "dinner",
simple, vigoureuse, généreuse. Les plats du jour sont à 4,95$ (boulettes de
viande, légumes, petits pains, beurre, soupe, salade et thé glacé).

Et aussi...

Rascal House Restaurant 17190 Collins Ave. Sunny Isles   Tél. 947 4581
Un Déli new-yorkais transposé dans le Nord lointain... Si vous partagez les
motels du coin avec les Québecois, ou si vous faites des courses dans l'un des
grands supermarchés environnants, quand vous prendra une petite faim, votre
désir de pastrami sera aisément satisfait dans ce restaurant géant de 450 places.

Ruth's Chris Steak House 3913 NE 163rd St. North Miami Beach   Tél. 949 0100
L'un des restaurants d'une chaîne basée à la Nouvelle-Orléans avec une solide
réputation pour la bonne viande de bœuf.

Peking Noddle 3207 NE 163rd St. North Miami Beach   Tél. 956 999
Ouvert lundi-jeudi 11h30-14h30, vendredi-dimanche 11h30-23h.
Ils fabriquent leurs propres pâtes fraîches, aussi pourrait-il bien s'agir du
meilleur restaurant chinois de Miami. Mais, encore une fois, la compétition n'est
pas agressive. Dim Sum du vendredi au dimanche de 11h30 à15h.

Vakhos 1915 Ponce de Leon Blvd. Coral Gables   Tél. 444 8444
Ouvert lundi-vendredi 11h30-14h30. Tous les jours 18h-23h.
Un restaurant grec de classe. Moussaka faite à la demande.

House of India 22 Merrick Way Coral Gables   Tél. 444 2348
*Déjeuner et dîner tous les jours. Du lundi au vendredi de 12h à 15h, déjeuner
buffet spécial 6,95$ (le samedi et le dimanche 7,95$). Brunch.*

DES HÔTELS DE RÊVE
À MIAMI, FLORIDE

Doral Ocean
BEACH RESORT

Doral Resort
AND COUNTRY CLUB

Doral Saturnia
INTERNATIONAL SPA RESORT

POUR TOUTE INFORMATION
TÉLÉPHONEZ AU : **44.77.88.09**

SORTIR A MIAMI BEACH

Vous trouverez une poignée de clubs non-gays à South Beach, la plupart des autres ont des clientèles différentes selon les nuits. La tendance étant aux nuits gays, certains clubs sont devenus complètement gays (mais pas exclusivement, tout le monde est toujours le bienvenu).

Il y a plusieurs petites choses à savoir. D'abord, minuit est considéré comme une heure indue pour aller en boîte. C'est pourquoi les clubs ouvrent gratuitement leurs portes et vont jusqu'à offrir des boissons gratuites à ceux qui arrivent avant 1h. Les vrais noctambules restent en piste jusqu'aux aurores. Ce qui explique le nombre restreint de boutiques à Miami Beach ouvertes avant midi, certaines pas avant une heure avancée de l'après-midi.

Quelques fabricants d'alcool louent des clubs pour promotionner leurs marques. Trouver une invitation ou une entrée gratuite pour l'une de ces "parties" suppose de faire le tour de différents établissements (bars, boutiques, restaurants, hôtels), ou tout simplement de marcher dans la rue.

DISCOTHEQUES

Barocco Beach 640 Ocean Drive, Miami Beach 33139   **Tél. (305) 538 7700**
Mardi nuit Martini, vendredi nuit latino (rumba). Atmosphère sophistiquée, différentes ambiances selon les nuits. Excellent bar avec des barmen professionnels.

Babylon 804 First Street Miami Beach 33139   **Tél. (305) 352 3837**
Bière pression gratuite entre 1h et 2h. Ouverture à 22h30. Jeudi "alternative energy night". A la même adresse, le samedi, "soundshock".

Bash 655 Washington Ave. Miami Beach 33139   **Tél. (305) 538 2274**
Mardi : funk ; mercredi : cabaret ; jeudi, vendredi, samedi : party ; dimanche après-midi : "après-thé dansant" et punch bradé à 1$.

Byblos 323 23rd St. Miami Beach 33139
La grande nuit est le mercredi sur le thème "Love Muscle", à partir de 23h. Une boisson gratuite pour deux jusqu'à 1h. Entrée 5$, mais 3$ avec une carte de jeu pornographique !

Decibel 727 Lincoln Road Miami Beach 33139   **Tél. (305) 936 5818**
Entrée 10$, 5$ sur invitation le vendredi pour la nuit Greenpeace.

Boardwalk 17008 Collins Ave. North Beach Miami   **Tél. (305) 949 4119**
Danseurs mâles mercredi/jeudi, disco vendredi/samedi, "Wales Drag Show" dimanche.

Rebar 1121 Washington Ave. Miami Beach 33139   **Tél. (305) 672 4788**
Lundi : disco ; mardi : musique latino avec "Go-Go Boys" ; mercredi : nuit à thème ; jeudi : "get up on the bar and dance bitch... " (monte sur le bar et danse, salope) ; vendredi-samedi : disco ; dimanche : une boisson gratuite pour deux.

Cameo Theatre 1445 Washington Ave. Miami Beach 33139   Tél. (305) 532 0922
Un cinéma Art déco profané par la disco et le rock live. C'est le plus grand club de danse à Miami Beach, et la grande nuit est celle du dimanche.

Club Penrod's 1 Ocean Drive Miami Beach 33139   Tél. (305) 538 7883
Dans l'énorme complexe commercial Penrod's à l'extrémité de Miami Beach. Une clientèle sophistiquée de sportifs de la plage et de filles aux ongles impeccables vernis de rose.

Hombre 925 Washington Ave. Miami Beach 33139   Tél. (305) 538 7883
Lundi-Jeudi 13h-5h ; vendredi-samedi 16h-5h.

La Madrague 1340 Collins Ave. Miami Beach 33139   Tél. (305) 531 3755
18h-minuit dimanche après le thé dansant.

Le Loft 1439 Washington Ave. Miami Beach 33139   Tél. (305) 672 7111
Club privé. Mercredi-samedi 22h-5h.

Les Bains 753 Washington Ave. Miami Beach 33139   Tél. (305) 532 8768
L'un des établissements les plus tape-à-l'œil dans une ville qui n'en manque pas. Un videur de 2 mètres de haut filtre les entrées, mais l'endroit est absurdement facile à pénétrer et à l'intérieur, c'est mort. Jeudi "party night".

Paragon 1235 Washington Ave. Miami Beach 33139   Tél. (305) 534 1235
La nuit du samedi on danse, et les connaisseurs disent que c'est le meilleur dancing à Miami.

Tropics 960 Ocean Drive Miami Beach 33139   Tél. (305) 531 2744
Ouvert tous les Jours minuit-5h. Orchestre.

Van Dome 1532 Washington Ave. Miami Beach 33139   Tél. (305) 534 4288
Mercredi Jusqu'à 3h ; vendredi Jusqu'à 5h ; samedi toute la nuit, restaurant Jusqu'à 5h. Une Disco dans une ancienne synagogue.

Warsaw Ballroom 1450 Collins Ave. Miami Beach 33139   Tél. (305) 531 4555
Mercredi, vendredi, samedi, dimanche : 21h30-5h. Une ancienne cafétéria transformée en Disco avec un mélange effrayant de vieux habitués et d'une "nouvelle foule" dont une faune venant d'au-delà des digues pour le piment de la chose. Le DJ-vedette Padilla est présent mercredi, vendredi et samedi. L'endroit est tenu pour le meilleur bar gay de la ville.

Westend 924 Lincoln Road Miami Beach 33139   Tél. (305) 538 WEST
Ouvert tous les soirs minuit-2h. Jeudi à 22h pour la nuit "Gypsy's, Tramps & Queens".

Et encore :

Sinatra Bar 1475 Collins Ave. Miami Beach 33139

The Spot 218 Espanola Way Miami Beach 33139   Tél. (305) 532 1682

Stars South Beach 645 Collins Ave. Miami Beach 33139   Tél. (305) 674 7827

3rd Rail Company 727 Lincoln Road Miami Beach 33139   Tél. (305) 672 2995

MUSIQUES

Il est particulièrement difficile de définir succinctement la qualité de la musique jouée à Miami. D'une certaine manière, en en racontant la quantité et la variété, on la fait paraître plus riche qu'elle n'est. De l'autre, en en soulignant la médiocrité, on n'en saurait exactement dire la raison.

DISCO, SALSA, RAP

Les groupes les plus influents à Miami sont les gays, les Cubains et les Noirs américains. Dans la mesure où la vie nocturne des gays semble s'être arrêtée aux années 80, leur musique est strictement disco. Il est assez poignant d'entendre Gloria Gaynor chanter *I will survive* à un thé dansant gay le dimanche après-midi. Mais si vous êtes un fan de musique disco, Miami Beach vous comblera.

La musique cubaine, comme n'importe qui vous le dira, est la meilleure musique latino-américaine. Elle a été à la source de nombreuses orientations du jazz à partir des années 30. Tout le bassin caraïbe est sensible aux rythmes latino-africains venus de Cuba. Le problème est que le principal groupe cubain, The Miami Sound Machine, mené par Gloria Estefan, est désormais un phénomène national. Des musiciens plus jeunes ne veulent pas se limiter à un public ethnique local.

La musique noire américaine est au goût du jour. N'attendez pas du jazz, du blues ou même du Rock n' Roll, mais du Rap. Mais point trop n'en faut. L'un des principaux groupes de Rap américains, 2 Live Crew, est originaire de Miami. Ses membres ont été récemment arrêtés parce qu'un adolescent mineur avait acheté l'un de leurs albums avec des chansons considérées comme obscènes.

Le problème de la médiocrité de la musique à Miami ne réside pas ailleurs. Il y a 20 ans, Jim Morrison, des Doors, fut arrêté pour un spectacle jugé obscène. Les artistes en Floride s'expriment toujours sous le menace d'une persécution d'origine politique. Dans un Etat qui est la lanterne rouge en matière de crédits pour l'enseignement, où le taux de criminalité est si élevé qu'on ne peut légalement garder en prison tous les condamnés, où les enfants sont régulièrement condamnés comme des adultes, il est politiquement pratique de blâmer le piètre niveau moral de la musique pop. Surtout si les artistes sont noirs ou gays ou "hippies".

Si la scène locale est étriquée, il reste les tournées. Miami est la seule ville américaine où Paul McCartney ait chanté au cours de ses deux tournées aux USA. Bien entendu, il a chanté au stade. Le stade en question appartient à Huitzenga, et la visite de McCartney est une affaire de courtoisie envers le propriétaire de la chaîne de vidéo Blockbuster. Hutzinga a développé Blockbuster moins parce qu'il a eu une vision que par l'effet de ses contacts dans le monde bancaire, dans la mesure où il a utilisé le classique monopoly capitaliste pour se débarasser des boutiques pour "vieux". Dans le style floridien classique, Hutzinga bannit de ses boutiques tout film interdit à des spectateurs de moins de 17 ans. Il a ainsi interdit *La dernière tentation du Christ*, de Scorsese, et *Crimes et Délits* de Woody Allen. Ainsi va la vie en Floride.

En revanche, l'existence du New World Symphony constitue une surprise agréable pour l'amateur de musique classique.

MUSIQUE CLASSIQUE

New World Symphony. Gusman Theatre, 174 E. Flager St. Miami.
Et 555 Lincoln Road, Miami Beach.   **Tél. (305) 673 3331.**
La saison a lieu d'octobre à avril au Gusman Center et au Lincoln Center, deux
anciens cinémas transformés en salles de concert. Le directeur artistique, le
chef d'orchestre Michael Tilson Thomas, a renoncé à ses autres engagements
pour se consacrer à temps complet à cet orchestre qui est virtuellement une
école de jeunes artistes, musiciens des orchestres de demain. Plutôt que de
façonner un ensemble de jeunes musiciens, Thomas s'est lancé dans un
programme aventureux de concerts et de "happenings". L'orchestre compte
des solistes de la classe de Vladimir Feltsman.

Florida Philarmonic Orchestra
Gusman Center, 174 E. Flager St. Miami,   **Tél. 1 800 226 1812**
Dade County Auditorium, 2601 W. Flager, Miami,   **Tél. (305) 547 5414**
Jackie Gleason Theatre, 1700 Washington Ave., Miami Beach, **Tél. (305) 673 7311**
La saison a lieu de septembre à mai avec des concerts à 20h30. Les "Proms",
concerts légers de musique classique, sont donnés au Dade County Auditorium,
les "Pops" ont lieu au Jackie Gleason Theatre. L'orchestre permanent est en
tournée dans tout l'Etat avec, à sa tête, un chef local. Il s'agit d'un orchestre
provincial financé par l'élite de l'Etat qui a ainsi voulu s'offrir ce beau jouet au
répertoire sans surprise.

Concert Association of Florida
555 17th St. (Lincoln Road), Miami Beach,   **Tél. (305) 532 3491**
La saison a lieu de septembre à avril. Représentations au Dade County
Auditorium et au Jackie Gleason Theatre. Le rôle de cette institution est d'inviter
des célébrités comme Jesse Norman et Itzack Perlman, ainsi que des orchestres
réputés.

Greater Miami Opera
Dade County Auditorium 2901 W. Flager, Miami,   **Tél. (305) 845 1643**
Réservations   **854 7890**
Saison de janvier à avril. Spectacles : lundi, mercredi, vendredi, samedi à 20h.
Mardi à 19h30. Dimanche à 14h.
Spectacles donnés en langue originale avec sous-titres en anglais. La saison
typique consiste en opéras tels que *La Traviata, Tosca, La Flûte enchantée* et
Carmen. Mais vous êtes venus à Miami pour la plage. L'opéra, c'est Milan, n'est-
ce pas ?

ROCK AND ROLL

Des clubs et des restaurants jouent de la musique rock certains soirs seulement
et à certaines périodes de l'année. Le *New Times* offre une large sélection de ces
lieux et des groupes qui s'y produisent. Quelques clubs organisent des nuits
gays. Bref, s'il existe tout un circuit de clubs, le problème est de trouver le
spectacle le plus "happening" dans un club particulier à une heure particulière
d'une nuit particulière. Enfin, il y a les clubs qui sont ouverts exclusivement aux
gays sept jours sur sept mais se donnent souvent un mal de chien pour le faire
savoir dans la presse gay.

L'expression "Causeway crowd" fait référence aux jeunes qui viennent de quartiers moins favorisés, disons moins mis en valeur de l'autre côté de Biscayne Bay, et dont les sensiblités esthétiques et sociales risquent de froisser ou heurter des épidermes plus urbains, avec ce résultat qu'on les évite ou qu'on les craint. La "Causeway crowd" est l'équivalent du "Bridge and Tunnel people" qui désigne à New York les habitants des quartiers BBQ (Brooklyn, Bronx et Queens), nos "banlieusards".

▓ A MIAMI BEACH

Cactus Cantina Grill 630 6th St.   Tél. (305) 532 5095

Musique live tous les soirs sauf le lundi. Comme on l'a vu, mauvaise cuisine mexicaine et service nul. Le seul charme de ce café, c'est la naïveté des chanteurs de folk qui se sont retrouvés rejetés sur les côtes ensoleillées de Miami Beach au début des années 90 et qui continuent de grattouiller leur guitare tout en hurlant, mais souvent faux, des airs "politically correct". Cela, et les seaux de bière mexicaine glacée.

Chili Pepper 621 Washington Ave.   Tél. (305) 531 9661

Un bon restaurant où il n'est pas mauvais d'être surpris en train d'écouter de la musique.

Cleveland Hotel 1020 Ocean Drive   Tél. (305) 531 3485

Parties de Rock n' Roll tonitruantes au bord de la piscine, si bien qu'on peut entendre la musique à 500 mètres à la ronde.

Dab House 852 Alton Rd   Tél. (305) 534 9557

Kraut et karakoe sauf le week-end, où il y a de la vraie musique.

Stephen Talkhouse 616 Collins Ave.   Tél. (305) 531 7557

Ouvert 19h-5h. Les cuisines sont ouvertes 19h minuit en semaine, 19h-3h le week-end.

Le club le plus sérieux de Miami Beach. L'ambiance parfaite pour faire d'un numéro de star en tournée un spectacle intime, tandis que des musiciens locaux inconnus se verront accorder une aura d'importance. Ici sont venus Michelle Shocked, Holly Near, Richard Thompson, Maria Muldar et Taj Mahal. Le coût d'entrée est variable, gratuit, 5$ pour les musiciens locaux ou 15-20$ pour les artistes connus.

Washington Square 645 Washington Ave.   Tél. (305) 534 1403

Que peut-on dire d'un bar de rock ouvert virtuellement 24h/24 et qui sert de la Budweiser à 10$? La clientèle est essentiellement "Causeway crowd", c'est-à-dire des mecs massifs parfaitement ivres, accompagnés de leurs mignonnes habillées d'une manière incroyablement cheap.

Sinatra Bar 1475 Collins Ave.   Tél. (305) 532 4600

Un jour gay, l'autre "scoobidoo-doobie-do... "

Poodle Lounge 4441 Collins Ave. (Fountainbleau Hilton)   Tél. (305) 538 2000

L'endroit s'adresse-t-il aux caniches (= poddle) ? A leur propriétaires ? Une occasion en tout cas pour découvrir le fameux hôtel.

LE PETIT FUTÉ de CUBA, dans toutes les librairies

Et encore...

Beaches Bar & Grill 4299 Collins Ave. (Days Inn)   Tél. 672 1910

Seven Seas Showroom 16701 Collins Ave. (Holidays Inn Newport Pier Resort),
North Miami Beach   Tél. 949 1300

Ocean Club 18501 Collins Ave. North Miami Beach   Tél. 563 4000

Princess Beach 17551 Collins Ave. North Miami Beach   Tél. 931 7500

▨ A MIAMI

Tigertail Lounge 3205 SW 27th Ave. Coconut Grove   Tél. (305) 854 9172

Churchill's Hideaway 5501 NE 2nd Ave. Miami   Tél. (305) 757 1807
Très recommandé.

Eastside Coffeehouse 454 NE5 8th St. Miami   Tél. (305) 893 8235
Situé dans ce qui pourrait être le prochain quartier à la mode d'une génération
déconnectée, la "X generation" des néo-beatniks.

Hard Rock Cafe
401 Biscayne Blvd Bayside Marketplace Miami   Tél. (305) 576 6758
Enfin ouvert. Du rock comme grand-mère en aimerait.

Et encore...

Headquarters Club 8033 NW 36th St. Miami   Tél. (305) 592 6531

Huff's Lounge 11423 SW 40th St. Miami   Tél. (305) 225 4240

JAZZ AND BLUES

▨ A MIAMI BEACH

Bacardi's on the Beach 1644 Alton Road   Tél. (305) 535 2555
De 16h30 à 5h. Parking gratuit.

Mojazz Cafe 928 71st St.   Tél. (305) 865 2636
A huit blocks à l'ouest de Collins, en face de la Normandy Circle Fountain. Pas
d'entrée et du Jazz tous les soirs à partir de 21h.

Et encore :

Sugar Reef 510 Ocean Drive   Tél. (305) 673 1312

Mango's Tropical Cafe 900 Ocean Drive   Tél. (305) 673 4422

Tropics 960 Ocean Drive (Edison Hotel)   Tél. (305) 531 5335

Ocean Promenade 1052 Ocean Drive   Tél. (305) 538 9029

Brassies Lounge 2201 Collins Ave. (Holiday Inn)   Tél. (305) 534 1511

Dominiqu's 5225 Collins Ave. (Alexander Hotel)   Tél. (305) 865 6500

LE PETIT FUTÉ de la Rép. dominicaine, dans toutes les librairies

▓ A MIAMI

Tobacco Road 626 South Miami Ave. **Tél. (305) 374 1198**
Le meilleur club de blues de Miami, avec des visites occasionnelles de célébrités, mais plus souvent des "talents" locaux.

Hooligan's Cabaret 13135 SW 89th Pl. **Tél. (305) 252 9155**
Mercredi-dimanche dîner 19h-minuit.
Situé dans le Briar Bridge Shopping Center près de The Falls.

Et encore (spectacles)...

Bruxxi NE 207th St. North Miami	**Tél. (305) 937 2400**
Chez Vendôme Lounge 700 Biltmore Way Coral Gables	**Tél. (305) 443 4646**
Hotel Vila 5960 SW 70th St. Miami	**Tél. (305) 667 6664**
Janjo's Restaurant 3131 Commodore Ave. Coconut Grove	**Tél. (305) 445 5030**
Lombardi's 401 Biscayne Blvd (Bayside Market)	**Tél. (305) 381 9581**
Cabaret La C oze 2901 Florida Ave. Coconut Grove	**Tél. (305) 444 9697**
Shuckers 1819 North Bay Causeway (Inn on the Bay Hotel)	**Tél. (305) 866 1570**
Sofitel 5800 Blue Lagoon Dr.	**Tél. (305) 264 4888**
St Michael's 20699 Biscayne Blvd	**Tél. (305) 935 9408**
Taurus 3540 Main Highway Coconut Grove	**Tél. (305) 448 0633**

Et encore (hôtels jazz)...

Ciga Lounge **2669 South Bayshore Drive (Grand Bay Hotel) Miami**	**Tél. (305) 858 9600**
Coral Cafe Lounge **5101 Blue Lagoon Dr. (Miami Hilton) Coral Gables**	**Tél. (305) 262 1000**
Doc Dammers **180 Aragon Ave. (Colonnade Hotel) Coral Gables**	**Tél. (305) 441 2600**
Gatwick's Lounge **1350 South Dixie Highway (Holiday Inn) Coral Gables**	**Tél. (305) 667 5611**
Greenstreets 2051 SW LeJeune Road (Holiday Inn)	**Tél. (305) 445 2131**
Bay Club **801 South Bayshore Drive (Four Ambassadors) Miami**	**Tél. (305) 577 4202**
Biltmore Hotel 1200 Anastasia Ave. Coral Gables	**Tél. (305) 445 1926**

Partir à l'étranger pour le Petit Futé

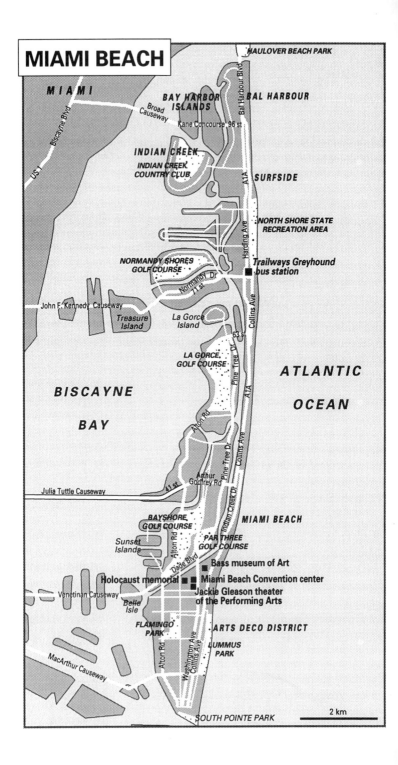

SPORTS A MIAMI

LES PLAGES DE MIAMI BEACH

Elles sont la véritable raison d'être de Miami Beach et qui s'en étonnera ? L'île est et a toujours été une barrière de sable qui protégeait l'embouchure de la Miami River. Toute l'économie de Miami Beach est centrée sur les plaisirs de la plage. C'est pourquoi la plage est toujours là, et toujours gratuite.

C'est donc 10 miles (16 km) de sable libre et gratuit qui s'offrent à vous de South Pointe Park (et 1st St.) jusqu'à 192nd St. (Sunny Isles). Bien entendu les différentes sections de la plage ont chacune leur caractère selon le public qui les fréquente.

South Pointe Park, à l'extrémité de Miami Beach, est un lieu de rendez-vous pour les enfants amateurs de surf, tandis que Haulover est la plage du surf sérieux. Une allée piétonne mène de 21st St. aux alentours du Fountainbleau Hotel où, à quelques centaines de mètres du rivage, une carcasse de Bœing 727 a été immergée pour jouer le rôle de récif artificiel. Pour autant, la majorité des visiteurs seront intéressés par la plage juste en face du district Art Déco, Lumnis Park, en particulier entre 10th et 12th St. C'est une plage à la mode avec une partie fréquentée par les gays. Le topless s'y pratique. Maîtres-nageurs.

Attention - Certaines plages sont surveillées par des vigiles (*lifeguards*) qui peuvent s'avérer nécessaires : il y a en effet de forts courants sous-marins dans les parages, et même des nageurs expérimentés risquent d'être entraînés au large.

• Pour informations générales :   Tél. (305) 673 7730

Accès aux plages

• South Pointe Park et Lumnis Park : 1st-14th St.

• 21st-35th St. : maîtres-nageurs et partie topless. L'endroit est apprécié des Européens. Un bar à bière allemand dans le voisinage.

• 46th St.

• 53rd St.

• 64th St.

• 72nd-74th St. : maîtres-nageurs, un peu d'ombre possible.

• Surfside (88th-96th St.) : maîtres-nageurs à 93rd St.

• 10800 Collins Avenue.

• Sunny Isles (163rd-192nd St.) : une longue plage préservée de 3 km. Le havre des Canadiens français.

• Northshore : un petit secret. Une jolie plage avec tous les services dans une partie un peu détériorée de la ville. Pour ceux qui détestent la foule et le spectacle permanent.

• Haulover : la plage préférée des gens du coin. Parfaite pour le surf et le pique-nique. Trois terrains de golf et un quai pour bateaux de croisière de l'autre côté de la route. Pas de grands immeubles pour gâcher l'illusion.

On mentionnera également plusieurs plages populaires dans la zone de Biscayne Bay. Ces plages ont été dévastées par le passage d'Andrew, mais devraient être remises en l'Etat au moment où vous lirez ce guide.

- Crandon Park, à Key Biscayne : 3 km de long avec installations BBQ et maîtres-nageurs.
- Virginia Key Beach : une plage appréciée des autochtones et la seule officiellement autorisée aux chiens de la zone Miami.

PLONGEE, BALADES EN MER

Breeze Marine Inc. 410 N. Ocean Drive, Hollywood.   **Tél. (305) 922 0124**
Ouvert tous les jours. Promenades touristiques, ski nautique, bateaux rapides. A l'heure ou à la journée. On parle français.

Team Divers South Beach
1290, 5th St., Miami Beach.   **Tél. (305) 673 0101/800 543 7887**
Ouvert du lundi au vendredi de 10h à 19h ; samedi et dimanche de 7h à 19h. $36 pour 4h30 de plongée.

GOLF

Les hivers doux et le nombre de retraités encore actifs et totalement libres de leur temps, ont fait de la Floride le paradis du golf. Des communautés entières ont été planifiées et se sont organisées autour de greens dont les parcours servent d'ailleurs souvent de points de repère pour donner une adresse ("right by the 16th fairway"). A la différence de certaines zones urbaines où les terrains de golf appartiennent à des "Country Clubs" et sont réservés à leurs adhérents (ce qui ne laisse au grand public que des terrains municipaux pauvrement entretenus), Miami dispose d'une quantité impressionnante de terrains, y compris ceux qui accueillent les championnats, auxquels sont admis tant les touristes que le grand public.

Une brochure indispensable pour le touriste amateur de golf est le Reiter's Golf Course Guide qui recense et note les terrains de golf publics dans les comtés de Dade, Broward et Palm Beach. Des exemplaires sont disponibles dans les meilleurs kiosques d'informations touristiques, dans les bons magasins d'articles de sport et les boutiques spécialisées dans le golf. Vous pouvez également vous faire expédier un exemplaire de cette brochure en écrivant à Reiter Publishing Inc., 1304 NW 160th Ave., Suite 264, Ft Lauderdale, Fl. 33326.

Il existe un numéro de réservation 24h/24 : (305) 669 9500.

Le numéro du Dade County Parks and Recreations est : (305) 5789 26 76.

Le numéro d'informations générales du comté de Dade est : 305) 579 2676.

A Miami : (305) 575 5256.

A Miami Beach : (305) 993 2023.

(Les tarifs incluent l'accès au green et la carte d'entrée. La plupart des terrains ont des tarifs spéciaux "twi-light" particulièrement bas et louent de l'équipement.)

Les terrains de golf

Bayshore Golf Course

2301 Alton Rd Miami Beach 33140   Tél. (305) 532 3550 - Fax 382 3996
Coût : 20-25$ été, 35-45$ hiver. Ouvert 6h30-crépuscule.

Normandy Shores
2401 Biarritz Dr. Miami Beach   Tél. (305) 868 6502 - Fax 382 3996
Cart et accès au green 15-25$ été, 30-35$ hiver. Ouvert 6h30-crépuscule.

The Links at Key Biscayne
6700 Crandon Road Key Biscayne 33149   Tél. (305) 361 9139
18 trous. Coût 37,50$ été, 55-75$ hiver. Un terrain du comté de Dade. Ouvert 7h-crépuscule.

Presidential Country Club 19650 NE 18th Ave. North Miami   Tél. (305) 933 5266
Coût 20-45$. Ouvert 7h-18h.

Williams Island California Club 20898 Sam Simeon Way
North Miami Beach 33179   Tél. (305) 651 3590 - Fax 653 3616
Coût 20$ été, 25-45$ hiver. Ouvert midi-crépuscule.

Doral Country Club 4400 NW 87th Ave. Miami 33178   Tél. (305) 592 2000
Pas moins de quatre 18 trous.

Doral Park Silver Golf Course 4825 NW 104th Ave. Miami 33170 Tél. (305) 594 0945
Terrain de championnats.

Golf Club of Miami
6801 Miami Gardens Drive Miami Lakes 33015   Tél. (305) 829 4700
Trois 18 trous. Coût 20-30$ été, 35-55$ hiver. Ouvert 6h30-crépuscule. Des terrains dus à Robert Trent Jones. Une propriété du comté de Dade.

Melreese Golf Course 1802 NW 57th St Ave. Miami 33126   Tél. (305) 635 6770
11$ été, 14$ hiver. Location d'un cart 20$ par couple. Ouvert aube-crépuscule. Situé près de l'aéroport.

Miami Spring Golf Club
650 Curtis Parkway Miami Springs 33166   Tél. (305) 888 2377
11$ été, 14$ hiver. Location d'un cart 20$ par couple. Ouvert 7h-18h été, 7h-17h hiver. L'un des plus vieux terrains de golf de Floride, il date de 1925.

Biltmore Golf Course
1210 Anastasia Ave. Coral Gables 33134   Tél. (305) 460 5364 - Fax 460 5315
Coût 38,50$ par personne. Ouvert 7h-18h. Un terrain légendaire récemment restauré.

Fountainbleau Park Golf Course
9603 Fountainbleau Blvd. Miami 33172   Tél. (305) 221 5181 - Fax 592 2504
Deux 18 trous. Coût 20-25$ été, 35-45$ hiver. Ouvert 6h30-crépuscule.

Palmetto Golf Course 9300 SW 152nd St. Miami 33157   Tél. (305) 238 2922
Coût 20$ été, 25$ hiver. Cart 22-24$ par personne. Une propriété du comté de Dade.

Outre les terrains mentionnés ci-dessus, il existe de nombreux terrains plus petits et moins formels connus comme "9 trous", "executive" ou "Par-Three course".

Le plus pratique pourrait être le :

Haulover Par Three, 10800 Collins Ave. Haulover Beach,   **Tél. (305) 940 6719**
Coût 4$ été, 5$ hiver. Ouvert 7h30-19h30 été, 7h30-17h30 hiver.
Le terrain est situé de l'autre côté de la route par rapport à la plage et le terminus du bus "T" ainsi qu'un arrêt pour le "S", le "K" et le "H". Doté d'un tracé ingénieux et d'un équipement de location bien fatigué, ce terrain devrait satisfaire le visiteur qui rechercherait un peu plus d'émotions que celles offertes par un golf miniature sans pour autant se retrouver bardé de clubs sur le parcours d'un 18 trous.

Bayshore Par Three
2795 Prairie Ave. Miami Beach   **Tél. (305) 674 0305 - Fax 382 3996**
Coût 5-7$ été, 7-10$ hiver. Ouvert 8h30-crépuscule.

Graynolds Park Golf Course
17530 West Dixie Highway North Miami Beach   **Tél. (305) 949 1741**
Un terrain de 9 trous propriété du comté de Dade. Coût 8$ été, 10$ hiver. Ouvert 7h-19h été, 7h-17h hiver.

TENNIS

Comme on peut l'imaginer, le tennis se pratique à longueur d'année en Floride. Les courts publics abondent à Miami Beach, on en compte une centaine. Pour savoir quels sont les plus pratiques, appelez le **Dade County Department of Parks**, Tél. (305) 579 2676, ouvert lundi-vendredi 8h-17h.

Miami Beach gère deux complexes de tennis, l'un au **Flamingo Park** de South Beach, l'autre étant le **North Shore Tennis Center**. Il y a un droit d'entrée. Mais il existe une cinquantaine d'autres courts de tennis éparpillés dans Miami Beach. Ils sont gratuits et disponibles selon l'ordre d'arrivée des joueurs. Pour la réservation, tél. (305) 993 2023.

La ville de Miami contrôle quatre complexes de tennis avec un prix d'entrée minime, ainsi que 50 courts d'accès gratuit.

Tél. 575 5256 pour plus d'informations.

Les principaux courts de tennis

Bayshore 2301 Alton Rd Miami Beach   **Tél. (305) 673 1576**

Northshore Park 350 73rd St. Miami Beach   **Tél. (305) 993 2022**

Surfside Tennis Center 8800 Collins Ave. Miami Beach   **Tél. (305) 866 5176**

Haulover 10800 Collins Ave. Miami Beach   **Tél. (305) 940 6719**

North Miami Beach Tennis Center
16851 West Dixie Highway North Miami Beach   **Tél. (305) 948 2947**

Sans Souci Tennis Court
1795 Sans Souci Blvd North Miami Beach   **Tél. (305) 893 7130**

Key Biscayne Tennis Courts 6702 Crandon Blvd Key Biscayne   **Tél. (305) 361 5263**

Biltmore Tennis Center 1150 Anastasia Ave Coral Gables   **Tél. (305) 460 5360**

Salvadore Park 1120 Andalusia Ave Coral Gables   **Tél. (305) 460 5333**

VISITER MIAMI

VISITES GUIDEES

Old Town Trolley Tours of Miami

Des brochures en français, anglais, espagnol et allemand sont disponibles en écrivant à : P. O. Box 1237 Key West, Fla 33041.

"Trolley" est le mot américain pour tram. Ceux que vous allez emprunter sont censés avoir le look d'authentiques trams américains, mais ils ressemblent en fait, dans une version bande dessinée, aux bus parisiens à plate-formes arrière ouvertes, chères à nos mémoires.

Le premier "trolley" quitte Bayside Market (Bayfront Park) à 10h. L'heure du départ du dernier trolley est variable. Le tour dure 2 heures au total. La brochure assure que les touristes peuvent descendre à n'importe quel des sept points de la visite de Miami, des six points de Miami Beach, et reprendre le bus, mais je crois qu'il faut être plus modeste (ou prudent) et limiter à trois ses descentes. Le prix de chaque tour est de 16$, avec un discount de 4$ si vous faites les deux excursions.

Les visites guidées (ou "Sightseeing Tours") sont souvent des arnaques, mais je pense que celle-ci est l'une des meilleures. Et si vous passez une ou deux heures au musée historique, votre visite en sera considérablement enrichie. Les guides sont informés et émettent des avis personnels, notamment en matière d'anticastrisme primaire. Aucun d'entre eux ne parle français.

Certains lecteurs du Petit Futé considèrent qu'une visite guidée est ridicule, et pas futée du tout. Cependant celle-ci offre quelques caractéristiques qui peuvent s'avérer très utiles.

L'itinéraire mène d'abord du point de départ : Bayside Market, via Brickell et le Rickenbacker Causeway, au premier arrêt : le Miami Seaquarium de Virginia Key. Puis le bus retraverse le Causeway jusqu'à l'arrêt suivant à Vizcaya. Ensuite, plein sud le long de la côte vers Coconut Grove.

Les quatre arrêts suivants ont lieu à Coral Gables. Si le chauffeur est de bon poil et que la circulation le permet, vous ferez peut-être une petite tournée des fantaisies architecturales les plus bizarres du quartier résidentiel de Coral Gables.

Premier arrêt : le Biltmore Hotel. Cet hôtel énorme et majestueux est tout ce qui reste de la villégiature de jadis plus grande et plus majestueuse encore. Né de la volonté de Merrick de surpasser Flager dans les années 1925, le Biltmore était l'un des plus célèbres hôtels du monde. Les scènes d'ouverture du film Flying Down to Rio se passent dans un décor parodiant le Biltmore. Même le nom de l'hôtel singe celui de l'immense résidence (la plus grande d'Amérique) que les Vanderbilt possédaient en Caroline du Nord. Les orchestres les plus fameux se produisaient ici. Il y avait des terrains de golf, des courts de tennis et même une imitation complète de Venise avec canaux et gondoles. On n'avait pas mégoté sur les détails : le maître-nageur de la piscine était le champion olympique (et futur Tarzan) Johnny Weissmuller.

Le deuxième arrêt révèle une autre fantaisie de Merrick qui est allé un peu trop loin, la Venation Pool. Puis nouvel arrêt au cœur de Coral Gables, au Colonnade Hotel et au Hyatt Hotel avant de remonter via 8th Street (Calle Ocho) à Downtown.

Les visiteurs peuvent descendre aux arrêts et prendre le bus suivant, mais attention, seulement aux arrêts autorisés : si un passager descendu à un arrêt non-autorisé se trouve victime d'une agression, la société n'est pas couverte par l'assurance.

La société garantit la visite et son remboursement si vous n'êtes pas satisfait.

Par contre, la visite guidée de Miami Beach n'est pas recommandée, surtout si vous résidez dans le Art Déco District. En effet, le bus remonte Ocean Drive et ses passagers regardent les clients du café où vous étiez attablé la veille comme s'il s'agissait d'animaux exotiques.

Quatre arrêts seulement ont lieu effectivement à Miami Beach. Le "Trolley" démarre du Bayside Market et traverse le McArthur Causeway. Le premier arrêt est sur 11th Street et Ocean Drive, les autres ont lieu au Lincoln Road Mall, puis au Memorial de l'Holocauste et enfin à l'Eden Rock Hotel sur la boucle de Collins Ave. Enfin le bus (ou tram ou trolley) retraverse Biscayne Bay à 11th St. et fait un arrêt au Police Museum et à l'Omni Center avant de retourner à Bayside.

MUSEES

Historical Museum of South Florida
101 W. Flager Miami 33130   **Tél. (315) 375 1492**
Ouvert lundi-samedi 10h-17h, vendredi -21h, samedi 12h-17h. Adultes 4$, enfants 6-12 ans 2$, gratuit -6 ans. Le lundi, donation libre.

Le musée, situé dans le même Metro-Dade Center que le Center for Fine Arts et la Miami Library, expose une sculpture de 17 pièces représentant une coupe de fruits explosant, intitulée *Dropped Bowl with Scattered Slices and Peels*, dont l'une est due à Claes Oldenbug. L'autre, de Coosje Van Bruggen, peut-être à cause de sa situation malheureuse, est un pétard mouillé.

La visite du Musée historique de Miami devrait être le premier arrêt du visiteur consciencieux et organisé. Si cette catégorie existe, il pourra visualiser l'arrière-plan historique de Miami mieux que ne le permettrait une lecture chronologique. Une recréation bien pensée des conditions de vie dans la région permet de remonter à l'époque pré-colombienne.

Des visites de groupes en anglais et en espagnol sont organisables à l'avance. Des visites guidées à pied ont également lieu, mais aucune en français. Une entrée combinée avec le Center for the Fine Arts est possible (8$ adultes, 3$ enfants).

Miami Museum of Science and Space Transportation
3280 South Miami Ave. Coconut Grove   **Tél. (305) 854 4247**
Ouvert tous les jours 10h-18h. Adultes 6$, enfants -12 ans 3$, personnes âgées 4$.
Un de ces musées de participation où la science, enfin palpable, est apportée aux masses. Expositions spéciales. Sur place également le Space Transit Planetarium (pour programmes, Tél. 854 2222) médiatise l'astronomie, présente des shows laser et propose des spectacles de bonne réputation.

Miami Youth Museum Bakery Center
5701 Sunset Drive South Miami   Tél. (305) 661 ARTS
Ouvert lundi et vendredi 10h-17h, mardi et jeudi 13h-17h, samedi et dimanche 11h-17h. Adultes et enfants 3$, personnes âgées 2$.

Le type même de musée adapté aux parents coupables et à leurs enfants déconcentrés pour remplacer une vraie éducation. La journée revient à une fraction du prix de Disneyland.

American Police Hall of Fame & Museum
3801 Biscayne Blvd Miami 33137   Tél. (305) 891 1700
Ouvert tous les jours 10h-17h30. Adultes 6$, personnes âgées 4$, enfants 3$, - 12 ans 25 cents, policiers 1$. Entrée gratuite pour les familles des policiers tués dans l'exercice de leurs fonctions.

Vous ne pouvez manquer ce musée, qui est situé dans l'ancien Quartier Général du FBI juste au-delà du croisement entre Julia Tuttle Causeway et Biscayne Blvd : une voiture de police en hauteur le rend aisément reconnaissable. Dédié à la mémoire des victimes de leur devoir, il tient du musée noir, de la galerie de l'infamie et du musée Grévin. Entre autres curiosités : une Maiden (guillotine écossaise) d'acier, des instruments de torture, une vraie guillotine, une chambre à gaz avec une biographie de l'infâme tueur Ted Bundy, et aussi "Old Sparky", la chaise électrique de l'Etat depuis longtemps hors d'usage, mais sur laquelle on peut s'asseoir et se faire photographier !

MUSEES ET GALERIES D'ART

En dépit de ses multiples visages - station balnéaire, destination touristique, métropole, refuge haïtien et cubain, seconde patrie des milliardaires, capitale de l'Amérique latine - Miami n'est pas connue comme une ville promouvant les arts. Aussi riche soit-elle d'un point de vue architectural, en terme de peintures et de sculptures sa pauvreté est évidente. Ce n'est pas que Miami soit un désert culturel, c'est juste que, si l'on considère la taille, la richesse et le statut de métropole de la ville, le degré artistique y est fâcheusement bas.

Certes, on compte plusieurs musées dont les œuvres sont estimables, mais il s'agit plus de collections privées ouvertes au public. Vous verrez des listes interminables de galeries qui accueillent des expositions et génèrent localement des "événements", et vous observerez que toutes prennent bien soin d'utiliser le mot-clé "center". On vous dira par exemple : *"Je suis sur la liste des directeurs du comité exécutif de l'Art Center"*.

L'art est d'un intérêt si périphérique que le soin de son management et de sa promotion est laissé à une poignée de personnes ayant assez de talent pour récolter de l'argent auprès d'institutions ou d'organismes gouvernementaux afin de créer des "Art Centers". Vous pourrez éplucher les programmes et ne pas rater certaines expositions de grande qualité. D'un autre côté, vous risquez de tomber autant sur une exposition de cinquième catégorie que sur quelque chose d'unique. Attendez-vous à découvrir par hasard une "art exhibition" dans un centre commercial, voire dans une laverie automatique. Vous y verrez peut-être quelque chose qui n'est pas mauvais, mais dont la mise en place sera honteusement bâclée. Comme si on aimait ça en cachette. C'est que l'"Art" joue un petit rôle à Miami, même au sein de la "Upper Middle Class".

Certaines galeries privées et commerciales font plus d'"openings" (vernissages) que les autres. La plus grande découverte ici est actuellement Julian Schnabel, un artiste de la période volante, sinon planante, des années 80. Mais surtout, à Miami, l'art est décoration et prestige, et non pas enthousiasme et appréciation. S'il peut servir un propos utile, c'est-à-dire augmenter la valeur immobilière ou attiser la curiosité des promoteurs, alors on le porte aux nues des cimaises.

C'est pourquoi l'architecture est la grande forme d'art de Miami. Un promoteur, coincé par un énorme et monstrueux immeuble sur Brickell Drive, ne réussissait à vendre aucun appartement. Il loua donc les services de l'artiste israélien Agam qui décora les murs du building de vives couleurs, à la manière de ses peintures Op Art. Résultat : le mastodonte blanc fut entièrement vendu et obtint même des prix d'architecture.

Les deux événements artistiques notoires de ces dix dernières années ont été l'enveloppement d'une île dans Biscayne Bay par Cristo et l'achat par la CenTrust Bank d'œuvres médiocres de maîtres anciens. Dans le premier cas, il s'agissait d'une opération de promotion pour attirer des capitaux européens à une époque où le marché immobilier était léthargique. Dans le second, les œuvres d'art furent achetées personnellement par le propriétaire de la banque mais ne furent jamais exposées. C'était un mauvais investissement... et les tableaux finirent par décorer le bureau, les résidences et le yacht de leur nouveau propriétaire. Et quand la banque fit faillite, les œuvres revinrent au gouvernement (en tant qu'assureur de la banque). Elles valent, dans le meilleur des cas, une fraction de leur prix d'achat même dans un marché sain.

L'art local n'offre guère de nouveautés. Le terreau le plus fertile est potentiellement la communauté cubaine, mais un parfum insidieux de répression politique venant de la fraction dure anti-castriste a empêché une vraie renaissance.

Certains essaient parfois de baptiser Coconut Grove "le nouveau Greenwich Village", mais c'est comme comparer Disneyland à une autre Florence. Et la vérité est que Greenwich Village a perdu ses artistes il y a deux générations : le Festival d'art du Village à New York expose des "artistes" qui travaillent dans des garages en banlieue et "font de l'art" pour gagner quelques dollars au marché aux puces. Tel est le niveau de l'art indigène, à Miami.

Alors qu'il manque Downtown Miami un musée ayant une collection permanente, un espace a été récemment créé pour accueillir d'importantes expositions itinérantes. L'époque des énormes expositions itinérantes lourdement sponsorisées semble malheureusement révolue, mais il reste toute une quantité de "shows" plus modestes ou de niveau plus moyen qui ne demandent qu'à venir trouver une niche dans l'atmosphère artistiquement raréfiée de Miami : ils y seront plus que les bienvenus.

Bass Museum of Art
2121 Park Ave. (Collins & 21st St.) Miami Beach　　　　　**Tél. (305) 673 7530**
Ouvert mardi-vendredi 10h-17h, dimanche 13h-17h. Le prix dépend de l'exposition, mais l'entrée est gratuite (ou sur donation libre) le mardi.
La collection permanente d'art de la Renaissance comprend essentiellement d'excellentes prédelles - petites peintures d'autel - et quelques œuvres d'atelier de Rubens. On découvrira des œuvres de Bol, Lawrence, Dürer et Daumier, mais la plus belle pièce est un *Couronnement de la Vierge* due à la collaboration de Botticelli et de Ghirlandaio.

Quelques années auparavant, j'ai pu être admis brièvement dans l'appartement des Kress, à New York, et je dois reconnaître que cette collection privée bat de cent coudées celle du Bass Museum dont je ne suis pas sûr qu'elle serait considérée comme un don significatif si elle était proposée au Met à New York. Pour autant, la taille intime de ce musée offre une évasion à ceux qui chercheraient à échapper au monde agressif du kitsch qui caractérise la Floride du Sud. Le Bass Museum accueille aussi des expositions itinérantes.

Lowe Art Museum 1301 Stanford Drive Coral Gables   Tél. (305) 284 3536
Ouvert mardi-samedi 11h-17h, dimanche 12h-17h. Adultes 4$, personnes âgées 3$, étudiants 2$.
La plus importante collection d'art en Floride du Sud est abritée dans ce musée situé sur le campus de l'Université de Miami. C'est ici que la collection Kress, une partie du moins (Cranach, Guardi, Jordaens, della Robbia, Tintoretto) a élu ses pénates. La collection permanente comprend aussi la Virgil Baker Collection : art américain avec Rembrandt Peale, Bierstadt, Henri, Luks, Marsh, Lichteinstein, Grooms, Warhol ; la Cintas Foundation Collection : chefs-d'œuvre espagnols du milieu du XVIe siècle à la fin du XVIIe (El Greco, Ribera, Goya, Murillo) ; la Barton Collection : art indien du Sud-Ouest ; la Esso Collection : art latino-américain (Botero) ; la Lothtrop Collection : tissus guatémaltèques. Sans oublier les galeries consacrées à l'art pré-colombien, à l'Inde, à l'Asie, aux Indiens d'Amérique et à l'art africain. Le musée accueille des expositions itinérantes.

Center For the Fine Arts 101 W. Flager St. Miami   Tél. 375 3000
Ouvert mardi-samedi 10h-17h, jeudi 10h-21h, dimanche 12h-17h. Adultes 5$, enfants 2$, étudiants 2,50$. Mardi : donation libre. Entrée libre le mercredi de 17h à 21h.
Situé au cœur de Downtown Miami dans le Metro-Dade Cultural Center, près de la station du Metro Rail Government Center. C'est un espace d'expositions, mais d'expositions majeure ont certaines sont décidées et réalisées ici. Le centre, qui n'a pas de collection permanente, a été dessiné par Philip Johnson. L'entrée peut se combiner avec la visite du Musée historique : adultes 87$, enfants 3$.

The Art Museum at Florida International University Tamiani Trail (SW 8th St. & 107th St.) University Park, Miami   Tél. (305) 348 2890
Ouvert lundi 10h-21h, mardi-vendredi 10h-17h, samedi 12h-16h. Entrée libre.
Regroupe le Metropolitan Museum de Coral Gables et l'Art Center Collection ainsi que la Cintas Foundation Collection of Contemporary Hispanic Art. Un large calendrier de lectures publiques pour les adultes et les enfants. Expositions itinérantes.

Center for Visual Communication 4021 Laguna Coral Gables
Ouvert mardi-samedi 10h30-18h.
Expositions d'artistes locaux et expositions itinérantes.

Centre Gallery/Frances Wolfson Art Gallery Miami-Dade Community College/Wolfson Campus 300 NE 2nd Ave   Tél. (305) (237 3278
Ouvert lundi-vendredi 9h-17h.
Exposition d'artistes contemporains dans une série de medias et expositions itinérantes : Sound Installation ; Sergei Bugaev (artiste de Saint-Pétersbourg) ; the Art of Seduction ; Guerilla Girls Talk Back.

Gallery North Miami-Dade Community college North Campus 11380 NW 27th St. Opa Locka, Fl. Room 4207   Tél. (305) 237 1532
Lundi-Jeudi 10h-16h. Entrée libre.
Expositions itinérantes dans une variété de contextes culturels : artistes noirs ; étudiants ; Prague et Munich ; Otto Placht et Dagar Glaudnitzer ; Pucalpan Shaman ; Pablo Amaringo...

Interamerican Art Gallery Miami Dade-Community Collge/Wolfson Campus InterAmerican Center 627 SW 27th Ave. Suite 3104   Tél. (305) 237 3278
Ouvert lundi-vendredi 13h-20h. Entrée libre.
Située dans Little Havana, cette galerie expose des artistes locaux et latino-américains. Expositions itinérantes.

Cuban Museum of Arts and Culture 1300 SW 12th St.   Tél. (305) 858 8006
Ouvert mercredi-samedi 13h-17h. Entrée 2$; étudiants et personnes âgées 1$.
Une collection permanente de plus de 200 œuvres consacrée à de jeunes artistes. Les tentatives de la galerie pour exposer des artistes cubains vivant à Cuba en ont fait un lieu controversé.

North Miami Center of Contemporary Art
12340 NE 8th St. North Miami   Tél. (305) 893 6211
Ouvert lundi-vendredi 10h-16h, samedi 13h-16h. Entrée libre.
Expositions de cinq semaines regroupant des artistes contemporains de Floride.

South Florida Art Center 924 Lincoln Road Miami Beach   Tél. (305) 674 8278
SPAC regroupe en fait une série de boutiques et de bureaux dans la zone plutôt à l'abandon de l'ex-Lincoln Road Mall. Rien ne donne un ton à un quartier comme un centre d'art. Celui-ci inclut des studios de danse et des espaces d'expositions. Une visite guidée à pied des trois blocks de la zone est proposée sur rendez-vous seulement du lundi au vendredi de 9h à 17h. Les studios individuels et les espaces d'exposants ont leurs propres horaires.

Barbara Gillam Gallery The Sterling Building
939 Lincoln Road Mall Miami Beach   Tél. (305) 534 7872
Ouvert mardi-Jeudi 10h-18h, vendredi-samedi 10h-20h, dimanche 12h-18h.
Cette galerie établie de longue date a récemment déménagé à South Beach. Sa propriétaire, Barbara Gillam, a la double distinction d'être à la fois professionnelle et sans prétention. Elle expose des artistes de premier ordre travaillant dans une variété de media et de styles. La meilleure des galeries de Miami.

Jason Rubell Gallery 700 Lincoln Road Mall Miami Beach   Tél. (305) 538 5444
Autre exemple des années 80 qui ont choisi le Sud : l'argent vient de l'immobilier, il y a un autre local à Palm Beach, le neveu du Studio 54 est dans l'affaire, Julian Schnabel sur les murs, etc.

Bianca Lanza
945 Lincoln Road Mall (Michigan Ave.) Miami Beach   Tél. (305) 672 4940
Ouvert mardi-samedi 10h-15h.
Travaux d'avant-garde dans une série de media avec de forts accents européens.

Fisher Island Gallery 42102 Fisher Island Drive Fisher Island   Tél. 673 6809
Ouvert mardi-vendredi 11h-18h, samedi 13h-18h.
Réservation sur le ferry impérative. Une parfaite excuse pour visiter l'île interdite autrement qu'en se jetant sur un chaland d'ordures (voir Fisher Island).

SITES HISTORIQUES

Barnacle State Historic Site
3485 Main Highway Coconut Grove   Tél. (305) 448 9445
Ouvert jeudi-lundi 9h-16h. Entrée 2$.
Construite en 1891 par le Commodore (capitaine) Ralph Monroe quand Coconut Grove était plus développé que Miami, cette demeure évoque, avec son mobilier et son jardin, la période qui précéda l'arrivée des grands patrons d'industrie et dans leur sillage la civilisation des loisirs de masse. Visites guidées à 11h30, 13h et 14h30.

Coral Gables Merrick House 907 Coral Way Coral Gables   Tél. (305) 460 5361
La résidence privée de George Merrick, le promoteur de Coral Gables, "The City Beautiful". Merrick naquit effectivement dans cette maison, qui a été restaurée en son Etat actuel au début des années 20.

Spanish Monastery
16711 W. Dixie Highway North Miami Beach   Tél. (305) 945 7462
Ouvert lundi-samedi 10h-16h, dimanche 12h-16h. Adultes 4$, enfants (- 12 ans) 1$, personnes âgées 2,50$.
Cet ensemble monacal largement mis en valeur comme le plus vieux bâtiment de l'Amérique du Nord se voit souvent attribuer une date de naissance qui remonte abusivement au IXe siècle. Il s'agit en fait d'un monastère de Ségovie datant de 1141. Il semble que l'ensemble fasse partie des bâtiments que William Randolph Hearst (*Citizen Kane*) acheta en Europe. Le monastère fut démantelé pièce par pièce et chaque élément soigneusement noté mis en caisse. Le tout devait être reconstruit à San Simeon, la propriété de Hearst en Californie. Mais quand les caisses arrivèrent à San Francisco, les douaniers remarquèrent la présence de matériaux qui n'avaient pas été signalés et obligèrent en conséquence le convoyeur à vider les caisses. Les blocs de pierre furent extraits de leur emballage numéroté et il fut impossible de revenir à un ordre cohérent. C'est le scénariste Ben Hecht qui raconte l'histoire dans ses mémoires, *Child of the Century*. Hecht ajoute que le jouet de ce monstrueux egomaniaque qu'était Hearst fut abandonné dans quelque garde-meuble de San Francisco. Le monastère resta effectivement à l'abandon pendant 25 ans avant d'être racheté par un entrepreneur immobilier qui revendit le puzzle en 1954.

Vizcaya Museum and Gardens
3251 S. Miami Ave. Coconut Grove Miami   Tél. (305) 579 2708
Ouvert tous les jours 9h30-16h30. La maison reste ouverte jusqu'à 17h et les lieux jusqu'à 17h30. Entrée adultes 8$, enfants 6-12 ans 4$.
La maison fut construite en style italien entre 1914 et 1916 par James Deering, l'héritier d'une famille qui avait fait fortune dans les machines-outils agricoles. Son frère, Charles, faisait partie de ces milliardaires qui s'étant établis au sud de Miami, étaient devenus propriétaires de la plus longue ligne de côtes en Amérique, la dénommée "Gold Coast".

Cependant, si les milliardaires se contentaient de maisons d'hiver, James Deering voulait plus. Il voulait un palais.

Deering aperçut pour la première fois le site du pont de son yacht. A cette époque, les richissimes de la Gold Coast se rendaient visite à bord de leurs bateaux. Deering occupa les lieux le jour de la Noël 1916, descendit de son yacht qui fut ancré dans Biscayne Bay puis embarqua sur un vapeur qui avait la taille d'un petit yacht tandis que retentissaient 21 coups de canon.

D'abord, les résidents locaux rejetèrent cet outsider affecté et effeminé, mais on estime que durant la construction du palais et de la plantation, Deering employa environ un quart de la force de travail de Miami.

Viscaya vient du mot basque signifiant "lieu élevé". Compte tenu de la topographie de Miami, ce nom fut probablement choisi pour sa ressemblance avec la baie de Biscayne, Biscayne Bay.

Le domaine de Viscaya devait se suffire à lui-même. Ses 180 acres (environ 85 hectares) comportaient une petite jungle de mangrove et de feuillus, des citronniers, des pâturages et un village de fermes où l'on cultivait des fruits et des légumes qui devaient à la fois alimenter la villa et être vendus en ville. Enfin, il y avait des ateliers, mais aussi des courts de tennis et un port pour les yachts.

Deering recevait ses invités sur un grand pied, avec une armée de domestiques à proximité et un calendrier de festivités en permanence. Mais Deering qui n'avait jamais joui d'une santé robuste, mourut en 1925. La plus grande partie du terrain fut vendue. Il en reste aujourd'hui 28 acres (environ 12 hectares), dont 10 sont occupés par la maison et les jardins.

La maison fut dessinée par un architecte de Harvard, F. Burrall Hoffman. Elle devait ressembler à une villa du XVIe siècle dont le modèle, occupé pendant plus de quatre siècles par la même famille du Veneto vénitien, se signalait par des changements successifs. Ainsi, les quatre côtés de la copie américaine devaient-ils représenter quatre phases de l'architecture italienne. Deering, Hoffman et le directeur artistique Paul Chalfin passèrent l'Europe au peigne fin pour y trouver autant des détails d'architecture que du moblier. Mais tout fut choisi avec cette pusillanimité typique de Miami envers les arts, où l'on attend toujours de savoir si telle chose est acceptée pour être acceptable. En ce sens, on peut dire que la maison de Deering a été décorée et que par extension, l'art à Miami est pensé comme une décoration. On a de l'orgueil à posséder et à montrer mais rarement sinon jamais, l'audace d'apprécier quelque chose de nouveau sans le poids culturel d'une imprimatur.

Quand Deering and Co faisaient le tour de l'Europe, les cubistes révolutionnaient l'art à Paris. A la même période des marchands russes nouveaux riches comme Shchukin et Morozov râtissaient Paris à la recherche de Cézanne et de Monet, de Van Gogh, de Picasso, de Rousseau, et commandaient des peintures murales à Matisse et Bonnard. La collection de Deering était en ce sens rétrograde, peu aventureuse et même académique. Quand vous visitez la maison, ce n'est pas le lit de Lady Hamilton qui vous étonne, mais les décorations très joliment dessinées de la cuisine.

Pour autant, Vizcaya reste au premier rang des résidences privées de Miami. La maison, en béton armé recouvert de stuc, est mise en valeur par une série de détails, encadrements de fenêtres en calcaire oolithique local, colonnes faites à partir de la pierre calcaire de Cuba sans oublier les légendaires tuiles à cylindre de la Havane dont on dit que les cuisses des signorinas ont fourni le modèle.

Comme les flots de Biscayne Bay lèchent littéralement les escaliers de Vizcaya, une digue a été construite et artificiellement déguisée en barque vénitienne avec des statues de A. Stirling Calder.

Les jardins sont tout aussi stupéfiants. Il a fallu sept années au jardinier en chef Diego Suarez, qui avait fait ses classes à Florence, pour en achever le dessin. Si certains jardins sont conventionnels, il y a aussi des innovations : un jardin "secret" comme on les aimait durant la Renaissance florentine, des fontaines, des piscines dans l'eau desquelles l'environnement se reflète, des chutes d'eau, des escaliers d'eau, un labyrinthe, un théâtre d'été, une maison de thé, un casino et, last but not least, un jardin pour les aveugles planté de fleurs et de plantes aromatiques particulières.

La maison a accueilli la rencontre de Ronald Reagan et du pape Jean-Paul II en 1987. La reine Elisabeth l'a visitée en 1991.

Vizcaya a malheureusement reçu de plein fouet l'ouragan Andrew. La petite jungle originelle a été complètement dénudée. De nombreuses fontaines ont été démolies et des statues détruites, la barque et sa décoration anéanties... La maison elle-même a échappé de peu au désastre. Chaque année, 300 000 visiteurs se pressent dans ces lieux dont le Metro-Dade County Park and Recreation Dept., qui en est propriétaire, a fait de leur restauration une priorité. La réputation de Vizcaya continuera d'augmenter parce que Deering était homosexuel et qu'une importante et influente partie de la population de Miami est homosexuelle. L'endroit pourrait ainsi devenir un but de pèlerinage. Pour l'heure, Vizcaya est une des attractions touristiques majeures de Miami. Et ses voisins se nomment Stallone et Madonna.

Une société organise des visites d'une demi-heure de Vizcaya et des propriétés des stars et autres "célébrités" moyennant 2,85$ + taxes. Ce qui n'est pas cher pour s'en mettre plein la vue... La visite a lieu toutes les demi-heures après 13h le samedi et le dimanche, et après 14h du mardi au vendredi. Je n'ai vu aucune gondole sur la mer quand j'ai visité Vizcaya, aussi vous feriez bien de téléphoner au (305) 861 8027 pour vous assurer que ces visites sont toujours possibles.

AUTRES CURIOSITES

Miami Metrozoo 12400 SW 152nd St. South Miami   **Tél. (305) 251 0400**
Ouvert tous les jours 9h30-17h. Fermeture de la caisse à 16h. Adultes 8,25$, enfants 4,50$.
Le Metrozoo est l'un des dix plus grands d'Amérique. Mais il a reçu l'ouragan Andrew de plein fouet et s'en remet lentement. Il a fait l'objet d'un documentaire de Frederick Wiseman qui témoigne des conditions de travail quotidien dans un zoo de cette importance, et qui nourrit la controverse croissante sur l'éthique de ce type d'établissement. Le film nous montre, tantôt les réactions des visiteurs, tantôt l'action des scientifiques attelés à leur programme de sauvetage des espèces en danger. Il semble que ces dernières années le Metrozoo ait été la cible de critiques parce qu'il avait emprunté un panda à la Chine pour en faire un spectacle hautement profitable financièrement. Le film de Wiseman a été réalisé avant l'ouragan.

LE PETIT FUTÉ du CANADA, dans toutes les librairies

Si le Metrozoo est aisément accessible par l'autoroute, les transports publics offrent une alternative. Un Zoobus fait la liaison (quotidienne) à partir de la station Dadeland North du Metrorail. Les horaires ne sont pas très souples avec des départs à 9h35, 10h35, 11h35 et 15h15. Le trajet dure environ 1/2 heure. Les retours ont lieu à 10h05, 11h05, 14h30, 15h45 et 16h45. Le week-end, les bus quittent Dadeland North toutes les heures de 10h15 à 15h15 (retours entre 10h45 et 17h45). Le prix du trajet est 1,50$. Si vous prenez le Metrorail, il faut demander un "transfer" (25 cents) à quoi s'ajouteront 25 cents dans le bus. L'un des avantages à prendre les transports publics tient à une réduction du prix d'entrée au zoo (2$ adultes, 1$ enfants).

Miami Seaquarium 4400 Rickenbacker Causeway Virginia Key Tél. (305) 361 5705
Ouvert tous les jours 9h30-18h. Adultes 17,95$, enfants 12,95$, personnes âgées 14,95$.
Avec son exceptionnel spectacle de gros animaux marins (requins, baleines tueuses, cochons de mer), le Seaquarium est non seulement la plus grande attraction privée de Miami, mais une sacrée entreprise commerciale d'exploitation des animaux. A une époque où les zoos font l'objet de critiques de plus en plus vigoureuses, on peut réfléchir un instant sur une institution dont le rôle consiste uniquement à faire de l'argent à partir de la curiosité du public. Bien sûr, le Seaquarium parle avec emphase de ses multiples plans de recherche et d'éducation : leçons sur l'environnement, ateliers, camps d'été, programmes pour les scouts, le Inner-City Marine Project et la Marine and Science Technology Academy, les programmes de cours liés à l'Ecole Rosensteil des Sciences de la Vie marine et de l'Atmosphère à Miami, ou encore le National Marine Fisheries Service. Bravo ! Mais si je me suis énormément plu au Seaquarium, je ne m'en suis pas moins interrogé sur l'éthique qui consiste à capturer des animaux sauvages (et intelligents) et à leur apprendre à nous singer en attrapant des ballons pour amuser les gens.

Parrot Jungle & Gardens
11000 SW 57th St. (Red Road) Kendal South Miami   Tél. (305) 666 7834
Ouvert tous les jours 9h30-18h. Adultes 10,50$, personnes âgées et étudiants 9,50$, enfants 3-12 ans 7$.
Créé en 1936, cet établissement, qui se faisait jadis passer pour une sorte d'introduction au vaudeville, privilégie aujourd'hui l'aspect éducatif et écologique. On insiste donc désormais moins sur le millier d'oiseaux de cette "jungle des perroquets"(dont beaucoup sont libres et certains de véritables artistes) que sur les nouveaux trésors de l'endroit : les vieux cyprès de ce côté sud du lac Okeeshobee, les plus gros ficus du sud de la Floride ou ces bananiers dont les fruits poussent la tête à l'envers. Combien de ces merveilles ont survécu à Andrew est une autre question. Ce lieu est prisé des gens du cru, en particulier pour les balades dans les jardins. Le petit déjeuner dans la cafétéria s'accompagne de chants d'oiseaux exotiques tropicaux.

Venetian Pool 2701 DeSoto Blvd Coral Gables   Tél. (305) 460 5356
Ouvert mardi 9h-13h, jeudi 13h-17h, samedi 11h-15h, dimanche 13h-17h. Entrée gratuite.
Une création phantasmagorique de Merrick qui, pour sa "City Beautiful" ne voulait pas d'une piscine ordinaire. Celle-ci est donc une grotte taillée dans le corail et destinée à évoquer une Venise mâtinée de Capri.

Monkey Jungle 14805 SW 216th St.   Tél. (305) 235 1611

Ouvert tous les jours 9h30-17h. Adultes 10,50$, personnes âgées 9,50$, enfants 4-12 ans 5,35$.

Encore une de ces vieilles curiosités de Miami qui en a pris un coup à cause d'Andrew. Le truc marrant, ici, c'est que ce sont les hommes qui sont en cage tandis qu'ils traversent le territoire des singes. L'endroit abrite trois habitats différents où vivent 500 primates appartenant à 50 espèces différentes. On les voit se balancer au-dessus de la piscine ou dans le jardin enchanté

Fairchild Tropical Gardens
10901 Old Collier Road Coral Gables   Tél. (305) 667 1651
Ouvert 9h30-16h30. Entrée 7$.

Le plus grand jardin tropical sur le territoire des Etats-Unis (à l'exception de celui de Hawaï). Le jardin a une superficie de 83 acres (environ 38 hectares). On peut en visiter les merveilles (forêt de lianes, palmiers rares) en empruntant des sentiers ou à bord d'un petit tram. La zone située au sud de Coconut Grove était jadis célèbre pour ses longues portions de route bordées de ficus géants (vous en verrez des photos au Musée historique). Andrew les a abattus, transformant l'une des plus belles routes américaines en une banale route de banlieue. Avec un peu de chance, et en cherchant, vous tomberez sur un tronçon intact, ce qui permettra à votre imagination d'extrapoler.

Ichimura Miami-Japan Garden Watson Island   Tél. 538 2121

Ce demi-hectare de jardin japonais venait d'être rénové. Il n'a pas échappé à la furie d'Andrew. Le bus de Miami Beach s'arrête juste en face du jardin. De l'autre côté, il y a le dépôt des hydravions et une société de tours en hélicoptère. Une sorte de campement de sans-abri nuit malheureusement à la tranquillité des lieux et certains énergumènes pourraient être dangereux dans la mesure où vous vous trouvez au milieu de nulle part.

Andrew

On ne dira jamais assez à quel point l'ouragan a outragé les principales attractions touristiques de South Miami. Les arbres et les bâtiments en particulier ont souffert. Depuis, la plupart des établissements fonctionnent à nouveau mais souvent pas à 100% (par exemple, le tram du Metrozoo est hors-course). Certaines sociétés consentent donc des prix d'entrée réduits. Les lieux suivants ont été atteints au point de ne plus être opérationnels à l'époque où ce guide était rédigé. A vous de vérifier.

- Charles Deering Estate 167 W 72nd St.   Tél. 235 1668
- Weeks Air Museum
  14710 SW 128th St. (Tamiani Airport) SW LMiami 33186   Tél. (305) 233 5179
  Ouvert tous les jours 10h-17h. Adultes 5$, personnes âgées 4$, enfants 3$.
  Ce musée, ouvert en 1987, expose 35 avions. Situé près du Metrozoo.
- Gold Coast Railroad Museum
  Près du Metrozoo et servi par le même Zoobus. Mais il faudra peut-être des années avant qu'il ne rouvre.

L'ART DANS LES LIEUX PUBLICS

En 1973, une loi décréta que 1,5% de tous les budgets consacrés au bâtiment seraient alloués à un fonds destiné à financer des ouvrages et œuvres d'art dans les lieux publics tels qu'aéroports, stations du Metrorail, bibliothèques, parcs, places et buildings gouvernementaux, et zones piétonnes. Ce programme ne commença à entrer en vigueur qu'à partir des années 80, soit grâce au boom immobilier, soit, au contraire, à cause des dépenses gouvernementales de la période Reagan.

Le changement intervint très probablement en 83 grâce à l'énorme succès de l'opération de Cristo, qui enveloppa de plastique rose onze îlots inhabités de Biscayne Bay. Cette action, qui combinait originalité visuelle et promotion immobilière, devint la quintessence de l'œuvre d'art à Miami. Quand les Miamiens réalisèrent que l'art pouvait signifier argent, il n'en fallut pas davantage pour les convaincre.

L'une des œuvres les plus notables de cette période, *Dropped Bowl with Scattered Slices*, due à Claes Oldenberg et Coosje Van Bruggen, trône dans l'Open Space Park entre le Centre Culturel et le Government Center, dans le quartier de Downtown Miami. J'avais vu des dessins et des maquettes de cette pièce gigantesque, mais la réalisation est décevante : cela ne fonctionne pas, tout simplement. Je doute même que la chose gagnerait à être vue dans un environnement plus sympathique. La sculpture, qui a coûté 950 000$, comprend cinq sections d'environ 3,9 m, certaines sur des supports hauts de 6 à 8 mètres.

La Miami Line de Rockne Kreb est particulièrement impressionnante : elle consiste en un néon linéaire au sommet de l'arche du pont qui conduit le Metrorail bien au-dessus de la Miami River. Par contre, l'énorme trompe-l'œil du Fountainbleau Hotel que Richard Haas a réalisé sur 50 mètres de hauteur face à l'ouest, à l'extrémité de Collins Avenue, risque de moins vous impressionner.

A peu près chaque station du Metrorail a son ornementation - il s'agissait d'un projet de plusieurs millions de dollars. Le *Making Purple* de Fernando Garcia est à la station Okeechobee. Vous verrez le *Words Without Thoughts Never To Heaven Go* de Ruscha à la Bibliothèque Centrale (Main Library), l'assemblage de Nam June Pak à l'aéroport, le Cheval Majeur de Raymond Duchamp-Villon également au Centre Culturel, une couple d'œuvres de Noguchi à Bayfront Park, etc.

La pièce de Nam June Pak s'intitule sobrement Miami et consiste en l'assemblage de 76 téléviseurs de 12 cm de largeur chacun qui forment le mot "Miami". "Miami" occupe le hall central "E". Une seconde sculpture, Wing (170 000$) devait occuper le hall central "B" de l'aéroport.

Elyn Zimmerman a créé Keystone Island (250 000$), une "montagne" calcaire de 15 mètres de haut derrière la Cour de Justice de North Dade.

Tulip, la première œuvre d'art commandée, en 1981, par le comté de Dade à Karel Appel, a fini par orner la station de triage des ordures de West Dade.

L'organisme Art in Public Places Trust, fondé en 1984, avait pour vocation de commissionner des œuvres pour des sites spécifiques, comme la composition photographique murale de Rafael Salazzar à North Bay Village et la pièce de Pak à l'aéroport.

Mais voilà comment les choses fonctionnent : à Gateway Park, entre le Centre Culturel et la Cour de Justice du comté de Dade, vous verrez *Rhythm of the Train*, une pièce de Joan Lehman. L'époux de l'artiste, Bill Lehman, est un membre du Congrès américain, qui apporta l'argent fédéral permettant de construire le Metrorail.

Vous voilà donc invité à entrer dans le bâtiment officiel du Government Center qui expose sur ses différents étages une centaine d'œuvres d'art financées par la "banque" du Art in Public Places Trust. Le Trust occupe toujours un bureau dans le bâtiment et vous pouvez y trouver un certain nombre de brochures considérées comme "rares", par exemple comment faire la tournée à pied des différentes œuvres d'art du quartier et une visite personnelle de l'architecture de Downtown Miami.

CINEMAS

Bien que la Floride prétende être le troisième centre de production cinématographique américain, vous aurez du mal à trouver un cinéma décent dans la zone métropolitaine. Il y a bien quelques salles spectaculaires, mais les plus belles sont devenues des "Arts Centers".

Le **Gusman Center for the Performing Arts** (174 E. Flager St. Tél. 37-Gusman) est une vieille et magnifique salle de cinéma méticuleusement restaurée pour abriter le New World Symphony et le Florida Philarmonic. Ce n'est que brièvement, durant le festival annuel du film de Miami (février), que la salle de 1 700 places revient au septième Art. Construit en 1925 sous le nom d'Olympia, ce cinéma fut le premier bâtiment dans le comté de Dade pourvu de l'air conditionné. Il fut racheté par Maurice Gusman en 1972, restauré et donné à la ville en 1975.

Le **Lincoln Theatre** (555 Lincoln Road Mall, Tél. 673 3330) est un cinéma Art déco magnifiquement restauré et le second lieu d'accueil du New World Symphony, mais on n'y passe plus aucun film.

De l'autre côté de la rue, le **Colony Theatre** (1040 Lincoln Road, Tél. 532 3491) est un plus petit bijou Art déco. Récemment encore, c'était un cinéma. La salle est maintenant régulièrement utilisée pour des ballets.

Il n'est pas juste de dire qu'il n'y a pas de bonne salle pour voir un film à Miami Beach : il n'y en a aucune. La chose est d'autant plus regrettable qu'il subsiste plusieurs superbes cinémas Art déco. Le **Paris** (Washington et 6th St.) a été transformé en studio d'enregistrement par le producteur des disques de Madonna, Jellybean Benitez. Quasiment en face, un autre cinéma, devenu un supermarché il y a quelques décades, n'est plus que l'ombre de lui-même.

Caché sur 41st Street près du canal se dresse le cinéma **Einsenhower**. En remontant Collins, le **Normandy** et le **Surf** se font face sur 73rd Street. Récemment, le Surf passait des films à 1$ la séance et 2,50$ les deux films.

Loin, très loin de South Beach vous trouverez des cinémas qui sont tous des multiplex. Ce sont des petites boîtes en béton où sont donnés les mêmes "produits" hollywoodiens qu'on peut voir partout en même temps dans le pays. Je ne suis pas allé dans ces cinémas, mais on m'a averti que leur public est composé de jeunes, la génération de la vidéo, qui considèrent une salle de cinéma comme l'extension du salon parental, de sorte que leurs conversations couvrent largement la bande-son du film. Si vous tenez à faire l'expérience... Ces salles multiplex ont quand même quelques points positifs. Les séances commencent tôt, parfois même avant midi, et elles sont bon marché, parfois moitié prix. L'entrée est à 7$.

Ajoutons que l'un des effets de l'ouragan Andrew est qu'il ne reste plus un cinéma debout au-delà d'un certain point dans le sud de Miami.

South Beach

Vous n'y trouverez pas de vrais cinémas, mais des projets de multiplex sont sérieusement en train. Un promoteur allemand projette de construire une salle à l'angle de 5th Street et de Washington Avenue, ce qui aurait pour résultat la disparition de l'historique 5th Street Gym où Mohamed Ali, parmi d'autres, s'entraînait. Evidemment, la localisation est pratique pour ceux qui viennent de Miami via le MacArthur Causeway.

La municipalité de Miami Beach préférerait, et a approuvé un site derrière le désastreux parking à plusieurs étages (propriété de la ville) qui se dresse de toute sa laideur au nord du Lincoln Road Mall.

Ceux qui rechercheraient des programmations plus pointues en matière de films et de documentaires, telles qu'on en trouve à New York, Montréal ou Paris, peuvent se rendre à l'**Alliance for Media Arts** (927 Lincoln Road Mall, Tél. 531 8504) qui consiste essentiellement en une salle avec des chaises quelque part dans les entrailles d'un immeuble de bureaux. Les programmes sont parfois plus engagés que cinéphiliques, mais c'est là encore une expérience à tenter.

Ajoutons qu'en plus du Festival International du Film de Miami qui se tient en février, il y a un Festival du Film Noir (Black Film festival) en avril.

THEATRES

Actors Playhouse 8851 SW 107th Ave., Kendall   **Tél. (305) 595 0110**
Spectacles mercredi-samedi 20h, matinée le dimanche 14h. Théâtre pour enfants samedi 14h.

Area Stage Company 645 Lincoln Road Miami Beach   **Tél. (305) 673 8002**
Spectacles mercredi-samedi 20h, dimanche 17h ou 19h.

Coconut Grove Playhouse 3500 Main Highway Coconut Grove **Tél. (305) 442 4000**
La saison dure d'octobre à juin. Les guichets sont ouverts du mardi au samedi de 10h à 21h (samedi et lundi 10h-17h) et les prix des places sont de 15$ en semaine et de 23 à 26$ le week-end.
Ce théâtre, fondé il y a 36 ans dans un cinéma, a deux salles, l'une de 1 150 places, l'autre de 125. C'est le théâtre le plus subventionné de Floride. La grande salle programme des productions commerciales sûres mais ennuyeuses, la petite est plus aventureuse.

Acme Theatre 955 Alton Road Miami Beach   **Tél. (305) 531 2393**
Jeudi-samedi 20h15, dimanche 19h15.

Coral Gables Playhouse
c/o 2121 Ponce de Leon Blvd, suite 550 Coral Gables **Tél. (305) 446 1116**
Spectacles du mardi au samedi à 20h, le samedi à 16h.
Shakespeare en Floride.

Jackie Gleason Theatre 1700 Washington Ave. Miami Beach **Tél. (305) 673 8300**
Spectacles du mardi au samedi à 20h, matinées le jeudi, samedi et dimanche à 14h. Saison de septembre à Juin.
Si vous voulez voir les gros (et assimilés) succès de Broadway, en tournées ou en reprises.

Ensemble Company 174 Flager St. Suite 501, Miami **Tél. (305) 377 2322**
Saison d'octobre à Juin.
Du théâtre contemporain noir américain.

Théâtre en langue espagnole
Vous en trouverez plusieurs à Miami même :

Teatro Las Mascaras

La Scala Teatro Casanova

Teatro Trail Teatro Belles Artes

Teatro Valentino

Teatro Carrusel 235 Alcazar Ave. Coral Gables **Tél. (305) 446 7144**

SHOPPING A MIAMI

LES MALLS

Regardons les choses en face : l'idée d'aller faire ses achats dans des boutiques spécialisées est considérée comme tout à fait bizarre selon les standards américains. Les Américains, les vrais Américains, s'y résolvent quand ils sont en vacances ou participent à une convention. Dans ces cas, c'est un amusement. Les New-Yorkais hors de New York, les homosexuels afffectés et frivoles ou ces fous d'Européens trouvent normal de faire leurs courses dans des boutiques, mais les vrais Américains vont au "Mall", quelque chose comme nos hypermarchés en plus grand encore.

Le "Mall" est une accentuation des anciens centres commerciaux (Shopping Centers). Le Shopping Center est né après la Seconde Guerre mondiale pour répondre au déplacement des populations vers les banlieues (les "suburbs"). On quittait les centre-ville pour aller vivre dans des zones faiblement peuplées, caractérisées par les transports individuels et un réseau dense de voies de communications. La boutique située à l'angle d'une rue passante est devenue un ensemble de boutiques installé près d'un nœud d'autoroutes et entouré d'une multitude de parkings. Il fallait, pour assurer le succès des Shopping Centers, la présence d'un ou plusieurs grands magasins. On les a appelés "anchors" (anchor = ancre. En fait, l'expression signifie que le grand magasin est incontournable et situé de telle manière qu'on ne peut l'éviter).

Le Shopping Mall a élargi ce concept en le situant dans un environnement couvert et sous contrôle. On les appelle les "New Main Streets" (les nouvelles rues principales).

Cette New Main Street est privée. Elle a ses visiteurs, pas des résidents, des consommateurs, pas des citoyens. Elle n'a pas de mendiants, ni de Hare Krishna, pas de militants ni d'indésirables. Il n'y fait jamais trop chaud ou trop froid. Il n'y pleut pas et on n'y connaît pas la sécheresse. Toute une génération d'Américains a grandi sans rien connaître d'autre. L'identification géographique est fonction du Mall et non pas de la ville et de ses boutiques à la mode. Le Mall est le lieu où l'on se rend pour échapper à son chez soi, pour voir un film, découvrir les fringues, écouter les derniers CD à la mode, pour rencontrer ses amis, pour draguer. Les teenagers y ont leurs rituels. Le Mall dispense les bas salaires qui paient les voitures qui amènent leurs propriétaires vers les Malls.

En contre-partie, les Malls ont conduit à une uniformité envahissante et absurde. 80% des boutiques sont identiques de Mall en Mall. Les boutiques de jeans, de chaussures, de crèmes glacées... Si vous en connaissez une, vous les connaissez toutes. Vous y trouverez des cinémas multiplex avec vingt écrans sur lesquels vous ne verrez que les succès nationaux. Il peut y avoir des variations régionales dans les grands magasins qui "ancrent" les Malls, mais elles portent seulement sur les noms dans la mesure où ces "Department Stores" appartiennent à une poignée de sociétés nationales.

Le seul délit dans ces Malls est le vol, mais dans les parkings avoisinants, le vol de voitures, le kidnapping et le viol sont de vrais dangers. Et ce sont les femmes qui en sont les principales victimes. Toutefois, cette criminalité des Malls ne peut être comparée à la sauvagerie qui règne au cœur des villes américaines. Le carnage se situe plutôt sur les routes.

Miami a été bénie des dieux du commerce avec une nuée de Shopping Malls. La plupart sont dignes du standard américain, mais certains · une minorité · sont spécialisés. Enfin, les horaires des boutiques individuelles et des restaurants peuvent être différents.

Omni International Mall 1601 Biscayne Blvd. Miami   Tél. (305) 374 6664

Lundi-samedi 10h-21h, dimanche 12h-17h30. Les restaurants et les cinémas restent ouverts plus tard.

Le plus proche de South Beach, mais à prendre en considération pour son aspect fonctionnel. Dix salles multiplex, JC Penny, 125 boutiques dont un marchand de Journaux avec presse internationale vendue à des prix rédhibitoires, et accès direct au People Mover (et par conséquent au Metrorail). Outre le bus "A" en provenance de Miami Beach, tous les bus qui prennent le MacArthur causeway passent devant le Omni Mall.

Bayside Market 401 Biscayne Blvd. Miami   Tél. (305) 577 3344

Lundi-samedi 10h-22h, dimanche 12h-20h. Les restaurants et les cafés sont ouverts "très tard".

Pas un Shopping Mall à proprement parler, mais un espace d'achat comparable à d'autres à Boston, New York (South Street Seaport) et le Baltimore Harbor. Bayside se divise en différentes zones, un pavillon Nord et un pavillon Sud étant reliés par quelque chose appelé "Pier 5 Market". Vous y trouverez soit des boutiques spécialisées dans les gadgets high tech comme The Sharper Image ou des pièges à touristes tels que Fotozines qui reproduit votre photo à la une de célèbres magazines. Quelques boutiques connues comme Foot Locker, Gap et The Limited.

L'entrée principale (ou Great Gate) à Bayside se situe en face de NE 4th St. Les voitures doivent entrer à l'opposé de NE 3rd St. Il y a un parking droit devant. Un guichet d'informations touristiques (pour la zone du grand Miami) est ouvert entre 10h et 18h30 au Great Gate, point de départ des tours du Old Town Trolley.

Juste devant est le Pier 5 Market, où se concentrent la plupart des boutiques d'artisanat, de souvenirs et de nouveautés. Et une quarantaine de caddies pour transporter les gros achats. Plus avant sur une scène se produit un orchestre dont les rythmes sont assistés par une boutique, "Let's Make a Daïquiri", qui vend des concoctions de rhum glacé servies au goût du client, c'est-à-dire assorties d'ingrédients liquides ayant les couleurs les plus artificielles de l'arc-en-ciel.

Les deux étages du North Pavilion (appelés niveaux · levels · pour ne pas effrayer les touristes trop timides) sont plus tranquilles avec un bon restaurant nicaraguayen et la boutique The Limited. Le South Pavilion a aussi deux "niveaux". Au sommet un fast food international sert de la cuisine chinoise, argentine, italienne, mexicaine, du Moyen-Orient, des Philippines, du Japon et bien entendu de Cuba.

Au-delà, dans la marina, une Jetée est le point de départ des mini-croisières sur Biscayne Bay. La MGM y organise parfois des expositions-rétrospectives, par exemple sur le Bounty. Le nouveau Hard Rock Cafe a ouvert entre la marina et le pavillon Sud.

Bal Harbour Shops 9700 Collins Ave. Bar Harbour   Tél. (305) 866 0311

La grande classe en fait de Malls, celui-ci est une sorte de version miniature du Worth Avenue à Palm Beach, "ancré" par des grands magasins tels que Sak's Fifth Avenue et Neiman-Marcus de Dallas.

En dépit de son épellation britannique, il n'y a pas de port (harbor), mais le nom a un certain cachet et fait allusion à la villégiature WASP de Bar Harbor dans le Maine, à laquelle faisaient référence les pages "people" de la presse quand elles évoquaient les familles de Park Avenue et de Bar Harbor.

Ce Mall est particulièrement apprécié des riches acheteurs latino-américains qui viennent ici deux fois par an ou, mieux, ancrent leurs yachts à quelques mètres de là et font du shopping Jusqu'à risquer le naufrage. Il y a aussi à longueur d'année toute une population de riches retraité(e)s.

Outre les grands magasins, vous trouverez les noms des principaux bijoutiers : Bulgari, Cartier, H. Stern, Tourneau et Tiffany qui a ouvert une boutique à l'automne 93. Les boutiques de cuir s'appellent Coach, Fendi, GoldPfeil, Gucci, Vuitton et Mark Cross. On trouvera bien entendu des boutiques de chaussures et de vêtements pour femmes en quantité renversante : Ungaro, Rodier, Nina Ricci, Laura Ashley, Jaeger, Charles Jourdan, Gianni Versace, North Beach Leather, Polo/Ralph Lauren, Andrea Carrano, Bruno Magli, etc. Et pour les hommes : Brooks Bros, Maus & Hoffman. Accessoires féminins : Ylang-Ylang. Boutiques pour enfants : FAO-Schwartz. Enfin, il y a un bureau American Express réputé être ouvert le week-end (Tél. 865 5959).

Sawgrass Mills Mall
12801 West Sunrise Blvd. Sunrise Fl. 33223   Tél. (305) 846 3450/1 800 FL M
Informations bus : (305) 846 2300.
Lundi-samedi 10h-21h30, dimanche 11h-18h.

Sawgrass Mills prétend être le plus grand "Outlet Mall". En Amérique, le mot outlet désigne un magasin appartenant à une usine ou à une grande marque et où sont vendus soit des stocks défraîchis, de seconde qualité, obsolètes, en surplus, retournés, mal finis soit des invendus, à des prix bien en dessous de ceux pratiqués ailleurs.

On trouvera trois types de lieux de vente à Sawgrass Mills : des stocks d'usine, des invendus au détail ou des discounts traditionnels. Parmi les stocks d'usine viennent les Levi's. Un défaut de fabrication fait qu'ils sont vendus à moitié prix, mais ce prix (22$) suppose que le prix normal est 44$, ce qui est exorbitant pour un jean en Amérique. 22$ pourront vous paraître une affaire, mais si vous prenez le temps de lire attentivement les annonces de soldes dans la presse locale, vous risquez de trouver des jeans de première qualité et en bien meilleur état à 20$.

Sak's Fifth Avenue a aussi une boutique, mais vous pourriez ne pas aimer ce qu'ils n'ont pas réussi à vendre au prix fort.

LE PETIT FUTÉ du MEXIQUE, dans toutes les librairies

Chez Eddie Bauer, J'ai trouvé une version Eddie Bauer du couteau de l'armée suisse qui pouvait rivaliser avec le célèbre modèle original, mais J'ai pu trouver le modèle rouge à un bien meilleur prix (de fait, le meilleur que J'ai Jamais vu) à Sports Authority qui avait aussi d'excellents prix pour les torches Mini-Mag. (Ces couteaux et ces torches sont évidemment en vente dans d'autres boutiques Sports Authority.)

Sawgrass Mills fait presque un mile de long et les bâtiments ont grosso modo la forme d'un alligator dans le ventre duquel se succèdent entre 200 et 240 boutiques, un bureau de change, des fast food, trois restaurants et un cinéma multiplex de 18 salles. Les grandes marques et grands magasins se nomment Marshall's, Sears, Spiegel, Bed, Bath and Beyond et Macy's. Parmi les boutiques présentant un intérêt particulier, Je citerai l'énorme Target Greatland, le centre de soldes d'Ann Taylor (vêtements pour femmes), Benetton, Arrow Shirts (pour hommes), Colours d'Alexander Julian et Geoffrey Beane, le London Fog Factory Store, le Van Heusen Factory Outlet, les boutiques de chaussures Athlete's Foot, Capezio, Charles Jourdan, Etienne Aigner, Payless Shoe Source, Tepee Western Wear, la boutique de céramiques, pots et matériel de cuisine Corning/Revere, les soldes de Jeans de Bugle Boy Factory, Guess de George Marciano et les bagages d'American Tourister.

Aux deux extrémités du Mall, le Sports Food Court et le Hurricane Food Court sont deux grandes surfaces de restauration, chacune avec un Burger King et un restaurant italien, Sbarro (pas d'expresso), mais vous trouverez pas moins de trente autres fast food. Enfin, il y a trois restaurants dans le centre commercial, un chinois, un italien et quelque chose appelé Ruby's Tuesday's.

Bien entendu, on doit noter la présence d'un multiplex de 18 salles. Les séances commencent vers 13h et il y a des matinées à prix réduits. Les séances du vendredi et du samedi soir sont à 3,75$.

Deux bureaux d'informations sont placés à quelque 400 mètres de chaque extremité. L'un d'eux, situé du côté de l'entrée "White Seahorse" (les six entrées principales sont baptisées de noms d'animaux ou de couleurs pour que le public se souvienne de l'accès au parking), a un bureau de change. Le Mall reçoit des clients étrangers et publie des brochures en français, allemand, suédois, portugais et espagnol.

Les visiteurs étrangers qui font un court séjour à Miami trouveront sans aucun doute que Sawgrass Mall est un endroit de bonnes affaires, mais les acheteurs astucieux savent qu'ils pourront trouver aussi bien ailleurs. D'autant qu'il est assez fastidieux de s'y rendre. Si vous faites un court séjour à Miami et que vous vouliez passer l'après-midi au Sawgrass Mall, ce sera du temps bien employé. Curieusement, ceux qui sont à Miami pour plus longtemps hésitent à faire le traJet. En effet, malgré la publicité qui vante la facilité d'accès, le réseau d'autoroutes est complexe, les panneaux indicateurs sont incomplets et les erreurs punies de longs détours.

Situé à l'intérieur des terres à 9 miles de Ft. Lauderdale, Sawgrass Mall est accessible à partir de Miami par le I-75 North Jusqu'au Sawgrass Expressway. Sortir à Sunrise Blvd et rouler pendant 1,5 km vers l'est. Vous pouvez aussi prendre I-95 North Jusqu'à la I-595 direction ouest, et sortir à Flamingo Road direction nord pendant 1,5 km.

Un bus spécial quitte le Delido Hotel à Miami Beach (17th Street - Lincoln Road-et Collins Ave.) à 11h30. Ce "Special Shuttle Bus" s'arrête au Fountainbleau Hotel (44th St. et Collins) à 11h40 ; au Subway restaurant (71st St. et Collins) à 11h45 ; au Sheraton Bal Harbour (96th St. et Collins) à 11h50 ; au Newport Holiday Inn (163rd St.) à12h ; au Marco Polo (194th St. et Collins) à 12h10 et au Hollywood Beach Resort (Hollywood et Collins) à 12h20. Le bus arrive à l'entrée Pink Flamingo (flamand rose) du Sawgrass Mall à 13h05 et quitte l'entrée Yellow Toucan (toucan jaune) à 17h15. Le prix du trajet est de 4$. Le conducteur vous donnera un carnet de coupons de réductions si vous le lui demandez. (Nota : rendez-vous au bureau du magasin situé près du Hurrican Food Court au bout du magasin Sears et prétendez que vous résidez à Miami Beach, vous devriez avoir droit à un retour gratuit. Attention : les bus fonctionnent du lundi au vendredi.)

Un bus identique quitte Ft. Lauderdale à 8h55 (point de départ Howard Johnson Pompano Beach, Atlantic Blvd.).

Aventura Mall 19501 Biscayne Blvd. Aventura   Tél. (305) 935 4222
Du lundi au samedi 10h-21h30, dimanche 11h-18h.
Macy's, Lord & Taylor, JCPenny et Sears "ancrent" ce Mall où stoppe le bus "S" de South Beach.

Dadeland Mall 7535 N. Kendall Drive Kendall   Tél. (305) 665 6226
Lundi-samedi 10h-21h, dimanche 12h-17h30
Quasiment au dernier arrêt du Metrorail (Dadeland North). Cherchez le Shorty's Bar B-Q dans le coin. "Ancré" par le grand magasin floridien Burdines, The Limited and Express, Sak's Fifth Avenue, JCPenny et Lord & Taylor.

The Fall Shopping Center Highway 1 & SW 13t6th St. Kendall   Tél. (305) 255 4570
Lundi-samedi 10h-21h, dimanche 12h-17h.
Durement frappé par Andrew, le seul magasin Bloomingdale's de Miami est actuellement en cours de rénovation. Les chutes d'eau (Falls) artificielles alimentent un étang artificiel autour duquel est bâti le Mall.

The Mall of the Americas 7795 W. Flager Miami   Tél. (305) 261 8772
Lundi-samedi 10h-21h, dimanche 12-18h.
Dans la zone de l'aéroport. Marshall's et un cinéma multiplex de 14 salles.

Miami International Mall 1455 NW 107th Ave. Miami   Tél. (305) 593 1775
Lundi-samedi 10h-21h, dimanche 12h-17h30.
Sears, Burdines, JCPenny.

Cocowalk 1305 Grand Ave. Coconut Grove   Tél. (305) 444 0777
Dimanche-jeudi 11h-22h, vendredi-samedi 11h-24h, restaurants ouverts jusqu'à 3h.
Un public de touristes jeunes pour des marques comme The Gap, The Limited Express, Victoria's Secrets, le meilleur cinéma multiplex de Miami, l'Improv Comedy Club.

BOUTIQUES D'ELECTRONIQUE ET D'ALARMES ——

Spy Shops International
305 Biscayne Blvd. Miami   **Tél. (305) 374 4779 - Fax 374 5405**
Lundi-samedi 9h-18h30.

Une vraie boutique de Miami avec tous les gadgets qu'utilisent les agents et ex-agents de la CIA, les vendeurs de drogue et d'armes, les vigiles, etc. La direction précise qu'ils sont spécialisés dans la surveillance électronique et l'équipement de contre-surveillance, le matériel de police, les alarmes de haute sécurité des douanes, les circuits fermés de télévision, les alarmes-autos, les objets de protection personnelle non-mortels (gaz lacrymogènes, alarmes, etc.), les objets détecteurs et pisteurs, les instruments de surveillance optiques diurnes et nocturnes, les radios de sécurité, les satellites, les ordinateurs, les fax, etc.

Même si tout ce matériel ne vous concerne pas, vous devez visiter la boutique. Parmi les articles les plus récents : les jumelles audio, les jumelles autofocus avec microphone et écouteurs directionnels ultra-sensibles, un objectif de vision nocturne capable de voir à des kilomètres dans l'obscurité totale, des bandes enregistreuses de 10 heures, un microphone de poche sans fil qui peut capter une station FM, un téléphone de poche pour vous prévenir si votre ligne est sur écoute, un brouilleur de sons rendant impossible l'écoute ou l'enregistrement de vos conversations téléphoniques, un téléphone de sécurité qui remplit le même usage, un détecteur de poche qui permet de repérer dans une pièce, sur des gens ou au téléphone du matériel d'écoute clandestin, un revolver produisant une décharge électrique de 90 000 volts qui paralyse un attaquant, un nouveau super gaz, Greenguard, qui peut immobiliser pendant 30 minutes le plus résolu ou le plus enragé des assaillants tout en le marquant de poudre verte, un système d'alarme, Watchdog, capable de déceler les différences de pression dans l'air.

Au fait, leur "business card" porte l'information suivante : *"Dans tout ce que vous faites, mettez Dieu à la première place et Il couronnera vos efforts de succès. "*

U.S. Arms 117 SE 3rd Ave. Miami 33131   **Tél. (305) 371 6844 - Fax 375 0279**
Lundi-vendredi 9h-18h, samedi 10h-17h.

L'un de ces vendeurs d'armes qui pimentent très légalement l'ordinaire de la vie à Miami. Vous y verrez une sélection complète d'armes de poing, de fusils semi-automatiques, de pistolets-mitrailleurs, de gilets pare-balles, de gaz lacrymogènes, de détecteurs de bombes, de gaz neutralisants, de couteaux de collection. La boutique est également dépositaire de motos Harley-Davidson, avec tous les souvenirs et gadgets motocyclistes attachés à cette célèbre marque.

Communications City Corp
175 SE 3rd Ave. Miami   **Tél. (305) 579 9709 - Fax 579 9805**
Lundi-vendredi 9h30-18h, samedi 10h-16h.

Systèmes de téléphones à très longue portée, matériel de communication naval et aéronautique (Yaesu, Icom, Motorola).

Computer and More Consultants
455 Lincoln Road Miami Beach   Tél. (305) 534 0999 - Fax 534 0903.
Il n'y a qu'un comptoir pour l'informatique, mais c'est le seul endroit à Miami Beach où acheter du matériel (disquettes, logiciels, etc.) Téléphoner pour les horaires et demander Alvo Dominguez.

Mr. David Electronics 527 Lincoln Road Miami Beach   Tél. (305) 531 8521
Tous les jours 10h-18h.
Petit matériel d'électronique à bons prix.

Miami Beach Discount Center
1608 Washington Ave. Miami Beach   Tél. (305) 674 9958
Une montre pour 10$.

BOUTIQUES DE VETEMENTS

South Beach Clothing Co. 760 Ocean Drive Miami Beach   Tél. 672 2263
Lundi-Jeudi 11h-22h, vendredi-samedi 11h-23h, dimanche 11h-21h.
Située en fait sur 8th Street, c'est la boutique des tee-shirts et des fringues marrantes pour les "addicted" du shopping.

Elements 661 Washington Ave. Miami Beach   Tél. 534 3815
Dimanche-Jeudi 12h-23h, vendredi-samedi 12h-minuit.

Ete 1419-A Washington Ave. et 714 Lincoln Road Miami Beach   Tél. 672 2972.
Lundi-Jeudi 11h-20h, vendredi-samedi 11h-23h, dimanche 11h-19h.
Tee-shirts de luxe.

Meet Me in Miami 1201 Washington Ave. Miami Beach   Tél. 538 8780
Lundi-Jeudi 11h-22h, vendredi-samedi 11h-23h, dimanche 14h-20h.
S'ils créaient une chaîne de boutiques vendant de curieux objets fétichistes en cuir, voilà à quoi cela ressemblerait et voilà ce qu'on y trouverait : du fétichisme safe et du sado-masochisme de masse. Un premier pas avant d'entrer dans une des boutiques où vous faire percer le bout des seins.

Out of the Closet 811 Washington Ave. Miami Beach   Tél. 673 1848
Lundi-Jeudi 11h-22h, vendredi-samedi 12h-24h, dimanche 12h-18h.
Vêtements créatifs et originaux. Des T-shirts faits main d'excellente qualité.

Diamonds and Chicken Soup 828 Lincoln Road Miami Beach   Tél. 532 7687
Tous les jours 11h-19h30.
Accessoires et bijouterie d'une certaine originalité. Des vêtements peints à la main de 40 à 250$. Des vêtements pré-fétichistes qui aujourd'hui sont à peine excentriques. Avec un tel nom, que pouvez-vous espérer ?

Carol Rollo 640 Collins Ave. Miami Beach   Tél. 672 0002
La chaîne de vêtements soldés avec des annexes à New York, Westhampton et North Miami Beach. Vêtements de mode semi-fétichistes avec des grands noms : Lacroix, Gaultier, Hamnet, Mugler, et consort.

Armani Exchange A/X 760 Collins Ave. Miami Beach   Tél. 531 5900
Lundi-samedi 10h-21h, dimanche 10h-19h.

Les Jeans Armani : pas de prix et un paquet de chichis. Aucun prix dans la boutique et un personnel minimaliste qui s'offense si vous leur faites décrocher un vêtement et se ferme si vous posez une question. Cela dit, parler est tout à fait superflu à cause de la musique rock à rendre sourd un œuf. On a l'impression que l'endroit existe seulement pour que de vieux messieurs fassent plaisir à leur giton.

Recycled Blue 1507 Washington Ave. Miami Beach   Tél. 538 0656
Des Levi's authentiques mais antiques à 10$, des bottes de cowboy usées, chères.

Coquette 730 Washington Ave. Miami Beach   Tél. 534 1937
Mardi-dimanche 13h-21h. Parfois ouvert après minuit le week-end.
Vêtements pour femmes ultra-collants. Les hanches larges et les postérieurs généreux n'ont pas besoin de franchir la porte.

db Dungarees 834 Ocean Drive Miami Beach   Tél. 538 2884
Tous les jours 11h-2h.

Des jeans de grande classe. Certains prix sont absurdes, comme les shorts denim à 45$, ou les chemises de cowboy à 112$, mais les vestes en cuir excellemment travaillées sont vendues à la moitié du prix habituel.

The Mustang Shop 1600 Washington Ave. Miami Beach   Tél. 538 1234
Lundi-jeudi 10h-19h, fermé mercredi, jeudi 10h-20h, vendredi 10h-19h, samedi 10h-20h.
Vêtements de sport pour hommes jeunes. Découvrez la mode des rues des jeunes des classes moins favorisées avant que les grands "designers" ne s'en emparent pour la vendre dix fois plus cher.

La Troya 1419 Washington Ave. Miami Beach   Tél. 538 9445
Lundi-samedi 12h-20h, dimanche 13h-19h.
Des habits bizarres, même selon les critères de South Beach. La boutique est dédiée aux femmes piégées dans des corps d'hommes forts.

Betsey Jonhson 1419 Washington Ave. Miami Beach   Tél. 446 5478
Lundi-samedi 11h-19h, dimanche midi-18h.

805 Washington Ave. Miami Beach   Tél. 673 0023
Lundi-jeudi 11h-19h, samedi 11h-21h.
Deux boutiques d'une marque populaire de prêt-à-porter.

Cy Clyde 1661 Collins Ave. Miami Beach   Tél. 538 0426
Lundi-vendredi 8h30-20h, samedi 10h-14h.
Le descendant dans la ligne directe du style balnéaire baroque de Miami Beach. Chaussures et ceintures blanches, audacieuses chemises imprimées au col en V, négligés aux teintes non-naturelles, panamas marron clair avec des rubans pastel.

Brewski's Sports 3133 Coconut Grove   Tél. 442 1517
Dimanche-jeudi 11h-22h, vendredi-samedi 11h-minuit.
Malgré son nom, la boutique vend des tee-shirts et autres souvenirs avec le logo de différentes marques de bières.

ANTIQUITES

N'oubliez pas qu'à Miami on appelle "antiquité" tout ce qui provient des années 50. Les objets des années 30 et 40 sont des pièces de musée. Un article populaire était la Sansonite verte avec laquelle ma mère venait à Miami Beach dans les années 60.

Last Tango in Paradise 1214 Washington Ave. Miami Beach　　Tél. 532 4228
Tous les jours 14h30-22h ou plus tard ou plus tôt.
Tout simplement la meilleure boutique d'"'antiquités" vestimentaires à Miami Beach. Les horaires sont incertains à l'extrême.

One hand Clapping 423 Espanola Way, Miami Beach　　Tél. 552 0507
Lundi-samedi 14h-20h.
Tissus "antiques" (années 40/50) à 45-125$ la pièce.

Fabulous Finds of Miami Beach
1657 Drexel Ave. (Lincoln Road) Miami Beach　　Tél. 674 0118
Lundi-samedi 11h-18h.
Habits et accessoires. De petits prix et une bonne sélection, mais la qualité est soit précieuse soit infâme selon les goûts et les arrivages.

Merel's Closet 650 Lincoln Road Miami Beach　　Tél. 672 6375
Tous les jours 13h-21h, sauf peut-être le dimanche.
Vieux vêtements, costumes, arrivages d'articles divers.

Well Designed 1241 Washington Ave. Miami Beach　　Tél. 538 1408
Lundi-samedi 13h-19h.
Meubles et objets de décoration, bakélite, années 50.

Terri's Treasures 743 Lincoln Road Miami Beach　　Tél. 534 3322
Tous les jours 13h-20h.
Habits d'époque, bijoux, accessoires et meubles.

Morgenstern's Inc. 2665 Coral Way Miami　　Tél. 854 2744
Lundi-samedi 11h-16h.
Des mètres et des mètres de tableaux peints par des Latinos-Américains à la manière des peintures religieuses du XVIIe siècle espagnol, et des bijoux et antiquités "hispaniques".

Debris 630 Lincoln Road Miami Beach　　Tél. 673 2236
Lundi-samedi 11h30-22h30, dimanche 12h-22h.
Antiquités, habits, bijoux, meubles.

Encore Shop 2325 Salzedo St. Coral Gables　　Tél. 444 2660
Lundi 10h-16h, mardi-samedi 10h-16h.
Un magasin de dépôt d'une ligue de juniors, aussi risquez-vous d'y trouver des vêtements dépassés terriblement bon goût à des prix ridiculement bas.

ARTISANAT ETHNIQUE

Reggae Vibes 233 12th St. Miami Beach　　Tél. 538 1805
Dimanche-jeudi 11h-21h, vendredi-samedi 10h30-minuit.
Objets des Caraïbes, musique reggae, tee-shirts.

Tafa 3111 Grand Ave. Coconut Grove   Tél. 443 5131
Dimanche-mardi 12h-20h, mercredi-samedi 12h-minuit.
Artisanat africain, objets provenant des Caraïbes.

Hail Mary 415 Washington Ave. Miami Beach   Tél. 534 2595
Lundi-samedi 10h-18h30, dimanche 14h-20h.
Articles du Sud-Ouest américain, essentiellement des meubles mais aussi de l'art et de l'artisanat. Style Santa Fé.

The Maya Hatcha 3058 Grand Ave. Coconut Grove   Tél. 443 9040
Lundi-samedi 11h-19h, dimanche 13h-19h.
Artisanat mexicain, tissus balinais.

Chichen Itza 1911 Ponce de Leon Blvd. Coral Gables   Tél. 567 9755
Lundi-samedi 11h-20h.
Excellente collection d'artisanat mexicain de qualité. Les prix sont élevés mais corrects.

BOUTIQUES MODE WESTERN

Cowboy Center N. W. 79th St. Miami   Tél. 691 6605
Lundi-samedi 9h30-17h.
La meilleure boutique de Miami tant pour s'habiller à la cowboy que pour l'équipement d'équitation. Ils ont là tout un stock de vêtements originaux des années 60, des chemises de cowboys à fleurs, et des jeans à pattes d'éléphant aux prix originaux. En matière d'équipement, le choix est large et les prix réalistes. Accordez-vous quelques heures pour passer ce magasin au peigne fin. Demandez à voir le stock dans l'arrière-salle.

J.W. Cooper & Outside 3015 Grand Ave. Cocowalk Coconut Grove   Tél. 441 1380
Lundi-jeudi 11h-22h, vendredi-samedi 11h-minuit.
Tout ce qui fait un cowboy heureux, dont de magnifiques vestes en cuir de Santa Fé à 2 000$. Des Levis flambant neufs au prix coûtant, des jeans usagés plutôt chers et des bottes de cowboy usées vendues à plus de 350$.

Karz Western Wear & Leather Goods 108 West Flager St. Miami   Tél. 374 5475
Lundi-samedi 9h30-17h30.
Articles classiques du genre western si vous vous rendez Downtown : la boutique se situe en face du Cultural Center.

DECORATION

The Deco Collection 717 Washington Ave. Miami Beach   Tél. 532 4231
Tous les jours 11h-18h.
Boutique et galerie, c'est l'endroit idéal pour l'amateur d'Art déco qui y trouvera livres, cartes postales, posters, et une bonne sélection de façades d'hôtels en plastique (de 26 à 30$).

Miami Design Preservation League 1244 Ocean Drive Miami Beach   Tél. 672 4319
Tous les jours 11h-22h.
Tous les livres, tee-shirts et autres souvenirs traitant de l'effort de préservation du quartier Art déco de South Beach. Demandez les vieux tee-shirts Déco Week-End qui sont très bon marché.

PHOTO

Worldwide Photo 219 7th Street, Miami Beach   **Tél. 672 5188 - Fax 672 5193**
Lundi-samedi 9h-18h, dimanche (haute saison) 9h-17h, (été) 9h-12h.
La boutique des photographes professionnels de Miami Beach. Kodak.

Milo Photo Supply
2105 Ponce de Leon Blvd. Coral Gables   **Tél. 1 800 432 2384/446 0855.**
Lundi-vendredi 9h-17h30.
Sans doute la meilleure adresse à Miami. Dépositaire Kodak.

Voyez aussi Power Records et Fedco Discount pour des prix intéressants sur la pellicule, Walgreen Drugs pour de bons tarifs de développement.

MUSIQUE

Revolution Records 1620a Alton Road Miami Beach   **Tél. 673 6464**
Lundi-samedi 12h-20h, dimanche 12h-13h.

Yesterday and Today Dance Music 1614 Alton Road Miami Beach   **Tél. 534 8704**
Tous les jours 12h-20h.
Disques, cassettes et CD de musique de danse (Disco).

Power Records 1549 Washington Ave. Miami Beach   **Tél. 531 1138**
Lundi-samedi 10h-21h30, dimanche 13h-21h.
Une bonne sélection de musique pop et latino contemporaine, mais la grande attraction est le prix le plus bas de Miami pour de la pellicule-photo Kodak (avec date limite légèrement dépassée, il est vrai).

Blue Note Records 16401 NE 15th Ave. North Miami Beach   **Tél. 940 3394/7342**
Tous les jours 10h-21h, dimanche 12h-18h.
La boutique de Miami pour le blues, le jazz, le rock n' roll, etc.

Uncle Sam's Musicafe 1141 Washington Ave.   **Tél. 32 0973**
Dimanche-jeudi 12h-1h, vendredi-samedi 12h-2h.
CD, posters, shirts, un billard et un bar avec une bonne sélection de bières étrangères et de "smart drinks". Le choix est de qualité, sans trop insister sur les objets de "culte". Disco, rap, hip hop et techno rock à vous briser les oreilles.

Kitaro Music Shop 320 SE First St. Miami   **Tél. 375 9118/371 7907**
Lundi-vendredi 9h-19h, samedi 9h-16h.
Tous les instruments de musique : guitares, amplificateurs, cuivres, percussions, synthétiseurs, bandes son, matériel d'enregistrement.

TOUT POUR LA PLAGE

Tommy on the Beach 480 Ocean Drive Miami Beach   **Tél. 538 5717**
Lundi-jeudi 11h-19h, samedi-dimanche 11h-20h.
Matériel de plage avec une touche fétichiste.

Gloewear Swim & Surf 54 Ocean Drive Miami Beach   **Tél. 538 4187**
Tous les jours 10h-18h.
La plage, pour les jeunes.

Beach Bum Surf Shop 804 Ocean Drive Miami Beach　　　　Tél. 532 2866
Lundi-Jeudi 10h30-19h, vendredi-samedi 12h-21h, dimanche 12h-18h.
Le même type. Une autre adresse à Coconut Grove : 2990 McFarlane Road.

Blue Man on the Beach 804 Ocean Drive Miami Beach　　　　Tél. 674 0942
Tous les Jours 11h-21h, sauf mercredi et dimanche 11h-19h.
Des maillots de bain du Brésil vraiment exotiques. Seront-ils encore à la mode quand une population vieillissante et plus conservatrice préférera se couvrir davantage ? Souvenez-vous, quand tout le monde s'inquiétait du sida, les Brésiliens nous apportaient la lambada.

Bikini Village 125 5th St. Miami Beach　　　　Tél. 538 4006
Lunettes de soleil, maillots de bain, patins à roulettes (loués 5$ l'heure, 25$ la Journée, 30$ nuit comprise). Leçons de patin au 933 6113.

Fritz's Skate Shop 117 5th St. Miami Beach　　　　Tél. 532 0054
Tous les Jours 10h-19h30.
8$ pour une location de 24h. Leçons privées. Location de rollerblades seulement.

Spokes on the Beach 601 Fifth St. Miami Beach　　　　Tél. 672 2550
Mardi-samedi 10h-19h, dimanche 10h-18h30.
Location de bicyclettes (3$ l'heure,15$ la Journée, 50$ la semaine).

Cycles on the Beach 713 Fifth St. Miami Beach　　　　Tél. 673 2055
Tous les Jours 10h-19h.
Mêmes tarifs que le précédent, 40$ la semaine.

The Bicycle Shop 824 Washington Ave. Miami Beach　　　　Tél. 672 5582
Lundi-vendredi 9h30-18h, samedi-dimanche 11h-16h.
Encore mieux que le précédent : 35$ la semaine.

Spokes in the Grove 3488 Main Highway Coconut Grove　　　　Tél. 446 6100
Mardi-samedi 10h-20h, dimanche-lundi 10h30-18h30.
Personnel hostile aux touristes qui posent trop de questions. Néanmoins, ils louent des bicylettes aux tarifs dégressifs suivants : 25$ la Journée, 15$ par Jour + de 2 Jours, 10$ par Jour + de 3 Jours.

Sportstop 231 E. Flager Miami　　　　Tél. 374 2736
Lundi-samedi 9h30-19h, dimanche 10h-18h.
Plongée, windsurf, matériel électronique, cartes, instruments de navigation, etc.

Sportsman's Paradise 3119 Coral Way Coral Gables　　　　Tél. 445 8883
Lundi-samedi 10h-21h, dimanche 11h-17h.
Vêtements de plongée.

Upwind Surfing 430 South Dixie Highway Coral Gables　　　　Tél. 669 3085
238 Biscayne Blvd. Miami　　　　*Tél. 374 8221*
Windsurf, skateboards, surfboards, skis nautiques, vêtements de sport.

Roland Your Hatter 115 SE First Ave. Miami
Y a intérêt à avoir un chapeau pour se couvrir le chef et la figure du soleil.

South Beach Eyes 760 Ocean Drive Miami Beach Tél 538 9966
Lundi-Jeudi 11h-20h, vendredi-samedi 11h-22h, dimanche 11h-19h.
Lunettes, prescriptions et autres.

ALIMENTATION —————————————————

Wooley's Fine Foods 520 Collins Ave. Miami Beach   **Tél. 532 1141**
Ouvert 24h/24.
N'espérez pas y trouver des plats pour gourmets, ce n'est qu'un supermarché et
les prix ne sont pas plus bas que dans les plus petites boutiques, mais c'est
toujours ouvert et il y a un choix important d'articles d'épicerie. Les employés
qui travaillent la nuit sont désagréables au possible, aussi n'hésitez pas à faire
appel au manager. Toutes choses considérées, cela reste la meilleure adresse
pour faire des achats très nocturnes. Toutes cartes de crédit acceptées.

Washington 10551 Supermarket   **Tél. 531 1182**
L'adresse est comprise dans le nom.

Art Deco Supermarket   **Tél. 532 7395**
Lundi-samedi 7h-3h30, dimanche 7h-23h.
Fendez-vous d'un coup de fil pour connaître l'adresse et vous aurez droit à du
bon pain cubain tout chaud à toute heure.

Epicure Market 1656 Alton Road Miami Beach   **Tél. 672 1861**
Lundi-vendredi 10h-19h, samedi-dimanche 9h-18h. Ouvert plus tard en hiver.
Un grand supermarché avec un grand rayon épicerie : spécialités étrangères et
américaines, fruits et légumes, une bonne sélection de vins. Cher.

The Compass Market 860 Ocean Drive Miami Beach   **Tél. 673 2906**
Dimanche-Jeudi 8h-minuit, vendredi-samedi 8h-1h.
Situé au sous-sol du Waldorf Towers Hotel. L'épicerie prépare des sandwichs,
des jus de fruits pressés, on vous sert du café et on vous vend des fromages.
Plats à emporter. Service de fax, de photocopies, vente de timbres, centre de
presse avec magazines étrangers (et français, en particulier de mode), et une
boutique de vins dont il vaut mieux ne rien dire. Mais c'est ouvert jusqu'à
minuit. Ils vendent aussi le très nécessaire tire-bouchon à 1$.

Lyon Frères (marché français) 600 Lincoln Road Miami Beach   **Tél. 534 0600**
Lundi-Jeudi 8h30-22h, vendredi-samedi 8h30-23h.
Une épicerie vraiment satisfaisante avec une bonne sélection de vins (et
dégustation gratuite le vendredi), expresso à 1,25$, doubles à 2$, baguettes à
1,50$, salades préparées, fromages, et un choix d'eaux en bouteilles. Le seul
problème est la propension américaine à transformer ce type de magasin en
musée.

Le Chic (boulangerie française) 1043 Washington Ave. Miami Beach   Tél. 673 5522
Lundi-samedi 7h-18h, dimanche 7h-14h.
Les bonnes grosses baguettes sont à 1,50$, l'expresso est à 85 cents. Pas le
premier choix et pas d'ambiance, mais un bon endroit où avoir sa dose matinale
de caféine sans se soucier du spectacle.

Richard Fruit Entreprises 1359 Washington Ave. Miami Beach   Tél. 538 8355
Lundi-samedi 7h-2h, dimanche 7h-minuit. Le bar à fruits ferme à 20h30 ou plus tôt.
Un magasin de style latino avec des fruits frais pressés et des plats à commander. Coupe de fruits (1$).

Health Food Store 607 Washington Ave. Miami Beach   Tél. 532 3395
Lundi-samedi 9h-20h, dimanche 11h-20h.
Le meilleur diététicien de Miami. Son propriétaire, le docteur Khan, qui est chiropracteur, est une figure légendaire de Miami Beach et on peut le voir presque tout le temps dans sa boutique.

Laurenzo's Italian Center
16385 W. Dixie Highway North Miami Beach   Tél. 945 6381
Lundi-samedi 7h-19h, dimanche 7h-18h.
L'alternative (sans snobisme) à une épicerie version Miami. Une intéressante sélection de vins, fromages, pâtes, pâtisseries, pains, plats froids, salades préparées. Le magasin de légumes et de fruits est ouvert entre 7h et 18h.

Heartland 16 Miracle Mile Coral Gables   Tél. 445 3220
Lundi-samedi 9h30-18h, dimanche 12h-17h.
Le centre des vitamines et de la vie saine à Coral Gables.

Indian Grocery 2342 Douglas Road Coral Gables   Tél. 448 5869
Lundi-samedi 11h-19h.
Un peu de piments.

Fedco Discounts 1605 Washington Ave. Miami Beach   Tél. 531 7307
Lundi-samedi 8h30-21h, dimanche 8h30-17h.
Le drugstore le moins cher de Miami Beach. Vous y acheterez de la pellicule Kodak fraîche à meilleur prix qu'ailleurs, des chocolats importés, du dentifrice, des brosses à dents, des brosses à cheveux, des lotions solaires...

CLEANER

North Beach Cleaners 7138 Abbott Ave. Miami Beach   Tél. 866 3131
Lundi-vendredi 7h-18h, samedi 8h-18h.
De réputation le meilleur pressing de Miami Beach. Un peu plus cher cependant que les autres.

TATOUAGES

Tattoos by Lou 231 14th St. Miami Beach   Tél. 532 7300
Lundi-samedi 12h-minuit, dimanche 13h-18h et au-delà.
Votre tatouage pour 25$ et plus.

TABACS & CIGARES

Liborio Cigars Tobacco Shop 9520 Harding Ave. Surfside   Tél. 865 0015
Lundi-vendredi 9h30-17h30, samedi 9h30-17h.
Des cigarettes françaises pour les accros, mais surtout des cigares avec de très bonnes trouvailles sur les fins de séries. Commande par la poste.

Smoke Shop II Omni International 1601 Biscayne Blvd. Miami   Tél. 358 1886
Tous les Jours 10h-21h.
Cigarettes françaises, cigares, pipes, tabacs.

King's Treasure Tobacco Bayside Marketplace
401 Biscayne Blvd. S144 Miami   Tél. 1 800 258 5593 - Fax 374 5593
Lundi-samedi 10h-22h, dimanche 10h-20h.
Cigarettes françaises et européennes, pipes, tabacs, et une excellente sélection
de cigares, les meilleurs étant humidifiés.

Zelick's Tobacco Corp. 326 Lincoln Road Miami Beach   Tél. 538 1544
Lundi-samedi 9h-20h30.
Cigares, pipes, tabacs, cartes à jouer, tickets de loterie, Metropasses, Jetons.

El Credito 1106 SW 8th St. Miami
Cigares roulés main dans la vraie tradition cubaine.

OCCULTISME

The 9th Chakra 817 Lincoln Road Miami Beach   Tél. 538 0671
Lundi-Jeudi 12h-19h, vendredi-samedi 12h-20h, dimanche 14h-18h.
Consultations, encens, huiles, cristaux, livres, tee-shirts et autres ingrédients
New Age.

1618 Ponce de Leon Blvd. Coral Gables   Tél. 441 1618
Lundi-samedi 10h-19h.
Livres ésotériques, tarots, cristaux...

CARTES POSTALES

Fab-u-lous 1251 Washington Ave. Miami Beach   Tél. 532 1856
Lundi-vendredi 10h-20h, samedi 12h-20h, dimanche 14h-20h.
Cartes postales, papier à lettres en face de la grande poste de Miami Beach.

VOITURES D'OCCASION

South Beach Classics 1130 5th St. Miami Beach   Tél. 673 3838
Tous les Jours 9h-20h.
Excellente sélection de classiques américains, en particulier de l'après-guerre.
L'Auburn Speedster type 851, la Cadillac Biarritz 1957, la Buick Skylark 1954 entre
autres. De nombreuses Ford Cobra authentiques ou en reproduction. L'endroit
vaut le détour si on est passionné, même si tous les véhicules ne sont pas à
vendre.

SEXE

Condomania 758 Washington Ave. Miami Beach   Tél. 531 7872
3066 Grand Ave. Coconut Grove   Tél. 445 7729
Lundi-Jeudi 11h-minuit, vendredi-samedi 11h-2h, samedi 12h-minuit.
Des condoms (= préservatifs) de toutes formes, tailles, couleurs et goûts, plus
des stimulants et jouets habituels.

Heretic 530 Lincoln Road Miami Beach   Tél. LEATHER
Lundi-Jeudi 10h-22h, vendredi-samedi 10h-minuit, dimanche 14h-22h.
This is THE fetish sex fashion shop in Miami Beach. Pourquoi amener votre fouet
de France si vous pouvez en trouver un neuf ici ? Rien ne dit Je t'aime comme
un bon coup de fouet. Les meilleures mains pour fesser, enchaîner, décalotter,
masquer. Magazines, godemichets, sous-vêtements à manger, etc. Ils peuvent
percer n'importe quelle partie du corps et y mettre quelque chose. Pour le
fétichiste sérieux ou pour le touriste qui veut voir.

GW (Gay West) 718 Lincoln Road Miami Beach   Tél. 534 4765
Lundi-samedi 11h-22h, dimanche 11h-20h.
Gay West, young man ! The Gay Gift Shop... . Bref, le plus complet de Miami Beach
avec jouets, souvenirs, godemichets, pompes pour gonfler le pénis, livres,
magazines, vidéos, objets sado-maso, tee-shirts, etc.

Pink Pussycat Boutique 3094 Fuller St. Coconut Grove   Tél. 448 7656
Dimanche-Jeudi 10h-minuit, vendredi-samedi 10h-2h.
Jouets pour adultes, lingerie sexy, photos cochonnes, livres, poupées
gonflables. Une orientation résolument plus hétérosexuelle que les sex shops
de South Miami. Réductions de 50 % sur les lotions et crèmes.

LIBRAIRIES

B. Dalton 3015 Grand Ave. Suite 230 Cocowalk Coconut Grove   Tél. 444 5143
Dimanche-Jeudi 11h-23h, vendredi-samedi 11h-1h.
Peut-être la meilleure sélection de livres sur la Floride à Miami. Une autre
librairie au Omni Center Mall.

Books and Books 296 Aragon Ave. Coral Gables   Tél. 442 4408
Lundi-vendredi 10h-20h, samedi 10h-19h, dimanche 12h-17h.
La meilleure librairie dans la zone de Miami. L'endroit a toutes les nouveautés, et
reste souvent ouvert tard le soir pour des lectures et des signatures d'auteurs.
Un rayon de livres rares au premier étage avec des exemplaires signés et des
premières éditions à prix raisonnables, ainsi que des livres d'art. Il y a une autre
boutique, beaucoup plus petite, au 933 Lincoln Road Miami Beach, Tél. 532 3222.

Americana Bookshop 175 Navarre Ave. Coral Gables   Tél. 442 1776
Lundi-samedi 10h-17h.
Une librairie brillante spécialisée dans la "non-fiction", c'est-à-dire les essais et
les documents. Essentiellement la guerre et l'époque napoléonienne. Magazines
et littérature érotique.

Gables Booksellers 345 Miracle Mile Coral Gables   Tél. 446 7215
Lundi-samedi 10h-18h.
Livres d'occasion, quelques livres de poche en français.

Book Depot 1638 Euclid Ave. Miami Beach   Tél. 538 9666/1 800 438 2750
Lundi-mercredi 9h-..., samedi-dimanche n'importe quand. Bref, alternatif.

Senda Publishing 3191 Coral Way Suite 115D Coral Gables   Tél. 441 1120
Livres en espagnol traitant de Cuba, de politique, de littérature, de culture...

DÉCOUVREZ LE MEILLEUR DE L'AMERIQUE

★

DISCOVER AMERICA CAR PASS

AVEC HERTZ

PLUS DE 800 STATIONS PARTICIPANTES AUX USA

LE SEUL SYSTEME DE COUPON DE LOCATION DE VOITURE VALABLE A LA JOURNÉE, SANS MINIMUM DE LOCATION DANS UNE MÊME VILLE

145 F

Catégories A et B
en FLORIDE
Tarif sujet à modification

Prix par jour / voiture • Kilométrage illimité
• C.D.W. (rachat de franchise) INCLUSE
• Taxes locales à payer sur place

Discover America Marketing

RENSEIGNEMENTS ET RESERVATIONS : 45 77 10 74

Mosaïc - 47 69 99 49

ESCAPADES

Vous découvrirez que Miami est une excellente base de départ pour une grande variété de voyages en et hors de la Floride. Ainsi pourrez-vous faire des croisières d'une journée aux Bahamas. Des déplacements sur la côte ouest de l'Etat, à Cape Canaveral, Orlando, aux Everglades et aux Keys sont également réalisables en un ou trois jours, tout en profitant de circuits organisés par bus. Communiez avec la nature !

DADE COUNTY

Biscayne National Park
Ce parc national est ouvert de 8h au coucher du soleil. Le Visitor's Center (Tél. (305) 247 PARK) est ouvert de 8h30 à 17h. Entrée gratuite.

On atteint Biscayne Park via Homestead. Le parc occupe une grande partie du bas de la Biscayne Bay. Le Visitor's Center à Convoy Point propose tous les jours à 10h une visite de trois heures en bateau à fond de verre (adultes 16,50$, enfants - 12 ans 8,50$). On peut faire également de l'exploration sous-marine (avec masque ou avec bouteille) à 13h30. Le "Snorkel and Scuba Tour" dure 4 heures et commence à 13h30 (27,95$ pour le snorkemong = masque et tuba fournis 34,50$ pour le Scuba = plongée avec bouteilles, mais l'équipement n'est pas fourni). Il y a aussi des canoës à louer, 10$ pour deux heures, 5$ l'heure supplémentaire.

Greynolds Park 17530 West Dixie Highway, North Miami Beach
Plus près que le précédent, ce joli petit parc alimenté par une cascade, est proche d'un Deli italien et d'une boutique de disques rares. Une visite spéciale permet d'observer les oiseaux ((de novembre à juin, le mardi soir). Pour plus d'informations, contacter le Dade County Department of Parks and Recreations au (305) 662 4124, tous les jours de 9h à 17h.

Les amateurs d'oiseaux peuvent aussi contacter la Tropical Audubon Society, 5530 Sunset Drive, Tél. (305) 666 5111, lundi-vendredi 9h-13h, et le Sierra Club, Tél. (305) 667 7311. La Native Plant Society organise une réunion au Fairchild Tropical Gardens une fois par mois le quatrième mardi du mois. Tél. 255 6404.

LES EVERGLADES

Les limites de Miami-City jouxtent de fait les Everglades. SW 8th Street, la "grand rue" du quartier de Little Havana, est la limite est du Tamiani Trail, le Highway Trans Everglades qui traverse la Floride de la côte Ouest jusqu'à Miami. La ville s'est étalée au sud et à l'ouest jusqu'à atteindre la grande "River of Grass", comme on l'appelle. Les transports publics permettent désormais d'atteindre une réserve indienne dans les Everglades (un trajet assez fastidieux sans aucun doute).

Il existe trois points d'entrée aux Everglades. Royal Palm est situé à l'ouest de Florida City, au sud de Miami dans le voisinage de Homestead. L'entrée du milieu, Shark Valley, se situe juste au-delà du Tamiani Trail, à l'ouest de Miami. Tout à l'ouest, juste en dehors d'Everglades City, au Golf Coast Visitor Center se trouve le portail ouest.

Il convient de signaler que les Everglades ont reçu de plein fouet la violence d'Andrew et que le parc a désormais la topographie d'un paysage lunaire. La verdure exubérante s'est transformée en un bourbier brun où des kilomètres carrés de forêt ont été réduits à l'état d'allumettes. Encore faut-il voir ceci non comme un désastre, mais comme la manifestation d'une nécessité naturelle, un moyen qu'a la nature de nettoyer son environnement. Avant Andrew, des naturalistes s'interrogeaient sur les effets que pourrait avoir sur l'éco-structure complexe des Everglades l'absence d'ouragan durant un quart de siècle, surtout si on considérait l'effet négatif qu'un développement continuel pouvait représenter sur la "Sea of Grass". Puis vint Andrew et avec lui le processus de renouveau en mouvement. Aujourd'hui, les naturalistes sont déconcertés par les effets de l'ouragan. Sous les arbres abattus, les buissons grandissent sans être répertoriés. Une période sèche signifierait-elle la possibilité d'une grande conflagration ? Une telle conflagration est-elle nécessaire pour rendre au sol certains minéraux qui lui sont nécessaires ? Quels arbres finiront par dominer le Grand Marais (the Great Swamp) : les espèces locales, les essences exotiques importées, l'anciennement dominant (et étranger) pin d'Australie ? Alors que les Everglades peuvent apparaître à l'observateur superficiel comme le triste fantôme de ce qu'elles étaient, au connaisseur elles offrent l'opportunité rare d'observer une période très particulière dans l'évolution du plus grand marécage des Etats-Unis.

Flamingo Visitor Center

Si vous regardez une carte de la Floride, vous noterez qu'une route au départ de Homestead traverse les étangs de palétuviers et mène à un point nommé Flamingo, à l'extrémité de l'Etat, dans ce qu'on considère la Baie de Floride (Florida Bay). Ne vous laissez pas abuser. Ne vous attendez pas à prendre le prochain bus pour le sud. Flamingo n'est rien de plus qu'un camp de rangers à la fin de la route.

Mais vous trouverez à Flamingo un centre de visiteurs avec un snack bar-restaurant. Il n'y a pas de logement possible, mais vous pouvez obtenir la permission de camper sur certains sites choisis. Ce n'est pas recommandé. Même les pique-niques ne sont pas particulièrement recommandés. A propos, ne vous ai-je pas parlé des insectes ?

Vous pouvez prendre une tente avec des moustiquaires et des produits anti-moustiques. Vous devrez emporter tout avec vous, y compris de l'eau. Florida City, mais plus vraisemblablement Homestead, sont les derniers patelins où faire des achats. La zone de Homestead a pris un uppercut d'Andrew qui a dévasté les petites villes et ruiné leur économie. Pendant un temps, la loi n'a plus eu cours dans la zone et les gens en parlent avec des termes habituellement réservés aux quartiers les plus dangereux de Miami. Ce qui veut dire : ne traînez pas dans le coin quand le soleil commence à baisser.

Il n'y a pas d'urgence non plus, parce qu'une visite à Flamingo représente une parfaite journée de voyage. Prenez une voiture de location et prévoyez vos horaires, ou partez en tour organisé.

Un bateau de croisière traverse Florida Bay (8$ adultes, 4$ enfants 6-12 ans). Une autre croisière permet de traverser l'arrière-pays (11$ adultes, 5$ enfants). Pour informations, tél. (305) 253 2241, de 7h à 19h.

Au Royal Palm Gate on peut bénéficier d'une visite guidée à pied du Anhinga Trail à travers le circuit des caneaux d'eau courante des marais.

Shark Valley

Le moment fort de Shark Valley est la visite guidée en tram au milieu de la prairie plantée d'une variété de cyprès (8,30$ adultes, 3,65$ enfants - 12 ans). Les trams partent toutes les heures entre 9h et 16h. Pour informations, tél. (305) 221 8455 tous les jours 8h30-18h. On peut aussi louer des bicyclettes.

Gulf Coast Visitor Center

Au cours de l'hiver et au printemps, les Rangers accompagnent les visiteurs dans des balades en canoë sur les rapides de la Turner River. Toute l'année, un bateau fait une croisière sur les étangs bordés de mangrove (10$ adultes, 4$ enfants). Pour informations, tél. 1 800 445 7724.

Corkscrew Swamp Sanctursay

Bien qu'il n'en fasse officiellement pas partie, Corkscrew Swamp s'inscrit dans l'Everglades National Park. Un chemin de 3,5 km entoure les rives de cet étang où cohabitent pas moins de huit éco-systèmes avec le plus important rassemblement en Amérique de cyprès chauves de Virginie. Le lieu, placé sous la garde de la Audubon Society, est situé plus près de Fort Myers sur la côte ouest, plus précisément à l'ouest d'Immokalee, que de Miami. Pour rejoindre Immokalee, prendre le Highway 29 Nord soit du Tamiani trail (US 41) soit de l'Everglades Parkway (IS-75, Alligator Alley, une route à péage). A la sortie d'Immokalee, prendre le Highway 846 direction sud-ouest. L'étang est à 15 miles (23 km). Corkscrew est ouvert tous les jours : mai-décembre 8h-17h, décembre-mai 7h-17h. Entrée 6,50$ adultes, 3$ enfants, 5$ étudiants + 18 ans. Pour informations, tél. (8163) 657 3771.

THE KEYS

JOHN PENNEKAMP CORAL REEF STATE PARK - KEY LARGO

Situé à environ 160 km au sud de Miami, à la tête des Keys de Floride, Pennekam est un parc sous-marin que l'on peut visiter en une seule journée. Le parc est établi sur le principal récif de corail de la Floride, un récif dont la survie est tout à fait problématique : récemment, en 1989, pas moins de trois bateaux s'y sont plantés ! Dans la mesure où les récifs sont formés par la lente accumulation d'organismes vivants (les récifs représentent la plus importante construction due à des organismes vivants sur la planète), ces naufrages représentent des milliers d'années de dégâts.

Le parc se visite tous les jours de 8h au coucher du soleil. Le Visitors Center est ouvert de 8h30 à 17h . On peut faire des balades en bateau à fond de verre (9h30, 12h30, 15h) ; de la plongée sous-marine sans bouteilles (9h, 12h, 15h) ; de la plongée avec bouteilles (9h30, 13h30) et une mini-croisière sur un catamaran de 11 mètres (9h, 13h30). Vous êtes requis d'ariver une heure avant le départ et les réservations sont recommandées (Tél. 305 451 1621). Vous trouverez des coupons de réduction au Reef Tix, North Key Largo Plaza, à environ 1,5 km de l'entrée du parc.

KEY DEER NATIONAL REFUGE
Big Pine Key mile Marker 30,5$.

Ce parc est le refuge d'environ 300 daims des Keys · des daims miniatures dont l'espèce est menacée. Un chemin d'un mile commence avec le Blue Hole, habitat naturel d'alligators. Big Pine Key est localisé à environ 30 miles (48 km) de Key West. Bien que le Key Deer National Refuge puisse être visité dans le cadre d'une excursion d'un jour à partir de Miami (à moins de combiner la visite avec celle de Pennekamp Coral Reef et un arrêt pour la nuit à Long Key), le mieux est de s'y rendre soit en cours de route pour Key West, soit en une excursion à partir de Key West. Le refuge est ouvert tous les jours et l'entrée est libre. Tél. (305) 872 2239.

KEY WEST AND THE DRY TORTUGAS
Key West (la ville la plus au sud du territoire continental américain), n'est généralement pas considéré comme une excursion d'une journée. It's just too much fun to attempt a visit of only some hours. On vient ici pour quelques jours et on y reste des années (et des années). Plus loin au sud se déroule un chapelet d'îlots désertiques dont le plus grand, Dry Tortuga, est dominé par Fort Jefferson, un fort qui, pour n'avoir jamais été achevé, n'en a pas moins servi d'île du Diable des Etats-Unis après la guerre civile. Cependant, ceux qui disposent de plus d'argent que de temps pourront faire l'expérience d'une grande aventure d'un jour au départ de Miami.

La compagnie aérienne Chalks Airline loue des hydravions qui quittent leur base juste au-delà du MacArthur Causeway et amérrissent à Key West moins d'une heure plus tard (départ 8h15). Le vol de retour part à 15h55, ce qui vous donne assez de temps pour faire un tour rapide de l'île, visiter la maison d'Ernest Hemingway, manger un morceau et absorber quelques daïquiris bien glacés. Autre solution, vous pouvez rester dans l'avion qui va faire une boucle du côté de Fort Jefferson (départ 9h25). L'aller-retour Miami-Key West coûte 139$, plongée (snorkeling) incluse. Il existe des excursions spéciales d'un jour de Miami à Fort Jefferson via Key West pour 249$. A Fort Jefferson, vous avez loisir de faire un bon tour dans l'eau avant de retourner à Key West à 14h05. Ce qui vous laisse assez de temps pour vous rendre à la maison de "Papa" Hemingway ou prendre quelques verres avant le retour à Miami à 15h55. Bien entendu, une visite d'une journée à Key West n'est pas recommandée parce que vous tomberez amoureux de l'endroit et regretterez d'avoir à le quitter.

Pour les descendants des pèlerins pour lesquels il n'est de vacances complètes sans un minimum d'auto-flagellation, un bus fait le voyage à Key West dans la journée, ce qui inclut un arrêt à Pennekamp State Park. Ce bus quitte Miami à 7h du matin et est de retour à 21h30. La compagnie Miami Nice organise cette virée. Le bus pour Flamingo part aussi à 7h mais rentre à 23h. Ces balades impliquent la traversée à la file indienne du long Seven Miles Bridge (11 km) et quelque quatre heures de route sur l'autoroute à deux voies (49$ adultes, 25$ enfants 3-11ans). Un séjour d'une nuit sur place peut être organisé avec un retour dans le bus du lendemain. La compagnie A-1 Bus Lines fonctionne quotidiennement (avec surcharge de 126$ pour une chambre simple et 92$ par personne en occupation double pour une nuit à Key West). Les prix sont légèrement plus élevés en février et mars.

Pour plus d'informatioons, voir le chapitre sur Key West et les Florida Keys.

LES BAHAMAS

Ancienne colonie britannique, les Iles Bahamas forment un archipel de 700 îles et 2 000 cays (récifs de corail) qui s'étendent au large de la Floride sur environ 600 miles (900 km) dans l'Atlantique et occupent une surface de 5 400 miles carrés (1 mile carré = 259 ha). La population des Bahamas est de 250 000 habitants, dont 140 000 vivent à New Providence (Nassau) et 40 000 sur Grand Bahama (Freeport).

Ces îles furent repérées par Christophe Colomb durant son premier voyage aux Amériques. San Salvador pourrait bien avoir été le site de son premier accostage sur le Nouveau Continent. Les natifs de l'archipel furent exilés pour devenir esclaves à Cuba et autres îles des Caraïbes. Les Anglais, conscients de leur importance stratégique, réunirent les Bahamas aux Carolines en 1629 et commencèrent leur colonisation en 1647.

Après l'indépendance de l'Amérique, de nombreux loyalistes émigrèrent aux Bahamas et plus encore par la suite, quand la Floride devint une possession américaine. Plus tard encore, bien des capitaines qui s'étaient établis dans les Bahamas choisirent de s'installer à Key West où ils amenèrent littéralement leurs maisons avec eux.

Durant la Seconde Guerre mondiale, les Anglais exilèrent le duc de Windsor aux Bahamas tandis que les Américains y installaient une importante base sous-marine. Les Bahamas sont devenues indépendantes en 1972. Une part non négligeable de l'industrie des jeux clandestins qui avait fui Miami Beach et La Havane a choisi les Bahamas comme terre d'élection. Ajoutons que la proximité de l'archipel des côtes américaines et l'existence de milliers d'îles minuscules ont conduit tout naturellement à de sérieux scandales liés à des trafics de drogue qui ont impliqué des personnalités de plus haut rang. On estime que 11% de la cocaïne importée aux Etats-Unis transite par les Bahamas.

Adam Clayton Powell, le représentant le plus puissant de la communauté noire au Congrès dans les années 50 et 60, passait une bonne part de son temps à Bimini, loin des huissiers. Bimini est le nom de l'île dont Ponce de Leon, qui la découvrit, pensait qu'elle contenait la Fontaine de Jouvence. Il n'y a pas de taxes sur les ventes aux Bahamas et peu de droits d'importation. Cette réputation très légère de libéralité a fait des Bahamas un des lieux de vacances favoris des Américains, qui sont trois millions à s'y rendre chaque année.

Bien qu'un esprit aventureux et entreprenant puisse prendre le risque de chercher des logements privés, les endroits où descendre ne sont pas bon marché. Le mieux que vous puissiez faire, c'est soit de faire une croisière d'un jour, ou prendre l'avion pour la journée (!), soit de choisir un des nombreux forfaits proposés aux touristes. Parfois les vols aériens bon marché sont promus pour remplir les hôtels, parfois on met en avant des hôtels et des vols à tarifs réduits pour amener les visiteurs aux tables des casinos.

Les principales destinations des Bahamas sont Freeport/Lucaya sur Grand Bahama Island, connu pour son casino, ses boutiques, le golf et les sports aquatiques, notamment la plongée ; Abaco, la "capitale de la voile mondiale" ; Bimini...

Seule véritable ville de ces îles, Nassau, la capitale de l'Etat, abrite la moitié de la population du pays et est reliée à Paradise Island, une villégiature assez entraînante avec son casino et ses sports aquatiques. Eleuthera, la colonie britannique originelle, est une île de 180 km de long sur 1 à 2 km de large, réputée pour ses ananas, soi-disant les plus doux du monde, et pour son puissant rhum à l'ananas. Andros, avec récif de corail, le second plus grand de l'hémisphère Nord, est le paradis des plongeurs qui y trouvent les grottes sous-marines les plus profondes et les plus grandes de notre planète.

S'Y RENDRE

Les options pour se rendre aux Bahamas sont nombreuses.

Par avion

Chalk's offre trois vols quotidiens pour Bimini au départ de Miami (8h20, 13h et 16h30). Il est donc possible de faire l'aller-retour dans la journée. Le vol de 10h05 va à Nassau et retour (Bimini 125$, Nassau 160$).

Chalk's Airway - informations générales : 1 800 4 CHALKS - Miami : (305) 371 86 28 - Ft Lauderdale : (305) 359 79 80.

Le Princess Casino à Freeport, sur Grand Bahama, organise des excursions au départ de Miami et de Ft. Lauderdale. Les vols ont lieu à bord des appareils de la compagnie Laker Airways 727. De Miami, les vols en semaine sont à 49$ (45 minutes), et à 55$ en week-end. De Ft. Lauderdale (36 minutes), compter 49$. Le départ a lieu de Miami à 10h15, arrivée à Grand Bahama à 11h et retour à 18h. Les vols sont quotidiens sauf les lundis et mercredis. Il y a un vol nocturne à 19h15h. De Ft. Lauderdale, les départs sont à 9h, retour à 17h15. Les prix ne comprennent pas la considérable taxe de départ (17$ aux USA et 13$ aux Bahamas).

Les excursions comprennent un rabais au restaurant du casino, un carnet de bons de réduction et quelque chose appelé "Casino Match Play" (valeur 25$). Il s'agit d'un livret de mises de 5$ qui peuvent être utlisées avec un montant égal de votre propre argent. La mise minimum au casino est de 5$.

L'option qui consiste à passer une nuit sur place est plutôt chère, 119$ par personne en chambre double. Demandez les tarifs spéciaux où la première personne paie 119$ et la seconde 49$. Cela reste coûteux, mais si vous gagnez au casino... En cherchant, vous trouverez des hôtels proposant des prix plus modérés à Freeport.

Vous pratiquerez sur Grand Bahama les sports nautiques (à Coral Beach, Xanadu Beach et plus particulièrement Lucayan Beach), mais aussi le golf, le tennis, l'équitation, etc.

Le Princess Casino propose ce qu'ils appellent une "Dolphin Experience" (19$). C'est l'occasion de nager avec les dauphins dans une baie peu profonde.

Princess Tours, 1031 Ives Dairy Rd., suite 127, Greater Miami North, Tél. (305) 653 3794/1 800 545 1300. Du lundi au vendredi de 8h à 22h, samedi-dimanche 10h-18h.

Par bateau

Le Carnival's Crystal Palace Resort organise une visite rivale à Nassau.

Croyez-le ou pas, il n'y a qu'un bateau pour faire des croisières d'une journée aux Bahamas. Le Discovery 1 quitte Ft. Lauderdale 4 jours par semaine. Les passagers embarquent à Ft. Lauderdale et à Miami. Le bateau quitte Ft. Lauderdale à 7h45 lundi/mercredi et dimanche et le vendredi à 6h45.

La traversée jusqu'à Nassau dure 5 heures et permet de rester 4 heures sur l'île (à l'exception du vendredi). Le retour a lieu à 18h (16h le vendredi). Le tarif est de 99$, ce qui n'inclut pas les taxes portuaires de 39$ à chaque port. La croisière offre (gratuitement) un buffet de trois plats et le "pick up" des passagers à l'aller comme au retour. Des cabines, des couchettes de pont et des repas sont négociables sur demande. Les personnes du troisième âge ont droit a des réductions.

On mentionnera des croisières avec "dinner-party" les mardis, jeudis et samedis (départ 19h15, retour à 1h15), ainsi qu'une "late night party cruise" le vendredi (32$).

Enfin, des croisières sans destination particulière ont lieu les mardis, jeudis et samedis. Les navires quittent le quai à 10h et sont de retour à 16h30. Le prix est de 37$ par couple et inclut un buffet de deux plats.

Starlight Cruises navigue de Miami à Bimini et Freeport.

Flamingo Tours propose une croisière quotidienne (sauf samedi) pour Freeport. Départ 6h et retour à 23h (99$ + taxes portuaires). Demander le Tour 15. La compagnie a aussi un vol quotidien (99$) : départ 6h30, retour 22h avec une visite guidée de Nassau (40 minutes) et le déjeuner (99$). Demander le Tour 18.

Flamingo Tours est situé : 17386 Biscayne Blvd. Miami 33160   Tél. (305) 948 3822 - Fax 948 3824.

Nice Tours propose aussi des circuits en bateau et par avion pour les Bahamas. Compter sur les mêmes prix. Le vol pour Nassau avec retour dans la nuit coûte 179$.

Les merveille de l'Homme
CAP CANAVERAL

Le monde entier connaît cap Canaveral. Autant les Soviétiques gardaient secrètes leurs bases spatiales, autant les Américains ont rendu célèbre la leur. C'est ici qu'ont été entreprises les actions qui ont stupéfié le monde, je veux dire les premiers pas de l'homme sur la lune dont les images ont été diffusées jusque dans les profondeurs du Sahara, faisant de cap Canaveral un lieu plus connu que New York ou Washington. L'endroit exerce toujours une fascination magique et peut devenir infréquentable lors des grands lancements.

Les passionnés qui rêvent de visiter le Kennedy Space Center, le lieu saint de l'aventure spatiale, voudront au minimum passer une nuit dans la zone de cap Canaveral. Ceux que Miami finirait par ennuyer, pourront s'y rendre par voiture ou par bus pour la journée.

Flamingo Tours propose une visite d'une journée (69$ adultes, 38$ enfants). Le bus démarre à 7h et rentre à 23h. Entre-temps, il en reste assez (du temps) pour participer à une visite guidée dans un bus de la NASA et pour voir un film documentaire. Sauf à en faire une destination en elle-même, la meilleure manière de visiter le Kennedy Space Center consiste à la raccorder à une visite d'Orlando (Disney World). Chaque jour, deux ou trois bus vont à Canaveral et Orlando, mais ils s'arrêtent d'abord au Kennedy Space Center.

Le A-1, outre la traditionnelle journée à Disney World et aux studios Universal, vous donne la souplesse de visites d'une à quatre nuits ou plus dans des hôtels de trois niveaux différents de qualité et de situation, tout en vous accordant une entrée par jour pour une attraction. Le A-1 vous permet, non sans sagesse, de visiter seulement une attraction par jour. Plus encore, les visites qui se prolongent jusqu'à Bush Gardens (à St Petersburg), Cypress Gardens et le Kennedy Space Center ne sont prévues que dans des tours de plus de 3 jours.

D'autres raisons plaident pour faire de cap Canaveral une destination à part entière plutôt qu'une excursion d'un jour ou d'un jour et une nuit. En effet, outre le Kennedy Space Center et les autres temples sacrés de la technologie, cap Canaveral abrite à son extrémité un grand sanctuaire d'oiseaux situé dans une zone d'une diversité écologique complexe et merveilleuse. Le Merit Island National Wildlife Refuge abrite 210 espèces d'oiseaux, 25 de mammifères, 117 de poissons et 23 variétés de gibier migrateur. Tout près sont le Turkey Creek Sanctuary, la Playalinda Beach et un élevage de tortues sauvages (mai-août). Cependant, personne ne vous en parlera et vous devrez découvrir l'endroit par vous-même.

Ajoutons que Port Canaveral est désormais le troisième port de croisière en Amérique. Premier Cruse Lines, société affiliée à Disney, offre des croisières vers Nassau et Abeco, ainsi qu'une poignée de "cays". Une formule de "package" permet également de combiner un séjour au Walt Disney World avec une visite au Kennedy Space Center et une croisière.

Carnival Cruise Lines, une société plus importante, propose des croisières vers Nassau et Freeport avec un "package" spécial qui inclut une visite à Port Canaveral (via Amtrak's Silver Meteor).

ORLANDO

Orlando signifie une chose et une seule : la visite des énormes parcs d'attractions qui ont été construits dans la région. Les dominant tous, Walt Disney World n'est pas seulement un parc d'attractions, mais un "resort" complet avec plusieurs grappes d'hôtels et une zone nouvelle imitant un centre-ville avec ses lieux de spectacles. Disney ne veut pas des familles qui viennent passer seulement une journée, mais leurs vacances. Ainsi ont été créés EPCOT, une sorte de foire mondiale permanente à l'honneur du capitalisme multinational, et le Walt Disney World Village comme un ersatz de tourisme à travers le monde. Disney a construit un studio de cinéma destiné à compléter les célèbres attractions du studio Universal à Los Angeles. Le studio Disney-MGM est en activité et profite des lois anti-syndicales de Floride pour produire des films et des émissions de télévision moins chers qu'en Californie. Du coup, Universal a construit son propre studio, qui remplit le même office et reçoit les visiteurs tout en produisant de la pellicule. Dans le voisinage est le Sea World.

Tout ceci est situé à environ 15 minutes d'Orlando et à environ 1 heure de cap Canaveral. Outre les hôtels post-modernes du Disney Resort, la région des parcs à thème est bourrée d'hôtels qui sont meilleur marché, non loin, sur Kissimmee Street.

Les compagnies habituelles (Flamingo, Miami Nice) ont des circuits d'un jour pour Orlando. Le prix (85$ adultes, 53$ enfants 3-6 ans) inclut l'admission à un parc à thème. Les bus démarrent à 6h et sont de retour à Miami à 23h. Durée de voyage : environ 5 heures dans chaque sens. Ces visites se doublent évidemment d'une multitude de combinaisons qui vont d'une à 4 nuits ou plus dans trois catégories d'hôtels. Une nuit coûte entre 156$ et 205$ par personne en occupation double, et entre 360$ et 520$ par personne pour 4 nuits. Les nuits supplémentaires coûtent entre 73$ et 108$ par personne.

PALM BEACH (futé de luxe)

L'excursion la plus facile et la moins chère est peut-être celle qui vous mènera à la villégiature très exclusive de Palm Beach en prenant le Tri Rail (abréviation de Tri County Rail System, d'après les trois comtés qu'il dessert). La ligne est parallèle à celle du Amtrack jusqu'à la ville de West Palm Beach, construite pour abriter le personnel des familles les plus aisées d'Amérique qui venaient passer l'hiver à Palm Beach. Le Tri Rail, bien que destiné aux "banlieusards" (les "commuters"), fonctionne 7 jours sur 7 (sauf pour Thanksgiving et Noël) et permet aux touristes de visiter Palm Beach en économisant sur les transports : le prix du trajet pour n'importe quel point de la ligne est en effet de 3$ et les billets valables un jour ou comprenant l'aller-retour sont à 5$.

Les trains fonctionnent à partir de 4h45 en semaine et de 6h le week-end. Le dernier train quitte Miami à 23h en semaine et Palm Beach à 21h05. Les liaisons par bus entre la gare et les aéroports sont gratuites de même que le service de liaison entre le Tri Rail et le Metrorail. Pour informations, Tél. 1 800 TRI RAIL (1 800 874 7245) ou (305) 728 8445 dans le Broward County.

La principale curiosité de Palm Beach ce sont les habitations des vieilles fortunes américaines - une série de superbes demeures qui bordent la mince barre de sable. Worth Avenue, sans doute la rue commerçante la plus huppée du sud des Etats-Unis, s'achève sur la fantaisie espagnole de l'architecte Addison Mizner, aujourd'hui appelée la Mizner Via and Villa. Le Breakers Hotel et le Royal Poinciana Hotel, les premiers resorts de luxe de la Floride, existent toujours.

Quand il décida d'occuper le marché des transports ferroviaires en Floride, Henry Flager, l'associé de Rockefeller à Standard Oil (il était l'expert en chemins de fer) souhaitait construire en fin de ligne sa propre villégiature afin de faire fonctionner le chemin de fer. Il acheta donc 70 hectares à Palm Beach en 1893 et fit construire le Royal Poinciana Hotel, à l'époque la plus grande structure de bois au monde. L'hôtel s'éleva sur la rive du Lake Worth. Plus tard, Flager construisit le Breakers Hotel sur le front de mer. Le succès des deux établissements fut tel que de nombreuses familles riches décidèrent d'acheter du terrain à Palm Beach et d'y construire leurs résidences. Aujourd'hui encore, Palm Beach vit au rythme de ce qu'on appelle "la saison", c'est-à-dire les mois d'hiver.

Flager donna le ton de l'endroit en faisant passer une loi spéciale qui lui permit de divorcer de sa femme, sous prétexte qu'elle était folle, pour se remarier. Des scandales récents ont impliqué la famille Kennedy dans une affaire d'overdose fatale et de viol, la famille Pulitzer a été déchirée par un terrible divorce et l'un des membres de cette société très fermée (on les appelle les Palm Beach Blue Bloods) a brutalement assassiné son ex-maîtresse noire (voir le livre *Palm Beach Babylon*).

Palm Beach est certainement à plus d'un titre le siège de "the old money" (les vieilles fortunes). Une balade sur Worth Avenue vous convaincra des effets les plus grotesques de la chirurgie esthétique. Parfois le résultat étrange est dû au matériau originel, parfois à l'usage trop fréquent du scalpel. Comment expliquer autrement l'apparence de cette vieille femme de 80 ans au visage de gargouille effritée et au maillot de bain violet ? Le détail révélateur mortel, ce sont les mains ; ni la chirurgie plastique, ni le maquillage ne peuvent dissimuler l'âge d'une main.

Je ne sais pas ce qui est le plus dérangeant et le plus tragique : l'apparence d'une personne âgée qui veut paraître jeune, ou d'une jeunesse qui veut se vieillir. C'est ainsi que les enfants de la société dorée de Palm Beach se révoltent contre leurs parents en buvant de l'alcool, en prenant des drogues puissantes, en participant à des orgies sordides, en dilapidant de grosses sommes d'argent. Seuls les scandales les plus explicitement sexuels parviennent à déborder les limites de Palm Beach, dont les résidents tendent à serrer les rangs, en particulier lors des divorces houleux entre les vieilles fortunes et les nouveaux riches.

Les habitants de Palm Beach ont décidé de se définir eux-mêmes, et se satisfont de leurs standards. C'est à Palm Beach que le duc et la duchesse de Windsor honoraient leurs hôtes en leur louant leur maison d'invités pour 4 000$ la semaine, charges non comprises. Cela correspondait tout à fait à l'esprit de Palm Beach, en fait c'était parfaitement Palm Beach.

Bien que le monde n'ait pas besoin d'exemples concrets du comportement douteux que peuvent avoir les "rich and famous", Palm Beach représente un lieu où les riches ont non seulement le pouvoir, mais le besoin d'une frontière géographique derrière laquelle ils puissent donner libre cours à leur snobisme et à leur démentielle ostentation. Et pourtant, une balade à travers les galeries d'art de Palm Beach révèle le plus large assortiment de croûtes qu'il soit donné de voir. On ne peut du coup imaginer les acheteurs que comme des décorateurs aveugles. Même l'idée de mode se perd dans cet ersatz d'art.

Que faire et que voir à Palm Beach ?

D'abord et avant tout le Flager Museum (Tél. 407 655 2833), situé au-dessus du pont qui relie West Palm Beach à Whitehall Way et Coconut Row. Le musée s'abrite dans "Whitehall", la maison que Flager fit construire pour sa nouvelle épouse. Sur le terrain vous verrez le wagon de chemin de fer privé de Flager, ainsi que sa première propriété, le Sea Gull Cottage.

Il y a aussi à West Palm Beach la Norton Gallery of Art (1451 South Olive Avenue, Tél. 407 832 5194).

La plupart des autres attractions touristiques sont des répliques de ce qu'on trouve à Miami, y compris un Science Museum avec son Alden Planetarium.

Les fauchés auront accès au golf "Par Three", l'un des 150 terrains de golf du comté. Ce terrain est situé au nord du Lake Worth Bridge, entre l'Intercostal Waterway et l'océan Atlantique, 2345 South Ocean Blvd. On y joue de 8h au crépuscule.

Le Seaview Tennis Center est ouvert de 8h à 21h (340 Seaview Ave. Tél. 407 838 4504).

On joue (évidemment) au polo durant l'hiver au Palm Beach Polo and Country Club. Les paris sont réservés aux courses de chiens et au Jai Alai (un jeu ressemblant au handball).

Vous trouverez de bonnes plages au Phipps Ocean Park (2145 South Ocean Blvd.) et à Midtown Beach (400 South Ocean Blvd.) à l'extrémité de Worth Avenue. Il existe des installations de plongée.

Trois compagnies organisent des croisières : Crown Cruise Lines (Tél. 1 800 822 5220) ; Empress Cruise Lines (tél. 407 842 0882) ; Palm Beach Cruises (Tél. 1 800 841 7447).

Enfin, dans le monde plus banal des parcs à thème, on peut visiter le Lion Country Safari (Souther Blvd. à West Palm Beach, Tél. 407 793 1085), mais il mieux vaut avoir une voiture pour visiter la plus grande réserve de lions de Floride.

Les "packages"

Une excursion tout compris (package) est un terrible compromis pour qui désire visiter un lieu en indépendant, mais parfois, le temps manquant, c'est la seule possibilité pour certains touristes.

Plusieurs sociétés sont spécialisées dans les excursions d'un à trois jours combinant les transports en bus (et/ou bateau ou avion) et l'hébergement. Les prestations semblent varier très légèrement dans leurs descriptions et les jours de la semaine. Ce qui me laisse à penser qu'il s'agit de revendeurs, et qu'il existe une sorte de source unique. Vous trouverez plus bas les coordonnées de trois des sociétés les plus agressives, mais je recommande, si vous devez choisir une solution du type "package", que vous vous rendiez dans une agence de voyage, choisie si possible parmi celles qui ne promeuvent pas de "produits" pour les touristes.

Superior Travel 521 Lincoln Road Mall,   **Tél. (305) 673 5558 - Fax 532 3515**
Agence locale dont la clientèle est composée essentiellement de particuliers et d'hommes d'affaires locaux. Ils sont non seulement expérimentés et honnêtes, mais font un vrai effort pour organiser même le plus modeste voyage. Certains dans l'équipe parlent français. Seul inconvénient, leurs horaires à la vieille mode : en général ils sont ouverts de 9h à 17h, parfois 18h, et la matinée du samedi. Fermeture complète le dimanche.

A-1 Bus Line
1642 NW 21st St. Terrace Miami 331142 Tél. (305) 325 1000/1 800 826 6754 - Fax 324 6025

Flamingo Tours
17386 Biscayne Blvd. Miami Beach   Tél. (305) 948 9180 - Fax 944 7414

H &K Tours 3600 S. State Rd Suite 315 Miramar   Tél. (305) 673 3393

Tour America 1505 Washington Ave. Miami Beach   Tél. (305) 532 9553

KEY WEST

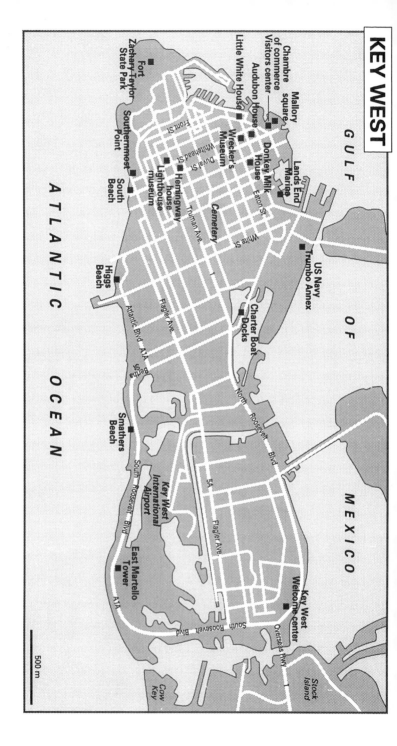

KEY WEST

GULF

OF

MEXICO

ATLANTIC OCEAN

Fort
Zachary Taylor
State Park

Chambre
of commerce
Visitors center

Audubon House

Little White House

Mallory
square

Lands End
Marina

Donkey Milk
House

Wrecker's
Museum

Southernmost
Point

South
Beach

Hemingway
house

Duval St

Whitehead St

Front St

Eaton St

Lighthouse
museum

Cemetery

Truman Ave

White St

US Navy
Trumbo Annex

Higgs
Beach

Atlantic Blvd   A1A

Flagler Ave

Reynolds

Charter Boat
Docks

North

Roosevelt

Blvd

Smathers
Beach

South Roosevelt Blvd

Key West
International
Airport

5A

Flagler Ave

East Martello
Tower

A1A

Key West
Welcome center

Overseas Hwy

South Roosevelt Blvd

Stock
Island

Cow
Key

500 m

KEY WEST

DE LA GEOGRAPHIE A L'HISTOIRE

Regrouper l'histoire et la géographie d'un lieu dans une même catégorie n'est pas d'usage, mais dans le cas de Key West les deux se confondent. Key West s'enorgueillit d'être la "Southermost City" (la ville située le plus au sud) des Etats-Unis, ce qu'elle est de fait si l'on fait exception des îles Hawaï.

Key West est la plus grosse ville des Keys de Floride, un archipel d'îles coralliennes s'enfonçant depuis l'extrémité sud de la Floride dans la mer Caraïbe. Key West fut aussi le dernier Key inhabité de la chaîne et celui qui était situé le plus à l'ouest, mais l'origine de son nom ne vient pas de là. Pour les Espagnols, c'était "Cayo Hueso", ou Bone Key (le Key de l'Os).

Même si elles appartenaient officiellement à l'Espagne, les Keys restèrent longtemps inhabitées en raison du manque d'eau. Key West ne fut fondé qu'en 1823 après avoir été vendu 2 000$, deux ans plus tôt, par un Espagnol du nom de Juan Salas à un Américain, John Simonton. Mais c'est le 25 mars 1822 que le lieutenant Matthew Perry en avait pris possession au nom des Etats-Unis. C'est le même Perry qui vogua vers le Japon et ouvrit la route du commerce entre ce pays et les Etats-Unis.

Key West a prospéré presque immédiatement. Le gouvernement U.S.venait de prendre possession de la Floride et, considérant son intérêt stratégique, construisit une base navale en 1826, puis, en 1831, un avant-poste militaire.

Des "Wreckers" aux "conches"

Situé à 90 miles (135 km) de la Havane du temps où elle était la capitale du Nouveau Monde, Key West contrôlait les détroits qu'empruntaient les galions espagnols chargés des trésors du Mexique et de l'Amérique du Sud lorsque, ayant traversé le golfe du Mexique, ils remontaient vers l'Atlantique nord. Comme on s'en doute, il y avait quelques pirates dans le coin.

Lorsque les galions cessèrent de suivre cette ligne maritime, beaucoup d'entre eux avaient coulé au fond de la mer. Les Keys n'étaient plus qu'un cimetière de navires, et c'est pourquoi les premiers millionnaires de Key West furent connus sous le nom de "wreckers". Ces pilleurs d'épaves sortaient en mer sur leurs petites embarcations pour dépouiller de leurs trésors les épaves abandonnées sur les récifs tumultueux.

Key West était aussi le havre des contrebandiers. Pour échapper aux impôts et aux restrictions imposés par l'Empire britannique, les capitaines qui résidaient aux Bahamas décidèrent de s'installer sur cette île isolée. Key West étant dépourvu de tout matériel de construction, ils emmenèrent avec eux leurs maisons préalablement démontées. Ces maisons existent toujours avec leurs cloisons de bois mises à nu par les intempéries malgré les couches de peinture successives. Ces immigrants étaient connus sous le nom de "conches" (conques) d'après le gros escargot de mer dont ils faisaient leur ordinaire. Ce nom désigne aujourd'hui les natifs de Key West.

Du "Cuba Libre" à l'USS Maine

Lors de la guerre de Sécession, la maîtrise absolue de la mer par l'Union et la construction de Fort Taylor, à l'entrée du port, maintinrent Key West sous le contrôle des Nordistes. L'échec de la révolution cubaine de 1869 entraîna un afflux de réfugiés cubains qui firent de l'île un centre de fabrication de cigares. Tout en utilisant du tabac cubain, on évitait ainsi de payer les tarifs douaniers élevés. C'est également ici que fut inventé le "Cuba Libre", lorsque le rhum cubain rencontra le Coca-Cola.

Dans les années 1880, Key West était la plus grande ville de Floride, avec une population de 18 000 habitants, et avait le haut niveau de vie des Etats-Unis. Rappelons qu'à l'époque, les 2/3 du sud de la Floride étaient occupés par des marécages insalubres. Miami n'était qu'une escale peu fréquentée entre les grands ports de la côte, Key West et la Havane. C'est de Key West, plus précisément de Dry Tortuga, que cingla sur la Havane le navire de guerre USS Maine, dont la destruction déclencha la guerre hispano-américaine de 1898.

Lorsqu'un ouragan ruina l'industrie cigarière (qui se réimplanta à Tampa), les habitants de Key West, débrouillards comme toujours, entreprirent de cultiver l'ananas. Le chemin de fer de Flagler atteignit Miami en 1894 : on projeta très vite son extension jusqu'à Key West. Il était en effet extrêmement lucratif de transporter les fruits directement et rapidement jusqu'aux grandes villes du nord, et c'est ainsi qu'on ouvrit de nombreuses fabriques de conserves.

De l'Overseas à la Pan Am

La mise sur rails du chemin de fer Overseas dura 14 ans et causa la mort de 150 ouvriers. Ces travaux, qui incluaient la construction, au terminus, d'un grand hôtel dans la plus pure tradition Flagler, furent finalement achevés en 1912. Entre 1913 et 1935, on pouvait prendre l'Overseas Express de Miami à Key West, puis un paquebot pour la Havane pour $24 aller/retour, repas compris. La destination devint si populaire que la compagnie d'aviation Aero-Marine, qui devint par la suite la Pan-American Airlines, ouvrit une ligne entre Key West et la Havane dès 1918.

Lorsque l'irruption sur le marché américain des ananas d'Hawaï, plus sucrés et moins chers, ruina l'industrie fruitière de l'île, Key West réussit à conserver une certaine prospérité grâce au grand "boom" de la spéculation foncière en Floride et au développement du tourisme. La Dépression força cependant la ville à se mettre en faillite ; ses employés ne furent plus payés qu'en reconnaissances de dettes.

Mais le pire était encore à venir. En septembre 1935, l'ouragan "Labor Day" frappait les Keys, détruisant une grande partie du chemin de fer Overseas. Lors des réparations, la voie ferrée fut remplacée par une autoroute, la Overseas Highway, qui devint par la suite la U.S. Highway N°1.

La Seconde Guerre mondiale ramena la prospérité à Key West, dont la position stratégique faisait le centre de la défense anti-sous-marins. A cette fin, le gouvernement fit construire un pipeline depuis le continent, assurant pour la première fois à Key West un approvisionnement sûr en eau potable. Auparavant, les habitants recueillaient l'eau de pluie dans de grandes citernes.

De Truman aux Drop-Out

Après la guerre, Key West, qui n'est qu'à 159 miles (environ 240 km) au sud-ouest de Miami, devint une destination touristique d'autant plus prisée que le président Truman y avait établi sa "Maison Blanche" d'hiver. La révolution cubaine en fit à nouveau une base militaire stratégique. "Ils (les communistes) ne sont qu'à 90 miles de nous !" devint le cri de ralliement des conservateurs dans les années 60.

Petit à petit, hippies et autres drop-out découvrirent le climat tropical, l'ambiance détendue, la relative indépendance et l'éloignement de cette île "détachée de l'Amérique", de ses normes et de ses mœurs. Une importante et très visible communauté gay vint s'établir sur l'île. Key West est devenu la capitale du "Do Your Own Thing" ("chacun son truc"). D'ailleurs, ici, tout le monde a l'air de faire exactement ce qui lui plaît, et la principale responsabilité civique des habitants consiste à aller musarder sur les quais à temps pour contempler le coucher de soleil. On a même parlé un moment - par plaisanterie, mais seulement à moitié - de déclarer l'indépendance de l'île, rebaptisée "Conch Republic".

KEY WEST AUJOURD'HUI

Tous les habitants de Key West vous raconteront la même histoire : *"Je suis venu en vacances il y a X années, et je suis resté."* Key West produit ce genre d'effet sur les gens. A Miami, je me disais de temps en temps en remarquant telle maison : *"Ce ne serait pas mal pour la retraite de ma mère"*. Après quelques heures à Key West, je me suis surpris à rechercher une résidence pour moi.

La seule industrie, ici, c'est le tourisme. Et Duval St., qui traverse l'île à partir des quais, est un enfer touristique assez typique. Mais il y a pire, et au moins, Duval ne déborde pas sur les rues environnantes. Bien que Key West soit une escale pour les navires de croisière, aucun type particulier de touriste n'y prédomine. Ceux qui viennent en auto se cantonnent aux grands motels près de l'autoroute N°1. Fanas de pêche, givrés de plongée, dragueurs gay, post-soixante-huitards attardés, étudiants en goguette, poivrots professionnels, lesbiennes végétariennes, drop-outs néo-babas, yuppies en faillite, écrivaillons frimeurs, musiciens rock en désintox'... ils viennent tous à Key West.

Au bout d'un moment, si vous avez un peu de gueule, vous vous rendez compte que les touristes vous regardent avec curiosité. Pour certains, Key West est un piège. Si vous savez comment vous débrouiller pour gagner votre vie, vous vous mettez à envisager les moyens de vous établir ici. De toute façon, que vous restiez deux jours ou vingt ans, ce ne sera qu'une immense vacance...

S'Y RENDRE

Key West est l'extrême pointe de l'Amérique. L'autoroute N°1 y achève sa course entre la frontière canadienne du Maine et le Sud en longeant la côte est des Etats-Unis. L'ancienne route nationale, presque partout remplacée par de modernes autoroutes à bretelles, reprend son cours sur les îles. Et bien que les nombreux ponts délabrés du chemin de fer - y compris le fameux Seven Miles Bridge - aient fait place à des constructions modernes, le voyage vous replongera en ces temps lointains où Hemingway sirotait encore ses margaritas...

Vous pouvez louer une voiture au départ de Miami. Le trajet vous prendra entre trois et cinq heures selon la circulation. Mais sachez qu'il est impossible de se garer au centre de Key West. Vous serez obligé de vous loger dans l'un des grands motels situés près de l'autoroute, et devrez de toute manière prendre un taxi pour aller en ville.

Il existe un service régulier de **Greyhound** à partir de Miami, ainsi que des forfaits de deux ou trois jours que proposent toutes les agences. Mais il semblerait que le trajet soit un véritable cauchemar. Le Greyhound rampe sur une route à deux voies et s'arrête à chaque île pour charger et décharger ses passagers.

Est-il au moins bon marché ? me demanderez-vous. Même pas. Surtout si le bus ne part pas directement de Miami. De plus, la station d'autocar est inconfortable, mal équipée, loin de tout, et comble de l'horreur, fermée la nuit, ce qui vous oblige à attendre dans la rue.

Si après çà vous voulez encore prendre le bus...

L'avion est une autre possibilité. **American Eagle**, une filiale d'American Airlines effectue de fréquentes rotations au départ de l'aéroport international de Miami. Les prix restent cependant assez élevés. De $270 (plein tarif) à $145 (vols promotionnels et limités) pour un aller/retour. Toutefois, si votre billet d'avion comprend Paris-Miami-KeyWest aller/retour, il vous en coûtera probablement moins d'une centaine de dollars pour une excursion.

Cela étant dit, il n'existe d'après moi qu'un seul moyen de se rendre à Key West : la ligne aérienne **Chalks Airways** (Miami-Key West aller/retour : $189).

CHALKS AIRWAYS

Pour être tout à fait honnête, je déclare solennellement avoir accepté l'offre gracieuse d'un ticket aller/retour Miami-Key West. Si je fais cette confession, c'est pour que vous ne me soupçonniez pas, à travers ces lignes enthousiastes, d'être vendu corps et âme à la Chalks. Quoiqu'il en soit, et qu'il ait été gratuit ou non, mon voyage sur cette ligne fut l'un des meilleurs moments de mon séjour en Floride.

La flotte aérienne de la Chalks est composée d'hydravions Grumman dont les vieux moteurs Wright ont été remplacés par des turbopropulseurs. Leur base est située sur Watson Island, entre Miami et Miami Beach, près de la MacArthur Causeway, à cinq minutes de taxi de South Beach, et à dix minutes de bus du même endroit.

Un vol sur la Chalks est à la fois un moyen de transport pratique (le meilleur, à mon sens) et une expérience inoubliable. Bien plus excitant et stimulant que n'importe quel ersatz de mirifique balade à Disneyland, car beaucoup plus réel.

Comme de nombreux enfants, les destinations exotiques que l'on pouvait atteindre d'un coup d'ailes m'ont toujours fait rêver. Puis vint le temps où le rêve se transforma en appréhension, et j'évitais même de prendre l'avion. Plutôt que de risquer un vol de trois heures, je préférais souffrir deux jours de bus mexicain. Mais la Chalks a su restituer sa part de rêve à l'acte désormais banal qu'est devenu un voyage en avion.

L'hydravion est amarré à dix mètres de la porte d'accès. Vous prenez place sur un de la vingtaine de sièges (doubles ou simples). Le commandant de bord met les moteurs en route. La porte de séparation entre l'équipage et les passagers restant ouverte, vous assistez à toutes les manœuvres.

L'hydravion glisse sur l'eau, les moteurs s'emballent, l'appareil bondit, des gerbes d'eau de mer battent les flancs de la carlingue et l'hydravion s'élance dans les airs. Vous avez échappé à la routine des piétinements à l'enregistrement des bagages, à l'attente de voir votre vol annoncé au panneau d'affichage, à l'autorisation sans cesse différée du décollage.

Avec Chalks, vous embarquez, on referme la porte derrière vous et vous vous envolez.

Le décollage s'effectue tout près de la base navale dont les gigantesques navires réduisent le petit avion à la taille d'un jouet. Mais dès que l'appareil s'élève, les bateaux à leur tour rapetissent et vous découvrez toute la ville de Miami ainsi que la côte ouest de Floride. Quelques minutes plus tard, vous survolez ce qui reste du village de Siltsville. Siltsville était bâti sur un récif de corail, à quelques mètres au-dessous du niveau de la mer. L'ouragan Andrew l'a pratiquement dévasté.

L'hydravion vole à quelque 500 mètres au-dessus du niveau de la mer. L'eau est si claire que vous pouvez apercevoir des raies Manta, des dauphins, des requins et des colonies de poissons. Vous longez la côte et les Keys jusqu'au port de Key West où vous amerrissez. Le port d'attache étant situé sur une île voisine, un taxi gratuit vous conduit sur la courte distance qui sépare les quais de Duval Street. Il vous aura pris moins d'une heure entre le décollage et l'amerrissage.

Au retour, vous traverserez la baie de Floride avant de survoler les larges étendues des Everglades. Lors de mon voyage, l'ouragan Andrew les avait transformées en paysage lunaire. Des milliers d'arbres s'étaient brisés et la végétation avait pris la couleur du chaume. Même la "rivière d'herbe verte" s'était transformée en une succession de mares boueuses. L'avion rejoint l'Atlantique à l'endroit précis où l'ouragan a failli dévaster une centrale atomique. Le clou du spectacle est l'amerrissage à Biscayne Bay, lorsque l'avion se faufile entre les buildings de downtown Miami.

Et tout cela à un prix très compétitif. Comme il est dit précédemment, si vous achetez votre billet en Europe pour Key West via Miami, cela vous coûtera moins cher. Si vous prenez un vol direct pour Key West, vous pouvez ne pas souhaiter faire le détour par Watson Island qui nécessite de passer une nuit à Miami (les départs pour Key West ont lieu à 8 heures du matin). Dans tous les cas, et même si vous continuez sur la même ligne aérienne, vous devrez passer par la douane et le service d'Immigration à l'aéroport International de Miami avant de changer d'avion.

Si, comme je l'espère, vous choisissez de partir sur la Chalks, vous pourrez toujours raconter à vos petits enfants que vous avez volé sur un légendaire hydravion Grumman. Et au diable Disney World !

Chalks Airways : informations générales (appel gratuit) : 1 800 4 CHALKS - Miami : (305) 371 86 28 - Ft. Lauderdale : (305) 359 79 80.

Partir à l'étranger
pour le Petit Futé

S'ORIENTER A KEY WEST

Key West est à 160 miles au sud de Miami. Bien qu'étant située à l'extrémité du comté Monroe, elle n'en reste pas moins sa capitale, peuplée de 24000 habitants. Le county regroupe les Everglades, marécages inhabités qui occupent la majeure partie de sa superficie, et les îles Keys.

L'activité de Key West est centrée autour de Mallory Square, aux abords du port. Appelée parfois "la plus longue rue du monde" car elle relie le golfe du Mexique à l'océan Atlantique, Duval Street étire ses 2 kms à partir de Mallory Square. C'est la plus grande rue de la ville, et c'est ici que vous trouverez le plus grand nombre de marchands de glaces, de tee-shirts, les inévitables boutiques de souvenirs et les bars les plus tapageurs. On la monte et la descend interminablement dans la soirée. C'est ce qui s'appelle faire du "Duval crawl", et signifie à peu près flâner, faire de la poussette...

Duval St. rejoint l'Atlantique à South Beach qui se trouve à un petit pâté de maisons du point le plus méridional des Etats-Unis (exception faite d'Hawaï). Ici, le monde cruel des affaires se livre une guerre impitoyable à grands coups d'enseignes se déclarant chacune l'extrémité sud du continent américain : le *"Southernmost"* motel, la *"southernmost"* cabine téléphonique...

C'est dans la partie est de Mallory Square que se trouvent l'aquarium, l'ancienne base navale ainsi que la "Maison Blanche", ancienne résidence d'hiver du président Truman. La base est aujourd'hui transformée en complexe résidentiel. Plus loin, le rivage s'incurve autour du site historique national de Zachary Taylor qui doit sa présente notoriété au renom de sa plage bien plus qu'à celui de son vieux fort.

Les aficionados d'Hemingway retrouveront sa maison entre Zachary Taylor et Duval St., près du musée-phare. En continuant le long de la grève, juste après South Beach, vous déboucherez sur le vieil hôtel de la Casa Marina (à présent rénové), construit par Flager à l'endroit même où se terminait sa ligne de chemin de fer, la Overseas.

Et comme tout ici a une fin, c'est en rebroussant chemin vers le port que la route nationale N°1 termine sa course à l'intersection de Truman Ave. et de Duval St. Au delà s'étendent le cimetière de Key West et la colline de Solares, qui culmine à huit mètres.

Reprenez votre souffle et poursuivez jusqu'aux quais, communément appelés "Old Town", la vieille ville. Presque tout ce qui constitue l'originalité de Key West se concentre à cet endroit.

Si vous vous engagez plus au nord dans l'Avenue Truman, et au-delà de la vieille ville, vous arrivez sur ce qu'on peut appeler la ville nouvelle, avec ses quartiers résidentiels, ses motels, ses centres commerciaux, ses salles de cinéma multiplex, ses fast food et son aéroport.

PRATIQUE

Banques

FIRST UNION NATIONAL BANK OF FLORIDA 422 Front St. ....Tél. (305) 292 6603
Change et distributeurs de billets 24h/24h.

Cartes EUROCARD MASTERCARD page 198.

Taxis

FIVE SIXES CAB CO. ....Tél. 926 6666
24 heures sur 24. Compter $5 minimum.

KEY WEST WATER TAXI ....Tél. (305) 294 5687 (le Jour) ; 745 4569 (la nuit)
Sur appel de 7h à 23h. C'est le service de canot-taxi utilisé par la Chalks. Vous le
connaissez déjà si vous avez suivi mes conseils. Le prix en vigueur est de $4. Si
vous arrivez avec votre propre bateau, il vous en coûtera $20 par Jour à partir de
votre lieu de mouillage. Mais le mouillage est gratuit. Le parking également. Ils
organisent des promenades au port, au coucher du soleil, sous les étoiles, et ils
vous livrent même les pizzas.

Téléphones utiles

Emergency Number : 911
Coast Guard : 292 8700
Key West Fire Dept. : 292 8145
Keywest Police Dept. : 294 2511
Monroe County Sheriff : 296 2424
Health Systems West Hospital : 294 5183
Health Systems East : 294 5531
AIDS Help (infos Sida) : 296 6196

Pharmacie

COBO PHARMACY 937 Fleming St. ....Tél. 294 2552

Urgence mariage

MARRYING SAM POB 4915 ....Tél. (305) 296 3840
Notaire ouvert 24h/24h. Mariage tropical et romantique.

Laver votre linge

MARGARET TRUMAN LAUNDERETTE 900 Truman Ave. ....Tél. (305) 294 8500
$5 une machine. Comme l'indique son nom, la boutique est située au
croisement de Margaret St. et de Truman Ave. C'est également le nom de la
dernière fille du président Truman.

JOURNAUX

SOLARES HILL 1217 White St. ....Tél. (305) 294 3602 - Fax 294 1699
Deux fois par semaine.

ISLAND LIFE 517 Duval St. ....Tél. (305) 294 1616
Hebdomadaire

SOUTHERN EXPOSURE GUIDE
819 Peacock Plaza, Suite 575 ....Tél. et Fax (305) 294 6303
Guide mensuel destiné à la communauté gay.

Ces Journaux sont distribués gratuitement un peu partout en ville. Vous y
trouverez tous les programmes des spectacles, soirées, etc. Mieux encore, écoutez
les conversations de vos voisins de bar et vous serez certains de ne rien rater.

Vous trouverez la presse française chez L. VALLADARES & SON, 1200 Duval St., Tél. 296 5032. Ouvert tous les jours de 8h à 20h.

SE LOGER

Il existe trois sortes d'hôtels à Key West : les motels de base, typiquement américains, regroupés le long de la route n°1, à l'entrée de l'île ; les hôtels luxueux et inabordables à la vue imprenable ; et une multitude de pensions de famille. Ces anciennes résidences victoriennes ont été transformées en petits hôtels qui sont tenus avec amour et en majorité par des couples gay. On a rebâti une vieille maison, engrangé le résultat de plusieurs années de chine dans les brocantes, et rouvert les portes. Et parce qu'il s'agit essentiellement d'amateurs, ils font des efforts louables pour que hôtes se sentent effectivement comme de véritables hôtes. Ces hôtels sont en général impeccablement tenus, joliment arrangés et parfaitement gérés. La plupart des chambres possèdent leur propre réfrigérateur.

Les prix du logement à Key West sont tous très élevés. Ils grimpent en flèche durant la saison d'hiver et deviennent inabordables pendant la dernière semaine d'octobre, celle d'Halloween. Durant cette période, il faut régler la note au moment de la réservation ; le reste de l'année, on exige des arrhes. La plupart des pensions pratiquent des prix identiques pour les singles ou les doubles, mais ils peuvent être révisés à la hausse selon la taille ou l'orientation. A moins qu'il ne le soit spécifié, les prix s'entendent pour un couple. Une taxe d'hôtel de 11% est à prévoir.

Pour des séjours de longue durée, renseignez-vous auprès de :

AA ACCOMMODATION CENTER INC.   Tél. (305) 296 1555 /800 732 2006
Du lundi au vendredi, de 9h à 20h ; le samedi et dimanche de 9h à 17h.

LIGHTBORNE INN 907 Truman Ave. Tél. (305) 296 5152/800 352 6011 - Fax 294 9410
Eté : du 15 mai au 14 décembre : $88-$108
Hiver : du 15 décembre au 14 mai : $118- $138
Période de fête : Du 24 au 31 octobre, et du 15 au 31 décembre : $168-$198
Buffet du petit déjeuner gratuit. Comme si vous étiez lâché dans une cuisine où vous vous servez à satiété. Enfants non admis. Petite piscine, propre.

BLUE PARROT INN 916 Elizabeth St.   Tél. (305) 296 0035 800 231 BIRD
Eté : $45-$80
Hiver/Printemps : $90-130
Un appartement aménagé pour $550 la semaine, $1350 le mois pendant l'hiver ; $300 et $900 pendant l'été. Piscine avec solarium où l'on peut retirer son maillot pour bronzer.

GARDEN HOUSE 329 Elizabeth St.   Tél. (305) 296 5368 800 695 6453 - Fax 292 1160
Eté : 1 mai au 15 déc : $56 single- $66 double ; et $76-$86
Hiver : 16 déc. au 30 avril : $85 single -$95 double avec salle de bains commune ; $105-$115 avec sdb privée.
Transfert gratuit de l'aéroport. Petit déjeuner continental et heure bénie de dégustation de vins.

OLD CUSTOMS HOUSE 124 Duval St.   Tél. (305) 294 8507

Chambres de $50 à $150. Avec salle de bains privée, de $100 à $125.

A Key West, c'est ce qui ressemble le plus à un hôtel bon marché. Situation équivalente à ce que la place St-Michel est à Paris.

LA PENSION 809 Truman Ave.,   Tél. (305) 292 9923 - Fax 296 6509

Eté : $88-$98 ; Hiver : $133-$138

Les chambres les plus chères et les plus grandes se trouvent à l'étage supérieur. Pas de téléphone ni de télévision. Par contre, il y a une piscine.

THE SPINDRIFT 1212 Simonton St.   Tél. (305) 296 3432

Du 23 décembre au 1er mai : $79 avec grand lit ; $89 avec deux lits doubles ; $99 avec deux chambres ; $109 avec balcon.

Du 1er mai au 31 décembre : $49-$59-$79-$69.

Du 1er septembre au 23 décembre : $49-$59-$69-$79.

Un motel typiquement américain, qui est cependant en passe de s'intégrer à l'univers des guest houses.

BEST WESTERN HIBISCUS MOTEL   Tél. 800 972 5100 pour les EU
1313 Simonton St.   Tél. 800 228 7364 Florida - Fax 293 9243

Janvier : $139 ; février : $149 ; mars : $180 ; avril : $104 ; Du 1er mai au 23 décembre : $80 ; semaine de Noël : $184.

Réduction de 10% pour le troisième âge et les membres d'un Automobile Club. Deux grands lits par chambre permettent de dormir à quatre personnes. Petit déjeuner continental compris. Fait partie d'une grande chaîne de motels américains au professionnalisme sans défaut.

SPANISH GARDENS MOTEL 1325 Simonton St.,   Tél. (305) 294 1051

Eté : $55-$58 ; Hiver : $82-$88.

EL PATIO MOTEL 800 Washington St.,   Tél. (305) 296 6531

$74 par nuit, pour deux nuits minimum ; pour une seule nuit : $89-$115. Télévision et piscine.

De préférence pour de longs séjours.

LORDS MOTEL 625 South St.   Tél. (305) 296 2829

Eté : $45-$62. Hiver : $68-$88. Compter 10% de plus pendant les week-ends. Vacances scolaires de printemps : $140.

L'hôtel se trouve à un demi-pâté de maisons de la plage.

CHELSEA HOUSE 707 Truman Ave.   Tél. (305) 296 2211

Du 15 décembre au 19 avril ; $108-$118 pour un lit double ; $128 pour un très grand lit ; $138 pour un super grand lit.

Du 20 avril au 31 mai : $88-$98-$108

Du 1er juin au 15 décembre : $68-$78-$88. Réduction de 10% à la semaine. Piscine. Possibilité de parking.

SOUTHERN CROSS HOTEL 326 Duval St.   Tél. (305) 294 3200

Single économique : $59.50 ; lit double "style européen" : $69.50 ; chambre à deux lits : $79.50 ; avec salle de bains privée : 89.50 ; lit double avec salle de bains privée : $99.50

Meilleur marché que beaucoup d'autres, avec en prime un vieux reste de gloire surannée. Mais on peut trouver mieux en cherchant bien.

RED ROOSTER INN 709 Truman Ave.　　　　　　　　Tél. (305) 296 6558

$50-$95. On peut négocier.

Les chambres sont grandes. Il n'y a pas de téléphone, mais il y a, en revanche, un parking.

SIMONTON COURT 320 Simonton St.　　　　Tél. (305) 294 6386/ 800 944 2687

Du 1er Juin au 30 septembre : lit "king size", $80 ; mai et septembre, Jusqu'au 14 décembre : $95 ; du 15 décembre au mois de mai et fêtes : $110. Avec cuisine : $100-$110-$130 ; donnant sur la piscine : $100-$110-130 ; suite : $100-$110-$130 ; possibilité de cottage pour quatre personnes : $180-$210-$260.

Ce complexe touristique possède trois piscines et un bassin d'eau chaude. Le petit déjeuner est compris. Les enfants ne sont pas admis. L'hôtel était à l'origine une manufacture de cigares cubains et date de 1880. Certaines chambres sont agrémentées d'une mezzanine.

SOUTHERNMOST POINT GUEST HOUSE
1327 Duval St.　　　　　　　Tél. (305) 294 0715 - Fax 296 0641

Du 1er mai au 19 décembre : $50-$70 ; du 20 décembre au 30 avril : $80-110 ; du 20 décembre au 30 avril : $110.

Se trouve à un demi-pâté de maisons de l'océan Atlantique. Chambres standard, comprenant un réfrigérateur et une machine à café.

COCONUT BEACH RESORT
1500 Alberta St.　　　　　Tél. (305) 294 0057/800 0055/ - Fax 296 2571

Studios, du 1er mai au 14 décembre : $135-145 ; du 15 décembre au 30 avril : $170-$195 ; avec vue sur l'Océan : $170-$225 ; suite pour quatre personnes : $225-$295 (minimum 3 Jours)

Une curieuse habitation au style pseudo-victorien préfabriqué. Désespérément américain.

LA TERRAZZA 1125 Duval St.　　　Tél. (305) 296 6706/ 800 LA TE DA 0 (528 2320)

Eté : $70-$90 ; hiver : $125-$150.

Lits "queen size" et Jacuzzi dans les chambres les plus chères. Restaurant. Ambiance follement "gay".

KEY LIME VILLAGE MOTEL 727 Truman Ave.　　　　　Tél. (305) 294 6222

Du 15 avril au 15 décembre : chambre avec sdb commune : 39.96 ; avec salle-de-bain privée : 53.26 ; cottage pour quatre : $72.15 ; du 15 décembre au 15 avril : $57.72- $72.15- $92.25.

Drôles d'écarts dans les prix, fixés avec une précision maniaque... Serions-nous tombés chez Anthony Perkins dans *Psychose* ?... Quoiqu'il en soit, vous pouvez toujours marchander.

TROPICAL INN 812 Duval St.　　　　　　Tél. (305) 305 294 9977

L'hôtel comporte cinq chambres et deux suites. Les moins chères, du 31 Juin au 31 octobre, sont à $59 et à $65 du 31 novembre au 31 mai. Le cran au-dessus, avec très grand lit et télévision en couleur est à $69-$79 ; avec un balcon et un lit de plus : $79-$89. Suites avec cuisine, patio et Jacuzzi : $89-$129. Comptez $15 de plus par personne supplémentaire.

L'HABITATION GUEST HOUSE 408 Eaton St.　　　Tél. (305) 293 9203 - Fax 293 1313

Avril : $74 ; février et mars : $89 ; 1er mai au 21 décembre : $59

Petit déjeuner continental compris, servi en terrasse.

HOLIDAY INN LA CONCHA HOTEL
430 Duval St.   Tél. (305) 305 296 2991/ 800 HOLIDAY/ 800 745 2191 - Fax 294 3283
Du 20 décembre au 14 avril : $157-$297
A l'abri derrière les façades des immeubles commerciaux, cet hôtel est très luxueux. C'est l'immeuble le plus élevé de la vieille ville, et son ouverture date de 1928.

MARRIOTT'S CASA MARINA 1500 Reynolds St.   Tél. (305) 296 3535
Numéro vert, direct, du lundi au vendredi de 8h à 20h ; le samedi et le dimanche de 9h à 17h ; 800 235 4837 à partir de la Floride ; le 800 626 0777 à partir du reste des E.U. Réservations 24h/24h au 800 228 9290

Du 20 décembre au 24 avril : à partir de $240 ; du 25 avril au 18 décembre : à partir de $165. Gratuit pour les enfants au-dessous de 18 ans s'ils logent dans la même chambre.
Le "Grand Hotel" du baron ferroviaire Flager. Vaste complexe de bars, piscines et plages privées.

KEY WEST INTERNATIONAL HOSTEL 718 South St. Tél. (305) 296 5719 - Fax 296 0672
Membres : $13 ; non membres : $16
Dortoirs pour hommes, pour femmes ou mixtes. Chambres privées disponibles. Blanchisserie et cuisine communes. Navette gratuite de la station Greyhound (!). On peut louer vélos, masques et tubas ($16.80) ou équipement de plongée ($49). Piscine et salle de jeux.

THE CONCH HOUSE 625 Truman Ave.   Tél. (305) 293 0020 - Fax 293 8447
Eté : $88 ; hiver : $98
Pas de télévision. Piscine et téléphone.

EL RANCHO MOTEL 830 Truman Ave.   Tél. (305) 294 8700
Chambres à $59. C'est plutôt moche mais correct, et les prix sont raisonnables.

THE COLONY 714 Olivia St.   Tél. (305) 305 294 6691
Cottages de mai au 20 décembre : $595 par semaine ; du 21 décembre au 30 avril : $945 par semaine.

ATLANTIC SHORES MOTEL AND RESORT
510 South St.   Tél. (305) 296 2491/800 874 6730
Eté : $70 ; hiver : $100 ; pendant les fêtes : $150
Donne en plein sur la plage, avec un quai qui s'avance dans l'Atlantique. Ambiance de boum permanente.

SOUTHERNMOST MOTEL 1319 Duval St.   Tél. (305) 296 6577
Single : du 5 février au 10 avril $99 ; du 10 avril au 1er Mai $85 ; du 2 mai au 19 décembre $62. Double : $115-$175 ; $99-$155 ; $75-$130.

SOUTH BEACH OCEAN FRONT MOTEL
508 South St.   Tél. (305) 296 5611 - N° vert : (800) 354 4455 - Fax 294 8272
Single : du 5 février au 10 avril $99 ; du 10 avril au 1er Mai $80 ; du 2 mai au 19 décembre $67. Double : $155-$195 ; $137-$168 ; $92-$130.
Ces deux motels, et surtout le South Beach, sont très bien tenus.

LE PETIT FUTÉ du CANADA, dans toutes les librairies

AMSTERDAM-CURRY MANSION & INN
511 Caroline St.   Tél. (305) 294 5349 /800 273 2877
Basse saison (mai à décembre) : $140 ; avec balcon : $160. Haute saison (décembre à mai) : $180-$200.
Vingt-deux chambres meublées d'antiquités et bourrées de bibelots anciens.

RESTAURANTS

Les vrais gourmets en seront pour leurs frais à Key West. Mais si la cuisine n'est pas raffinée, elle est de plutôt bonne tenue. Ici, on aime bien manger, sans se compliquer la vie ni payer une fortune. Par contre, les mauvais restaurants font très vite faillite.

Hélas, les Keys n'ont produit aucune cuisine régionale. Mieux vaut vous en tenir au poisson frais et aux plats simples · hamburgers, crêpes, sandwichs... L'une des rares spécialités locales est le *Key Lime Pie*, gâteau au citron vert meringué. Mais l'un dans l'autre, ici, on boit bien plus qu'on ne mange.

LOUIE'S BACKYARD 700 Waddel Ave.   Tél. (305) 294 1061
Ouvert de 11h30 à 15h ; de 18h30 à 22h30. Week-end, de 11h30 à 2h du matin.
Le meilleur restaurant de Key West, et l'une des merveilles de la côte Est. Un séjour à Key West ne serait pas complet sans au moins une visite chez Louie's. Il faut compter environ $50 par personne pour un repas, vin compris. On dîne à l'air libre sur l'une des deux terrasses surplombant l'Océan. En soirée, le bar The Afterdeck est l'un des endroits les plus agréables de l'île.

HALF SHELL RAW BAR 231 Margaret St.   Tél. 800 622 9514
Ouvert du lundi au vendredi de 11h à 22h ; le dimanche, de 12h à 22h.
"Happy hour" : fruits de mer et bière à moitié prix ; gin tonic, rhum cocas et margaritas au bar de 17h à 19h pour $2.50. Huîtres : habituellement $6.95 la douzaine ; crabes à $5.95. Vue imprenable sur le coucher de soleil.

PANCHO LEFTYS 632 Olivia St.   Tél. (305) 294 8212
Au coin d'Elizabeth et d'Olivia St.
Ouvert tous les jours de 17h à 22h.
Demandez Vince et montrez-lui ce guide : il se fera un plaisir de vous offrir une margarita en guise d'apéritif. Montrez-lui la clé de votre chambre, et vous aurez droit à un rabais de 10%. Le bastion de la cuisine mexicaine sur l'île.

EL MESON DE PEPE 1215 Duval St.   Tél. (305) 296 6922
Ouvert du mercredi au lundi de 8h à 23h.
Piccadillo : $6 ; poulet au riz : $17 ; paëlla pour deux : $35

CUBAN COFFEE QUEEN CAFE 512 Green St.   Tél. (305) 296 2711
Ouvert tous les jours de 7h à 18h.
Sandwichs cubains : $3.25-$4 ; soupe aux fruits de mer $2.75. Cuisine familiale cubaine.

SOLARES HILL GROCERY 648 William St.   Tél. (305) 296 9615
Ouvert du lundi au samedi de 8h à 20h ; le dimanche de 8h à 18h. La cuisine ferme à 19h.
Plats à emporter. Sandwichs cubains à $3.50. Café expresso cubain.

FIVE STAR CAFE 1100 Packer St.   Tél. (305) 296 0650
Seuls les indigènes connaissent l'endroit, situé dans un pâté de vieux immeubles commerciaux.

EL CACIQUE 125 Duval St.   Tél. (305) 294 4000
Tous les jours de 8h à 22h.
Sandwichs cubains : $3.40-$4.50, entrées : $10-$15. Petits déjeuners.

SOUTH BEACH SEAFOOD AND RAW BAR 1405 Duval St.   Tél. (305) 294 2727
Petit déjeuner de 7h à 11.30 ; déjeuner de 11.30 à 16h ; dîner de 16h à 22h.
Petit déjeuner à partir de $3.95 ; sandwich à $4.50 ; entrées, au dîner, à $9 et plus.

CRABSHACK 908 Caroline St.   Tél. (305) 294 9658
Ouvert tous les jours de 11h à 22h30. Déjeuner servi de 11h à 16h ; le dîner de 16h à 22h.

On offre les crevettes vapeur aux épices avec la bière, pour mieux vous donner soif.

JERRY'S OYSTER BAR & GRILL 1114 Duval St.   Tél. (305) 294 7061
Déjeuner de 12h à 18h ; dîner de 18 à 23h.
Crabe, crevettes, salade de coquillages à $5.50 ; huîtres à $7 la douzaine, crevettes à $7.95 la demi-livre.

FULL MOON SALOON 1202 Simonton St.   Tél. (305) 294 9090/7559
Ouvert tous les jours de 11h à 4h du matin ; le dimanche de 12h à 4h du matin.
La cuisine est ouverte très tard et un orchestre rock joue jusqu'à la fermeture. Un quart de steak et trois œufs : $6.95 ; un steak entier : $10.95 ; sandwich au poisson : $6.95 (peut être accompagné d'oignons, de fromage, de champignons, etc).

CROISSANTS DE FRANCE 816 Duval St.   Tél. (305) 924 2624
Ouvert tous les jours sauf les mercredis de 7h30 à 24h.
Petit déjeuner de 7h30 à 11h30 : Brie et 3/4 de baguette : $5 ; pichet de thé glacé ou de limonade : $1.50 ; jus d'oranges pressées : $2.
Déjeuner jusqu'à 15h : énorme salade : $5-$8 ; crêpes et glaces après 15h. Ils font leurs propres gâteaux et leur propre pain. Crêpes au beurre à partir de $2.50 ; jusqu'à $7 pour la "Tropical Royale" ; tarte au citron vert, millefeuille à $3.25 ; glaces : 1 boule : $2, 2 boules : $3 ; gigantesques mélanges entre $5 et $6. Boulangerie et pâtisserie attenantes. Pas de cartes de crédit.

FRANK'S HUNGRY SAILOR'S CAFE 105 Whitehead St.   Tél. (305) 294 9434
Ouvert tous les jours de 7h à 20h ; le dimanche de 8h à 16h. Livraison gratuite pour plus de $5 d'achat.
Petit déjeuner : 2 œufs, pomme de terre, toast, gelée $1.99 ; pancakes au même prix ; les meilleurs burgers de Key West à $2.99 ; tarte au citron vert de Key : $2.25

LA CREPERIE 124 Duval St.   Tél. (305) 294 7677
Déjeuner de 11h à 13h30 ; dîner de 18h30 à 20h.
Récemment ouvert par des Français. Expresso, crêpes. Autour de $10

PJ'S LATE NIGHT 920 Caroline St.   Tél. (305) 926 4245
Ouvert de 11h à 4h du matin ; déjeuner de 11h à 17h : $4.95 ; dîner de 17h à 3h du matin : $7.95
C'est ici que les gens du coin se retrouvent quand tout est fermé.

5 BROTHERS GROCERY AND SANDWICHS
930 Southard St. Tél. (305) 296 5205
Ouvert du lundi au vendredi de 6h à 19h ; le samedi de 6h30 à 19h ; le dimanche de 6h30 à 14h.
Vendredi : spécial conch chowder à $1.50 ; double expresso à 65 cents.

DIM SUM 613 1/2 Duval St. Key Lime Square. Tél. (305) 294 6230
Ouvert du mercredi au dimanche de 6h30 à 23h.
Curry indien ; fritures chinoises, cuisine thaï, indonésienne et spécialités birmanes.

FLAMINGO CROSSING 1105 Duval St. Tél. (305) 296 6124
Ouvert du dimanche au jeudi de 12h à 23h ; le vendredi et le samedi de 12h à 24h.
ÇA VA 534 Fleming St. Tél. (305) 292 7890
Plats à emporter ou à se faire livrer. Soupe de gaspacho : $5 le litre ; salade : $4-$6 ; expresso : 75 cts ; tarte Key lime : $2 la part et $12 pour 9 parts ; sandwichs : $4-$5 (dinde fumée, avocat et mozzarella).

HOGS BREATH SALOON & CAFE 400 Front St. Tél. (305) 296 4222
Ouvert tous les jours de 18h à 2h du matin ; nourriture servie de 12h à 23h ; happy hour de 17h à 19h.
Saloon local. Tire son nom de l'adage *"une haleine de cochon vaut mieux que pas d'haleine du tout"*.

SLOPPY JOE'S 201 Duval St. Tél. (305) 294 8759/800 437 0333
A ouvert ses portes en 1937, ne les a jamais refermées depuis. Le bar préféré d'Hemingway, aujourd'hui envahi de hordes de touristes, reste un must. Sirotez une ou deux margaritas glacées dans des gobelets de plastique en contemplant les souvenirs du grand Ernest. Récemment, on aurait même découvert certains de ses manuscrits dans les murs.

COMPASS ROSE 532 Margaret St. Tél. (305) 294 4394
Ouvert du lundi au samedi de 11h30 à 16h30 et de 17h à 22h.
Cuisine familiale pour les indigènes. Déjeuner à prix fixe : $7.50 le steak ; $8.95 la côte ; salade copieuse à $3.25.

KELLY'S BAR, GRILL AND BREWERY 320 Whitehead St. Tél. (305) 293 8484
Ouvert tous les jours de 12h à 23h.
Cette brasserie, qui appartient à la star Kelly McGillis, est gérée par un authentique brasseur allemand, âgé de 23 ans. Elle est située dans l'ancien siège social Art déco de la Pan Americain Airways, qui desservait jadis Cuba. On y accommodera le poisson que vous avez pêché. Si vous rentrez bredouille, dégustez leur poisson au plantain à la sauce aigre ($11.50) ou le poulet grillé à la sauce aigre-douce au tamarin ($9).

PIER HOUSE 1 Duval St. Tél. (305) 293 4600 ext.555
Ouvert le lundi et vendredi de 11h à 15h ; le samedi et jeudi de 18h à 22h30 ; le vendredi et samedi de 18h à 23h.

YO SAKE 722 Duval St. Tél. (305) 294 2288
Sushi dans une pièce avec tatami.

A&B LOBSTER HOUSE 700 Front St. Tél. (305) 294 2536

CAFE DES ARTISTES 1007 Simonton St.   Tél. (305) 294 7100

DUD'S & SUDS 829 Fleming St.   Tél. (305) 294 7837
Ouvert tous les jours de 9h à 22h.
A la fois café et bar à vins, sandwichs et laverie.

KYUSHU 921 Truman Ave.   Tél. (305) 294 2995
Tous les jours déjeuner de 11h30 à 14h30 ; dîner de 17h à 23h.
Epicerie et restaurant japonais.

EL LORO VERDE 404 Southard St.   Tél. (305) 296 7298
Cuisine du Mexique et des Caraïbes.

SAVANNAH 915 Duval St.   Tél. (305) 296 6700
Cuisine du sud des USA.

BABY'S PLACE COFFEE BAR 1111 Duval St.   Tél. (305) 292 3739 - Fax 296 8485
Un choix impressionnant de cafés vous est offert du matin jusqu'à tard le soir. C'est ce qui est écrit dans la vitrine. Pour ma part, j'ai toujours trouvé porte close. Pas de chance !

A & B LOBSTER HOUSE AND MARINA 700 Front St.   Tél. (305) 294 2536
Ouvert du lundi au samedi de 11h à 21h.
Une affaire de famille qui date de la nuit des temps. On y dîne en terrasse devant les marinas.

SCHOONER WHARF 202 William St.   Tél. (305) 292 9520
Ouvert de 11h à 4h du matin.
Un bar du bon vieux temps situé sur le front de mer.

KEY WEST NATURAL MARKET 417 Greene St.   Tél. (305) 294 2098
Le meilleur magasin d'aliments bio de l'île. Excellentes petites annonces "new age" et pour les voyages. Incontournable si vous avez décidé de vous installer ici. Et pourquoi pas ?

COUCHERS DE SOLEIL

C'est toujours un grand moment à Key West. La plupart des gens se rendent à Mallory Square pour son atmosphère de festival. Les quais, qui s'étirent jusque dans la baie, offrent des tables accueillantes, mais aussi des baies vitrées et des orchestres. Bien que les serveuses ne cessent d'aller et venir à travers la foule, vous n'êtes pas obligé de consommer. A l'extrémité du quai, vous pouvez boire des cocktails à des prix spéciaux, mais il faut aller les chercher au bar.

Ici, tout ce qui flotte sur l'eau peut prétendre à une promenade au coucher du soleil. Vous ne manquerez donc pas de bars ou de restaurants avec vue sur le coucher du soleil. Essayez d'apercevoir le fameux rayon vert, qui apparaît au tout dernier moment, quand le soleil bascule dans la mer. Si vous y parvenez, la chance est avec vous.

Heures du coucher du soleil
Janvier : 17h50 ; février : 18h16 ; mars : 18h31 ; avril : 19h44 ; mai : 19h58 ; juin : 20h15 ; juillet : 20h22 ; août : 20h11 ; septembre : 19h45 ; octobre : 19h13 ; novembre : 17h47 ; décembre : 17h38.

VIE NOCTURNE

Key West est trop éloignée des grandes villes pour figurer sur l'itinéraire des rockstars en tournée. Ils n'y passent que pour prendre des vacances. Mais l'énorme communauté hippy/gay/baby boomer/marginale aime le rock sous toutes ses formes. Et ici, qu'on plane ou qu'on picole, on passe son temps dans les bars. Résultat : à tout heure du jour et de la nuit, vous trouverez de la musique "live". Voici une liste non-exhaustive des hauts lieux de la vie nocturne de l'île. Pour plus de précisions, renseignez-vous sur place. Quoi qu'il en soit, vous trouverez toujours de quoi passer une folle soirée dans les bastringues de Duval St. et des rues voisines.

BAREFOOT BOB'S 525 Duval St. Tél. (305) 296 5858
"Happy hour" de 16 à 18h. Table de billard. Rock classique. Pas de look spécial.

BEACH CLUB BAR Pier House, 1 Duval St. Tél. (305) 296 4600
Venez pour le coucher de soleil. Puis restez pour la musique non-stop.

CAP'T TONY'S 428 Greene St. Tél. (305) 294 1838
L'esprit hemingwayien y plane encore. Les excentriques locaux viennent s'y abreuver, et vous n'y trouverez pas l'ombre d'un touriste plouc.

CAPTAIN'S TONY SALOON 428 Greene St. Tél. (305) 294 1838
Ouvert tous les jours de 10h à 2h du matin.
Il paraît qu'il s'agit du plus ancien bar de Floride. C'était en tout cas la maison de Sloppy Joe qui déménagea lorsque les loyers de Duval St. s'envolèrent. Ça ressemble plus à un bar local à la Hemingway qu'à un palace bondé de touristes sirotant leur daïquiri. Seul reproche, ils en font un peu trop dans le "Ah-ce-qu'on-est-pittoresques" !

CONCH CAFE/BANANA CAFE 1211 Duval St. Tél. (305) 296 7227
Ouvert lundi et mardi de 8h à 18h ; du jeudi au dimanche de 8h à 22h.
Crêpes à partir de $2.50. Je ne parierais pas sur les heures d'ouverture ou le nom du café. Il vient d'être repris par des Français fraîchement débarqués.

THE COPA 623 Duval St.
Disco.

801 BAR 801 Duval St.
Piano-bar

KEY WEST CABARET 416 Applerouth Lane
Piano-bar

CLUB INTERNATIONAL 900 Simonton St.
Bar de drague.

ONE SALOON 524 Duval St.
Bar de drague de luxe.

MANGO'S VOODOO NIGHT CLUB 700 Duval St. Tél. (305) 292 4606
Une boîte délirante où l'on fête le Nouvel An pendant deux jours d'affilée... au mois de mai.

MARGARETAVILLE CAFE 500 Duval St.   Tél. (305) 292 1435
Devenu en peu de temps une véritable institution à Key West... voire un lieu de pèlerinage. Le bar, qui appartient à la popstar Jimmy Buffett · dont Bill Clinton est l'un des plus grands fans · tire son nom d'un des succès du propriétaire dans les 70's, *Margaretaville*.

PEEK-A-BOO LOUNGE 300 Southard St.
Si vous êtes en manque de seins nus...

PIRATE'S DEN 300 Front St.
Idem.

RICK'S BAR 202 Duval St.   Tél. (305) 296 5513
L'un des préférés des indigènes. Musique live de 18h à 22h. Puis tout le monde grimpe jusqu'au Upstairs Bar pour finir la nuit à 4h du mat'.

SLOPPY JOE'S 201 Duval St.   Tél. (305) 294 5717
Bourré de touristes, attirés par la réputation de Bobbe Brown, une gloire locale. Les indigènes ne s'y trouvent que le mercredi.

TEASER'S LOUNGE 1029 Truman Ave.
Strips, comme son nom l'indique.

THE CLUB AT LA TE DA 1125 Duval St.   Tél. (305) 296 6706
Cette discothèque gay offre des spectacles de travestis, des thés dansants tous les dimanches de 16h à 20h, et encore les vendredis à minuit, avec strip-teasers masculins en prime.

Et aussi...

BULL & WHISTLE A l'angle de Duval et Caroline St.

CAPT. HORN BLOWERS 300 Front St.   Tél. (305) 294 4922

DOCKSIDE BAR Ocean Key House, Zero Duval St.   Tél. (305) 296 7701

DIRTY HARRY'S 208 Duval St. (derrière le Rick's)   Tél. (305) 296 5513

EIGHT O ONE 801 Duval St.   Tél. (305) 4737

EL LORO VERDE 404 Southhard St.   Tél. (305) 294 7298

FLIGHT 121 121 Duval St.   Tél. (305) 293 9266

FULL MOON SALOON 1202 Simonton St.   Tél. (305) 294 6133

GREEN PARROT 601 Whitehead St.   Tél. (305) 294 6133

HAVANA DOCKS Pier House, 1 Duval St.   Tél. (305) 296 4600

HOG'S BREATH SALOON 400 Front St.   Tél. (305) 296 4222

JERRY'S OYSTER BAR & SALOON 1114 Duval St.   Tél. (305) 294 7061

ROOFTOP CAFE 310 Front St.   Tél. (305) 294 2042

SCHOONER WHARF 202 William St.   Tél. (305) 292 9520

TURTLE KRAALS Lands End Marina   Tél. (305) 294 2640

SHOPPING

Impossible de répartir par catégories les magasins de Key West : la ville en général, et Duval St. en particulier, n'est qu'un immense marché, une espèce de souk bourgeois. Prix et qualité varient de façon totalement arbitraire.

TOWELS OF KEY WEST 806 et 512 Duval St.   Tél. (305) 292 1120 / 800 927 0316
Ouvert du mercredi au samedi de 10h à 18h, dimanche de 10h à 17h, lundi de 10h à 14h.

BASKETS A LA CARTE LTD. 1206 Duval St.   Tél. (305) 296 0496
Ouvert du lundi au samedi de 9h30 à 18h.
La spécialité de la maison est le panier cadeau "Conch Republic" ($50).

KEY CONCH GIFT SHOP 430 Greene St.   Tél. (305) 296 4439
Ouvert tous les jours de 10h à 22h, en fonction de la gueule de bois du patron. Une sorte de petit paradis.

THE CRYSTAL MENAGERIE
121 Fitzpatrick, Kino Sandal Plaza,   Tél. (305) 292 7709 / 800 572 8492
Ouvert du lundi au samedi de 10h à 17h ; le dimanche de 11h à 16h.
"Des cadeaux enchanteurs", dixit la maison.

CONFETTI 1102 B Duval St.   Tél. (305) 293 1327
Ouvert du lundi au samedi de 10h à 17h30
"Papeteries irrésistibles"

KABOOM 117 Fitzpatrick, Kino Sandal Plaza,   Tél. (305) 293 0727
Ouvert tous les jours de 10h à 17h.
"Une explosion de cadeaux."

TAR HEEL TRADING CO. 802 Duval St.   Tél. (305) 294 8589
Ouvert du lundi au jeudi de 10h à 19h ; le vendredi et samedi de 10h à 21h ; le dimanche de 10h à 18h.
Excellent artisanat de la Caroline du Nord.

WINGS OF IMAGINATION 1108 Duval St.   Tél. (305) 296 2988
Ouvert le mercredi de 10h à 17h ; le vendredi et samedi de 10h à 22h ; le dimanche de 12h à 18h (parfois)
Galerie de papillons, œuvres d'art créées à partir d'ailes de papillons d'élevage, et tout ce qui a trait à la bestiole.

KOKOPELLI SOUTHWEST GALLERY 824 Duval St.   Tél. (305) 292 4144
Ouvert du mardi au samedi de 10h à 19h ; le dimanche et lundi de 10h à 18h.
Bijoux, artisanat et tapis amérindiens.

SILVERMINE SOUTH JEWELRY AND PEACE EMPORIUM
408 Greene St.   Tél. (305) 292 7738
Ouvert tous les jours de 9h à 22h et même plus.
Vêtements du Guatemala, bracelets de cristal, etc.

SUN STUDIO 724 Duval St.   Tél. (305) 296 1436/292 9761 - Fax 292 9748
Ouvert tous les jours de 9h à 23h.
Bijoux en turquoise et en argent du Montana, faux calumets de la paix.

JESSICA'S NAUTICAL JEWELRY & SOUVENIRS
512 Greene St. **Tél. (305) 296 1008**
Ouvert tous les jours de 10h à 22h.
Brocante intéressante, à la limite de l'objet rare. On exécute aussi des bijoux sur commande.

THE CAT HOUSE 411 Greene St. **Tél. (305) 294 4779**
Ouvert du lundi au samedi de 10h à 17h30 ; le dimanche de 10h à 16h30
"La boutique des amoureux des chats". Comme son nom l'indique.

JOE CARTER - THE AIRBRUSH BOUTIQUE
430 Greene St. **Tél. (305) 296 4439**
Aérographies sur tee-shirts ou autres supports. Dessins standard ou réalisés sur commande.

WORLD WIDE FLAGS 626 Duval St. **Tél. (305) 292 9301**
Ouvert du lundi au samedi de 10h à 22h : le dimanche de 10h à 20h.
Drapeaux de tous les pays, dans toutes les tailles, écussons et pin's.

KEY WEST HAND PRINT FABRIC
201 Simonton St. **Tél. (305) 292 8951/800 866 0333 - Fax 292 8965**
Ouvert du lundi au vendredi de 10h à 18h ; visites à 10h30, 14h, 15h30
Tissu imprimés à la main à $14 le mètre. Chemises et chemisiers hawaïens à $38.

OLD COFFEE MILL 512 Greene St. **Tél. (305) 292 4119**
Ouvert tous les jours de 10h à 21h
Marché d'antiquités à échoppes.

VERN'S PLACE 903 Simonton St. **Tél. (305) 294 9639**
Ouvert du lundi au samedi de 10h à 17h30
Ici, on achète et on vend de l'usagé en tout genre.

KEY WEST KITE COMPANY 409 Greene St. **Tél. (305) 296 2535**
Ouvert tous les jours de 10h à 20h.
Le cerf-volant le moins cher est à $2, les chefs-d'œuvre les plus coûteux à $200, mais vous trouverez votre bonheur entre $5 et $40.

I.M. WAMBOZ
Ouvert tous les jours de 10h à 22h.
Boutique de design New Age.

TONE'S TEE 814 Duval St. **Tél. (305) 296 1491**
Ouvert tous les jours de 10h à 20h ou 21h.
Tee-shirts aérographiés à partir de $25-$30.

KEY WEST SANDAL FACTORY 105 Whitehead St. **Tél. (305) 294 4086**
Ouvert du lundi au vendredi de 9h à 20h ; le samedi et dimanche de 10h à 20h.

HOT HATS 613 Duval St. **Tél. (305) 292 5075/800 344 4287**
Ouvert tous les jours de 10h à 22h.
Des chapeaux pas mal à partir de $30-$40. Casquettes à $22. Bibis superbes à $125, sublimes à $200. Les plus beaux en ville.

KALEE BOUTIQUE
415 Greene St.   Tél. (305) 293 0630
Ouvert tous les jours de 10h à 17h.
Prêt-à-porter féminin, ou plutôt, prêt-à-porter pour belles dames.

TROPICAL WAVE CO. 310 Duval St.   Tél. (305) 292 7543
Ouvert du mardi au dimanche de 12h à 21h.
Vêtements, sacs, ceintures et artisanat exotiques.

ZOO HANDMADE CREATIONS 1124 Duval St.   Tél. (305) 294 6480
Ouvert du dimanche au jeudi de 10h à 18h ; le vendredi et samedi de 10h à 23h.
Effectivement, c'est tout un zoo ! Animaux en peluche, poupées en chiffon, etc.

ZERO 624 Duval St.   Tél. (305) 294 3899
Ouvert tous les jours de 10h à 23h.
Prêt-à-porter masculin, tendance exotico-excentrique.

LAST FLIGHT OUT 704 Duval St.   Tél. (305) 294 8008/800 294 8008
Ouvert tous les jours de 10h à 22h.
Tee-shirts de luxe à $17.50. On vous les poste au poids, à partir d'une livre.

TROPICAL SHELL & GIFT SPONGE MARKET 1 Whitehead St.   Tél. (305) 294 2555
*Ouvert tous les jours de 10h à 18h et de 9h à 18h les jours où accostent les
bateaux d'excursion.*
Eponges naturelles à partir de $8. Colliers d'éponges de diverses tailles à $25.

LOW KEY TYE DYE 528 A Front St.   Tél. (305) 294 5114
Ouvert du lundi au vendredi de 10h à 21h ; le samedi et dimanche de 10h à 22h.

GREAT IDEAS INC. 620 Duval St.   Tél. (305) 296 5076/800 445 8199
Ouvert tous les jours de 10h à 22h.
Des trucs malins, un peu gadget, qui plaisent aux jeunes femmes.

THE PELICAN POOP SHOPPE 314 Simonton St.   Tél. (305) 292 9955
Ouvert tous les jours de 10h à 18h.
Cette boutique de cadeaux excentriques s'est nichée dans la première maison
qu'habita Hemingway à Key West. Il comptait s'y arrêter le temps d'acheter une
voiture. Il est resté, comme tout le monde. La visite guidée ($2) vous sera offerte
pour tout achat équivalent ou supérieur à $10.

BOHEEM 706 Duval St.   Tél. (305) 292 4035
Ouvert tous les jours de 10h à 22h.
Tee-shirts de luxe, peints sur écran de soie pour $15, peints à la main pour $24.

CITY ZOO / KEY WEST INC. 1108A Duval St.   Tél. (305) 292 1711
Ouvert du lundi au samedi de 10h à 18h ; le dimanche de 12h à 15h.
Babioles tropicales.

H.T. CHITTUM & CO. 725 Duval St.   Tél. (305) 292 9002 - Fax 292 0270
Ouvert du lundi au samedi de 10h à 22h ; le dimanche de 10h à 20h.
Levi's ($45) et autres fringues WASP.

GRAFFITI MEN'S WEAR 701 Duval St. Tél. (305) 294 8040
Ouvert tous les jours de 10h à 23h.

STEAMBOAT GENERAL STORE 725 Caroline St. Tél. (305) 292 1650
Ouvert tous les jours de 9h à 17h.

...FOOTPRINTS 610 Duval St. Tél. (305) 294 8318/800 330 2475
Ouvert du lundi au samedi de 10h à 22h ; le dimanche de 11h à 18h.
Sabots et autres pompes New Age.

TIKAL TRADING CO. 129 Duval St. Tél. (305) 296 4463 - Fax 294 9733
Ouvert tous les jours de 10h à 22h.

THE CHINA PEARL BOUTIQUE 412 Greene St. Tél. (305) 296 8999
Coopérative d'artistes de Key West. Fringues western, bandes dessinées, etc.

GREENPEACE 719 Duval St. Tél. (305) 296 4442
Vêtements et artisanat estampillés "non-nocif pour l'environnement".

CONDOM SENSE 417-419 Duval St. Tél. (305) 296 4773
Faut-il vous faire un dessin ?

CAROLINE STREET BOOKS 800 Caroline St. Tél. (305) 294 3931
Ouvert du lundi au samedi de 10h à 22h ; le dimanche de 10h à 19h.
Petite sélection de romans en français.

BLUE HERON BOOKS 538 Truman Ave Tél. (305) 296 3508
Ouvert du lundi au samedi de 10h à 22h ; le dimanche jusqu'à 21h.
Vous y trouverez Hemingway traduit en français ainsi que des livres de poche, en français également.

ENVIRONMENTAL CIRCUS 518 Duval St.
Ouvert tous les jours, mais rarement avant midi, jusqu'à environ minuit.
L'esprit des sixties croît et se multiplie dans cet immense magasin. C'est ici que vous trouverez le narguilé dont vous rêviez. Sans compter qu'ils ont un stock inépuisable de papier à cigarettes, à vous faire abandonner toutes vos bonnes résolutions...

KEY WEST ALOE 524 Front St. & 540 Greene St. Tél. 800 445 2563
Ouvert tous les jours de 9h à 20h.
Parfums et cosmétiques hypo-allergènes à base d'Aloé Vera, l'"aliment" idéal de la peau. Gamme complète de filtres et écrans solaires sans PABA, baumes pour les lèvres, crèmes après-soleil, etc. On vous offre un petit flacon d'eau de Cologne pour un achat supérieur à $10.

HOUSE OF HAMMOCKS 11022 Duval St. Tél. (305) 294 0073 - Fax 836 1018
Ouvert tous les jours de 10h à 18h.
Le mot "hammock" tire son origine de la langue des Indiens des Caraïbes. Les hamacs sont ici dans tous leurs états, du coton moelleux tendu sur des baguettes de séquoia au hamac d'Amérique Centrale ou de Polynésie.

HAHNEMAKERS CHOCOLATEIER 511 South St. Tél. (305) 296 3800
Spécialité de gâteau (le "fudge") au citron des Keys.

KEY WEST CIGAR FACTORY 3 Pirate's Alley   Tél. (305) 294 3470
Ouvert tous les jours de 9h à 19h.
Cigares roulés à la main. Boîte de $20 à $60. Pour les accros de la Gitane ou de la Gauloise, il y en a.

**MEL FISHER MARITIME HERITAGE SOCIETY MUSEUM
200 Greene St.**   Tél. (305) 294 2633
Ouvert tous les jours de 10h à 17h. Adultes : $5 ; enfants de 6 à 12 ans : $1.50. Gratuit pour les enfants au-dessous de 6 ans.
En 1622, six galions espagnols chargés d'or coulèrent au large des îles de Floride. L'épave de la *Nuestra Señora de Atocha* fut découverte par Mel Fischer en 1985. Le butin s'élevait à quelque 200 millions de dollars. Une partie de ce trésor est visible sur place, mais de nombreuses pièces sont encore en vente dans la boutique attenante. Un film (dernière séance à 16h30) vous est présenté au début de la visite. Bof... Heureusement que l'entrée de la boutique est gratuite.

CONCH COIN COMPANY 300 Front St.   Tél. (305) 296 5366
Ouvert de 10h à 20h.
Le meilleur de ce qui a été arraché aux flancs de la *Nuestra Señora de Atocha*.

CLAUDE'S BOUNTY Galleon Sq. 218 Whitehead   Tél. (305) 292 9955
Pièces et bijoux du galion espagnol susnommé.

POINTS D'INTERET

L'un des attraits de Key West est lié à son histoire et à ses monuments, bien qu'aucun d'entre eux ne soit absolument incontournable. On peut se laisser conduire par le hasard, qui ne vous mènera guère plus loin que les quatre kilomètres carrés de la Vieille Ville.

Deux tramways vous permettent de les visiter à votre guise (voir "Tourisme").

La **Key West Historical Homes Society** distribue une brochure intitulée : *Key West Historic Homes on the Museum Walk* (Visite pédestre des demeures historiques de Key West), qui vous servira de guide.

ERNEST HEMINGWAY HOME & MUSEUM 907 Whitehead St.   Tél. (305) 294 1575
Ouvert tous les jours de 9h à 17h.
Cette maison, pratiquement la seule construite selon la tradition de Key West (fondations de pierre et sous-sol), date des années 1870. Elle possède la première piscine de Key West (fin des années 30), qui coûta la bagatelle de $20 000 à l'époque. C'est ici qu'Hemingway écrivit *Pour qui sonne le glas, Les vertes collines d'Afrique, La Cinquième colonne, Les neiges du Kilimandjaro,* ainsi que *La courte et heureuse vie de Francis Macomber.* C'est en tout cas ce que l'on raconte dans le coin. La maison appartint à Ernest de 1931 à 1961, et c'est là qu'il rencontra Martha Gelhorn.

Si les guides vous bassinent de racontars débités sur un ton monocorde, ils ne s'attardent pas sur les toilettes de la maison, qui furent pourtant un lieu privilégié de création littéraire. Comme Brahms qui trouvait ses symphonies en cirant ses chaussures, Papa avait en effet l'habitude d'écrire assis sur le trône. Voilà qui nous le rend parfaitement humain. Ajoutons que la maison est au centre des journées annuelles consacrées à Hemingway, qui célèbrent sa mémoire toute une semaine durant, au mois de juillet.

WRECKERS' MUSEUM HOUSE 322 Duval St.
Ouvert tous les jours de 10h à 16h. Prix d'entrée : adultes $2 ; enfants 50 cts.
Maison "Conch" datant de 1829 (transplantée des Bahamas en 1832) et connue comme "la plus ancienne maison de l'île". L'intérieur est rempli d'objets récupérés par les pilleurs d'épaves.

AUDUBON HOUSE & TROPICAL GARDENS 205 WHitehead St.   **Tél. (305) 294 2116**
Ouvert tous les jours de 9h30 à 17h. Prix d'entrée : adultes $5 ; enfants $1.
Trois étages de mobilier européen, notamment des meubles de style Chippendale et des gravures originales d'Audubon. Audubon a créé 18 gravures (sur 435), lors de son séjour aux Keys, pour son monumental ouvrage d'ornithologie *Birds of America*. Un jardin tropical entoure la maison. C'était à l'origine l'habitation du pilote du premier port construit à Key West. Pratiquement détruite en 1958, elle a été restaurée par la Fondation Wolfson.

DONDEY MILK HOUSE 613 Eaton St.   **Tél. (305) 296 1866**
Ouvert tous les jours de 10h à 17h. Prix d'entrée : $3.
Cette maison de style néo-classique date de 1866. Restaurée, elle a été meublée d'objets curieux et d'antiquités par son nouveau propriétaire, qui en est également le conservateur. Il y vit et subvient à l'entretien des lieux grâce aux $3 d'entrée. Comme de nombreuses résidences de Key West, la Dondey Milk House représente, grâce à son occupant, la mémoire vivante de l'île.

TRUMAN'S "LITTLE WHITE HOUSE" 111 Front St.   **Tél. (305) 294 9911**
Ouvert tous les jours de 9h à 17h. Prix d'entrée : adultes $6 ; enfants $3.
Les visites, d'une demi-heure chacune, commencent toutes les quinze minutes (elles se font également en français). Bâtie en pin provenant du Dade County, matériau incroyablement flexible et résistant, cette demeure était la résidence des commandants de la base navale jusqu'au lendemain de la dernière guerre mondiale. Elle fut ensuite réaménagée pour servir de lieu de retraite au président Truman, qui y séjourna 175 jours en tout entre 1946 et 1952. Le terrain de la base navale fut vendu et transformé en appartements de copropriété en 1974, mais la maison a été préservée et restaurée pour devenir un musée en 1986.

CURRY MANSION 511 Caroline St.   **Tél. (305) 294 5349/ 800 273 2877**
Ouvert tous les jours de 10h à 17h. Prix d'entrée : adultes $5 ; enfants $1.
On trouve dans la plupart des journaux locaux des coupons à découper offrant $1 de rabais sur le prix de la visite de cette demeure d'une vingtaine de pièces regorgeant d'antiquités. Curry House fait également fonction d'auberge pour les Happy Few. Basse saison (mai-décembre) : $140 ; avec balcon : $160. Haute saison (décembre-mai) : $180/ $200.

CASA ANTIGUA 314 Simonton St.   **Tél. (305) 292 9955**
Bâti en 1919, c'est, avec le Trev-Mor, le premier grand hôtel édifié à Key West. Les briques utilisées pour sa construction proviennent du Fort Zachary Taylor (le "Gibraltar" américain). Indépendamment de ses 46 chambres, l'hôtel abritait le premier réseau de concessionnaire d'automobiles de l'île, ainsi qu'un atelier de réparation. C'est ici qu'Hemingway, arrivant par la mer avec sa femme, devait prendre livraison d'une Ford. La voiture n'étant pas arrivée, il s'installa à l'hôtel. Pour ne pas perdre son temps, il y écrivit *L'Adieu aux armes* dans une chambre donnant sur la cour, au deuxième étage.

Le bâtiment fut utilisé comme bordel durant la Deuxième Guerre mondiale. Pas étonnant après cela que les foudres divines se soient abattues sur les lieux. L'hôtel a été ravagé par un incendie en 1975, alors qu'il était censé être à l'épreuve du feu. Puis vint l'heure de la rédemption. On l'a restauré, et en son centre on a aménagé un jardin tropical ouvert.

JESSIE PORTER'S HERITAGE HOUSE & ROBERT FROST COTTAGE
410 Caroline St. Tél. (305) 294 2834
Ouvert tous les jours de 10h à 17h.
Encore une maison de capitaine au long cours. Celle-ci date de 1830. Le mobilier est nettement marqué par une longue pratique du commerce avec la Chine.

CABLE HOUSE MUSEUM 1 South St. (722 Elisabeth St.)
Sans doute le plus petit musée du monde. Le bâtiment a été construit en 1867 par l'International Ocean Telegraphic Company dans le but d'abriter les câbles téléphoniques reliant La Havane à New York via Key West. Plus tard la compagnie a été rachetée par la Western Union, et les câbles ont servi à assurer les liaisons téléphoniques entre Key West et la plupart des îles Caraïbes.

EAST MARTELLO MUSEUM & GALLERY 3501 S. Roosevelt Blvd. Tél. (305) 296 3913
Ouvert tous les jours de 9h30 à 17h30. Prix d'entrée : adultes $3 ; enfants $1.
Ce fort qui date de la guerre de Sécession est le dernier "survivant" du style Martello sur la côte Est. Il abrite le musée historique et artistique de Key West.

RIPLEY'S BELIEVE IT OR NOT ODDITORIUM 527 Duval St. Tél. (305) 293 9694
Ouvert de dimanche à jeudi de 10h à 23h ; le vendredi et samedi de 10h à 24h. Prix d'entrée : adultes $9.75 ; enfants de 4 à 11 ans $6.75 ; gratuit pour les enfants de moins de 4 ans. Cartes de réduction $1. Il suffit de demander.
Comme pour le musée de cire de madame Tussaud à Londres, il est difficile de ne pas ricaner devant ces personnages aux attitudes et aux émotions préfabriquées. J'ai pourtant été agréablement surpris. Il faut dire que je suis entré gratis.

KEY WEST AQUARIUM 1 Whitehead St. Tél. (305) 296 2051
Ouvert tous les jours de 10 à 18h. Prix d'entrée : adultes $6 ; enfants de 8 à 15 ans $3 ; gratuit au dessous de 7 ans.
L'aquarium a été construit durant la Dépression, dans le but de donner du nerf à l'industrie touristique. La grande bouffe a lieu à 11h, 13h et 15h. Celle des requins, bien entendu.

KEY WEST LIGTHOUSE MUSEUM 938 Whitehead St. Tél. (305) 294 0012
Ouvert tous les jours de 9h30 à 17h.
Depuis sa construction, en 1848, le phare a à son actif 121 années de bons et loyaux services. Cela vaut la peine de grimper les 88 marches pour jouir de la plus belle vue de l'île, sur les Keys et l'Océan.

KEY WEST CEMETARY
Il ne faut pas manquer la visite du cimetière. Elle a lieu le samedi et le dimanche à 10h et à 16h. Point de rencontre au Sexton Office, au coin de Palm St. et de Magnolia St. On ne refusera pas vos $5 de contribution.

TOURISME

OLD TOWN TROLLEY 1910 N. Roosevelt Blvd.   **Tél. (305) 296 6688**
Vous permet quotidiennement de visiter une centaine de lieux intéressants. Vous pouvez descendre à chacune des douze stations et repartir avec un autre trolley. Il y en a un toutes les demi-heures. Malheureusement, son itinéraire le conduit un peu trop souvent vers la Highway N°1, où se succèdent la plupart des motels à touristes.

CONCH TOUR TRAIN 501 Front St.   **Tél. (305) 294 5161**
Tous les jours de 9h à 16h. L'excursion dure 90 minutes et passe par une soixantaine d'endroits de la Vieille Ville. Adultes : $11 ; enfants de 4 à 12 ans : $5 ; moins de 3 ans : gratuit.

ISLANDS AEROPLANE TOURS Key West International Airport
Fred Cabanas met en service deux bi-moteurs. Un WACO de 1941 et un PITTS aérobiotique. Promenade au-dessus du port et des récifs de corail.

CHALK'S SEAPLANE AIRTOUR Pier House, 1 Duval St.   **Tél. (305) 292 3637**
25 minutes au-dessus de Key West et des récifs de corail. Départ tous les jours à 14h30 et retour à 16h15, Adultes : $39.50 ; enfants : $29.50.
Pas cher pour une expérience authentique.

GALERIES D'ART

La moindre des choses que l'on puisse dire de l'art produit à Key West, c'est qu'il n'a pas été engendré par le stress. Il s'efforce de séduire l'œil par ses jolies couleurs, mais il est dénué de profondeur esthétique ou intellectuelle. Mieux vaut s'en tenir à l'art naïf ou folklorique, très en vogue ces temps-ci. La plupart des galeries sont ouvertes de 10h ou 11h à 18h.

KENNEDY GALLERY 1130 Duval St.   **Tél. (305) 294 5997**
Voir également le Kennedy Studio au 511 Duval St.   **Tél. (305) 294 8564**
Ouvert tous les jours de 10h à 22h.
Estampes, posters et cadres à petits prix

KEY WEST ART CENTER 301 Front St.   **Tél. (305) 294 1241**
Ouvert du lundi au samedi de 10h à 17h ; le dimanche de 11h à 16h.
Coopérative d'artistes. Une véritable institution.

Et aussi...

GINGERBREAD SQUARE GALLERY 1207 Duval St.   **Tél. (305) 296 8900**

HAITIAN ART CO. 600 Frances St.   **Tél. (305) 296 8932**

ISLAND ARTS 1128 Duval St.   **Tél. (305) 292 9909**

LANE GALLERY 1000 Duval St.   **Tél. (305) 294 0067**

LUCKY STREET GALLERY 919 Duval St.

CINEMA & THEATRES

Le dernier vrai cinéma de l'île, un bâtiment Art déco situé sur Duval St., a récemment fermé ses portes pour abriter le musée de cire Ripley's Believe It Or Not. Vous pourrez cependant le voir dans toute sa gloire finissante dans le récent film *Matinée*. Moyennant quoi, deux salles multiplex (10 écrans au total) sont quelque part le long de la route nationale N°1. Vous n'y verrez jamais rien d'autre que ce qui passe sur le territoire américain.

Key West a cependant été l'objet de nombreux films. *Beneath the 12 miles Reef* (1953) raconte l'histoire de pêcheurs d'éponges au XIXe siècle ; le très épique *Reap the wild wind* (1942) de Cecil B. de Mille retrace l'épopée des pilleurs d'épaves ; enfin notons le post-moderne *92 in the shade* (1975) avec Peter Fonda, réalisé par le romancier Tom MacGuane.

CINEMA 4 Searstown Shopping Center   **Tél. (305) 296 7211**

CINEMA 6 2228 Roosevelt Blvd.   **Tél. (305) 294 0000**

RED BARN THEATER 319 Duval St. (rear)   **Tél. (305) 296 9911**
La saison théâtrale est ouverte de novembre à juillet. Lever de rideau à 20h. Prix du billet : $15

TENNESSEE WILLIAMS FINE ARTS CENTER 5901 W. College Road Tél. (305) 296 1520
Ouverture de la saison de janvier à avril.
Danse et tournées théâtrales. Vérifier les horaires.

WATERFRONT PLAYHOUSE Mallory Dock   **Tél. (305) 294 5015**
Ouverture de la saison de janvier à avril.
Festival classique annuel de Key West au mois d'avril.

SPIRIT THEATER 802 White St.   **Tél. (305) 296 0442**
Limité à 12 spectateurs, le spectacle reproduit, dans une ambiance totalement "second degré" une séance de spiritisme à l'époque victorienne. Durée d'environ deux heures. Il est nécessaire de réserver.

FESTIVALS

KEY WEST GAY ARTS FESTIVAL
Le festival se déroule durant une semaine au mois de juin. Art, théâtre, cinéma, livres et musique, mais également une visite des maisons historiques de la ville, entreprise par d'entreprenants homos.

OLD ISLAND DAYS   **Tél. (305) 294 9501**
Old Island Restoration Foundation, Box 689, Key West, Florida 33040.
Lorsque cette célébration vit le jour il y a 33 ans, elle ne durait qu'un mois. Aujourd'hui elle s'étend sur une période de quatre mois, de décembre à avril, ce qui correspond aux prix de la "haute saison" dans les hôtels. Autrement dit, l'hiver est une espèce de festival permanent. Visite des maisons et de leurs jardins, exhibitions florales, parades, foire du comté en février, semaines musicales, etc. Pour les horaires et calendriers détaillés, leur écrire.

FLOWER SHOW
La parades des fleurs, point culminant du Old Island Days, se déroule à la fin du mois de mars.

CONCH REPUBLIC INDEPENDENCE CELEBRATION
P.O. Box 2532, Key West, Florida 33045.   **Tél. (305) 296 0213**
Retrace les événements historiques qui se sont succédés jusqu'à l'établissement
de la République Conch en 1982. Parades, fête dans la rue, distractions et
reconstitutions historiques.

INDEPENDENCE DAY CELEBRATION
Le 4 Juillet. Feux d'artifice et concerts pop, lors de la célébration la plus
"traditionnelle" de l'île.

HEMINGWAY DAYS
P.O. Box 4045, Key West, Florida, 33041.   **Tél. (305) 294 4440**Au mois de Jui
Meilleur moment, et le plus populaire : le concours des sosies d'Hemingway. Et
pour rester dans le ton : concours de buveurs de bière et de bras-de-fer ; foire
de la bouffe, fête dans la rue, pêche, sans oublier - pour les plus littéraires - un
concours de nouvelles.

WOMEN IN PARADISE
Au mois de septembre. Volley-ball, golf, défilés de mode, promenades au
coucher du soleil, promenades à vélo, fêtes et distractions. L'un des plus
importants rassemblements de lesbiennes aux Etats-Unis.

KEY WEST THEATRE FESTIVAL
Fin septembre, début octobre. Une semaine de plaisirs dans les trois théâtres de
l'île.

FANTASY FEST
P.O. Box 230, Key West, Florida, 33041.   **Tél. (305) 296 1817**
Le jour de fête le plus important sur le calendrier de Key West, a lieu durant la
semaine précédant Halloween (31 octobre). La plupart des hôtels sont déjà
réservés et les prix flambent. Dans la série "on n'arrête pas de rigoler", c'est le
grand rival de Mardi gras. L'un des temps forts est le Masked Madness and
Headdress Ball (le "bal des folies masquées et des chapeaux dingues"), où l'on
récompense les couvre-chefs les plus extravagants. La grande parade a lieu le
Jour d'Halloween.

KEY WEST LITERARY SEMINAR
Monika Haskell, P.O. Box 391 Sugarloaf Shores, Florida 33044. Tél. (305) 745 3640
Toute une semaine consacrée à Hemingway, Tennessee Williams et autres
écrivains parmi lesquels A.E. Hotchner, John Dos Passos, James Leo Herlihy,
James Kirkwood, Jerry Herman.

LE KEY WEST GAY
Indépendamment des efforts du gouvernement Fédéral ou local pour faire de
Key West une importante destination touristique, il n'en reste pas moins que
c'est aux homosexuels que l'on doit cette réussite. La communauté gay
représente le secteur économique le plus important de l'île, qu'il s'agisse des
marchands, des hôteliers ou des touristes. Aussi, de nombreuses guest houses
sont-elles réservées aux homos ou aux lesbiennes. Les lieux de rencontres les
plus chauds, la nuit, sont le fameux "Dick Dock" ("Quai des b...") et le White
Street Pier. Si l'homosexualité offense votre regard, Key West n'est pas un
endroit pour vous.

LEATHER MASTER 418 Applerouth Lane   **Tél. (305) 292 5051**
Plein de jouets "pour ceux qui n'ont pas froid aux yeux".

GAY MEN'S SAILING
Starbuck Tél.   **Tél. (305) 296 7134 Captain Maury**
Clione   **Tél. (305) 296 1433 Captain Carl**
Croisières :   **Tél. (305) 296 4608/ 292 1284**
Captain Del Brixey ou Captain Tom Carey

NAUTISME ET SPORTS NAUTIQUES

PERKINS & SON CHANDLERY 901 Fleming   **Tél. (305) 294 7635**
Tout le matériel de marine dont vous rêvez, y compris les impers et les bottes
de la célèbre marque Patagonia. Ils peuvent éventuellement vous conseiller les
meilleures locations de bateaux et les meilleures excursions.

FIREBALL GLASS BOTTOM BOAT 2 Duval St.   **Tél. (305) 296 6293/294 8704**
Une heure trois-quarts de visite commentée des récifs de corail. Deux visites par
jour (matin et après-midi) plus promenade dans le port au coucher du soleil.

CAPT. PHILLIP CRUMBLEY   **Tél. (305) 294 1303**
Du lundi au samedi de 10h à 18h. Visites guidées de l'arrière-pays, safari photos,
plongée, ski nautique, etc. Pour six personnes et pour une durée de 4 à 6h :
$150.

KOKOMO EXPRESS AB Marina Tél.   **Tél. (305) 294 8853**
Le Kokomo Express est un puissant bateau à moteur de 28 pieds. Petit matériel
de pêche ; pêche à la langouste avec masque et tuba ; visites de l'arrière-pays ;
pêche au requin et au tarpon ; pêche dans les récifs de corail, etc. A partir de $80
pour une demi-journée et par personne ; groupe : $275 pour la demi-journée ;
$400 pour la journée.

MOSQUITO COAST 1107 Duval St.   **Tél. (305) 294 7178**
Ouvert tous les jours de 10h à 17h.
Pas grand chose à vendre - et cher - dans cette boutique. Normal, on y propose
surtout des promenades en kayak autour des îles et à travers l'arrière-pays.

CLUB NAUTICO Garrison Bright Marina   **Tél. (305) 294 2225/800 338 7161**
Bateaux à louer pour la pêche, la plongée, le ski nautique, etc. Pour 6 personnes
dans un bateau de 20 pieds (7 m) : demi-journée (9h-13h ou 13h-17h) : $209 ;
journée complète : $279.

WINDJAMMER APPLEDORE (au pied de William St.)   **Tél. (305) 296 9992**
Le plus gros bateau de Key West. En service de novembre à mai. Balade en mer
avec masque et tuba/déjeuner compris, tous les jours à 10h30 & 15h30 : $45.
Excursion au coucher du soleil avec orchestre et hors-d'œuvre, tous les jours : $30.
Promenade sous les étoiles avec vin, bière et champagne compris, le vendredi et le
samedi de 21h à 23h : $20. Demandez à ce qu'on vous fasse une réduction de 10%.

STARS AND STRIPES   **Tél. (305) 294 7877/ 800 634 6369**
Au bout de la Marina. Pour sortir sur un ancien voilier de l'America's Cup de 21
mètres de long. Une journée de navigation à la voile, comprenant le déjeuner, la
bière et le vin : $69. Mini-croisière de deux heures au soleil couchant
comprenant la bière, le vin et le champagne : $25.

KEY WEST ROWING CLUB   Tél. (305) 292 7984

Au bout de la marina. Bateaux à rames, kayaks, petites yoles et voiliers à louer. Possibilité de prendre des cours.

ATLANTIC X Key West Bight

Casino flottant qui appareille à 18h en été, et à 17h en hiver. Jeux, buffet, dîner, musique, etc. pour $42.50. On vous remboursera d'office $5 si vous vous asseyez aux tables de jeu.

AUTRES SPORTS

1800 ATLANTIC TENNIS   Tél. (305) 292 1215

Courts en terre battue.

MOPED HOSPITAL 601 Truman Ave.   Tél. (305) 296 3344

Location de vélos. Une heure minimum : $1. La journée (9h à 17h) : $6.99 ; 24 heures : $8 ; deuxième journée : $5 ; semaine : $30.

Location de mobylettes. Trois heures minimum : $10 ; trois heures : $13 ; une journée : $24 ; 24 heures : $30 ; semaine : $99.

THE KEY WEST NATURE BIKE TOUR   Tél. (305) 294 1882

Heures de départ : du mardi au samedi : 9h/12h/15h ; dimanche et lundi : 12h & 15h. Prix : $12 par personne, la location des bicyclettes non-comprise.

Pour les promenades de 90 minutes, il suffit de se retrouver au Moped Hospital (angle Truman Ave. et Simonton St.)

KEYS MOPED & SCOOTER INC. 523 Truman Ave.   Tél. (305) 294 0399

Location de vélos (baskets, lumières et cadenas inclus). La journée : $3 ; 24h $4 ; la semaine $20.

Mobylettes et scooters pour une personne : $10 minimum 3h ; la journée $18 ; 24h $23 ; deuxième journée $10. Deux personnes : $15/$27/$34.50. Deuxième journée $15.

RELAXATION

SENSORY FLOATS P.O. BOX 2977 Key West 33045

Thérapeutique anti-stress. Méditation transcendantale dans une citerne d'isolation sensorielle. Vous faites le vide, immergé dans une matrice d'eau chaude. Régression assurée. Prix : $40-$50

ESCAPADES

LES LOWER KEYS

Dans les îles, les distances se mesurent en Mile Markers. Le Mile Marker 0 se trouve à Key West, à l'angle de Fleming St. et de Whitehead St. Les Lower Keys sont situées au sud du Seven Mile Bridge. A l'époque où Key West était la plus grande et la plus riche ville de Floride, nombreux étaient ceux qui possédaient des maisons de campagne dans les Lower Keys.

De plus amples informations, ainsi qu'une liste complète des activités et loisirs des Lower Keys est disponible à la Chambre de Commerce.

• P.O. Box 430511, Mile Marker 31, U.S.1 Oceanside,
  Big Pine Key, Florida 33043.   Tél. 800 872 3722 ou (305) 872 2411

BIG PINE KEY

C'est la plus grande île des Lower Keys. Les pins, qui y prolifèrent, lui ont donné son nom. L'île possède la seule source d'eau potable de tous les Keys.

Située à 31 miles au nord de Key West, et comptant une population de 13 000 habitants, Big Pine Key est le poumon commercial des Lower Keys.

Sur l'île a été créé un parc naturel, le Key Deer Refuge, qui sert de sanctuaire à une espèce de chevreuil miniature natif des Keys. Vous y verrez également le "Blue Hole", où les alligators ne font pas de cauchemars de sacs à main, et qui abrite également des tortues d'eau douce. Au-delà du refuge se dresse la forêt de Watson's Hammock plantée d'arbres de bois de fer et de plantes tropicales.

LOOE KEY

Looe Kee se trouve à 5 miles au-delà de Big Pine Key. Ce n'est guère autre chose qu'un récif. Un récif fatal au H.M.S. Looe qui y sombra corps et bien en 1744. L'endroit fait partie du sanctuaire maritime national, renommé pour ses eaux poissonneuses et profondes, pour la qualité de sa pêche au lancer, et pour son arrière-pays. Plongeurs et nageurs avec masque et tuba sont à la fête dans ce qui est considéré comme le plus spectaculaire des récifs vivants de l'Amérique du Nord. La pêche sous-marine au harpon et la pêche à la langouste battent leur plein du 6 août au 31 mars (permis de pêche nécessaire). Des promenades en mer peuvent être arrangées à partir des autres îles.

BAHIA HONDA KEY

L'île de Bahia Honda est à 37 miles au nord de Key West, et au nord de Big Pine Key. Sa plage de sable blanc, l'une des dix plus belles de l'Amérique du Nord, est sans conteste la plus grande attraction du Bahia Honda State Park. On y trouve une marina, une boutique d'équipement de plongée, des cabines et des terrains de camping.

FORT JEFFERSON et DRY TORTUGA KEY

C'est ici, à 70 miles à l'ouest de Key West, que vous découvrirez l'un des plus beaux coins de l'Amérique. Dry Tortuga, la dernière des îles de la Floride, est entourée d'une série de sept récifs de coraux. Elle est gérée par le National Park Service sous le nom de Fort Jefferson National Monument. Découverte par Ponce de Leon en 1513, l'île était à la fois un cimetière de navires et un refuge pour les pirates jusqu'à ce que les Etats-Unis en prennent possession en 1821. Les Américains y érigèrent un phare quatre ans plus tard. En 1829, la décision fut prise de construire un fort afin de protéger l'embouchure du Mississippi et son trafic maritime.

Aux XIXe siècle, Fort Jefferson était la plus grande construction en maçonnerie de tout l'hémisphère ouest, mais également la plus importante place-forte côtière des Etats-Unis. Plus d'un million de briques ont été nécessaires pour élever le mur d'enceinte, long d'un demi-mile, haut de 15 mètres et épais de 2m50. Le fort pouvait abriter 450 canons et 1 500 hommes. Sa construction, entreprise en 1846, ne fut jamais achevée. Bien qu'une garnison de 500 hommes s'y soit établie durant la guerre de Sécession, le fort n'a jamais connu le baptême du feu.

Il ne le connaîtra jamais car, devenu obsolète avec l'apparition de nouvelles technologies, il a été transformé en version américaine de l'île du Diable. Son pensionnaire le plus connu fut le docteur Samuel Mudd du Maryland, qui, sans savoir à qui il avait affaire, ressouda la jambe brisée de l'assassin du président Lincoln, John Wilks Booth. Ce qui lui valu d'être emprisonné à vie (John Ford raconte l'histoire dans Prisoner of Shark Island). En 1867, une épidémie de fièvre jaune, qui toucha 270 hommes sur les 300 que comptait la garnison, vint au secours du docteur Mudd. On le gracia en 1869 pour avoir vaillamment lutté contre elle.

Le fort fut abandonné en 1874 après un ouragan et une seconde épidémie de fièvre jaune. Il était temps d'ailleurs, car il n'avait pas été construit sur une base solide de corail, mais sur du sable et des amas de corail rejetés par la mer. Ce qui explique les profondes fissures que l'on peut constater aujourd'hui dans les murs.

Au large du rivage, une immense grotte abritée représente la cavité naturelle la plus profonde existant au sud de la Virginie. Elle était utilisée comme port d'attache pour les navires de guerre de la flotte américaine. C'est d'ici qu'appareilla, en 1898, le croiseur Maine, bombardé un mois plus tard dans le port de La Havane, ce qui déclencha le début de la guerre hispano-américaine. On envoya à Fort Jefferson des troupes de toute urgence, des réserves de charbon y furent entreposées et une station expérimentale de télégraphie sans fil installée. En 1908, la base devint un parc naturel, ce qu'elle est encore aujourd'hui.

Zone écologique sensible, Fort Jefferson a établi une série de règlements extrêmement stricts. Comme il n'existe aucun service de ramassage d'ordures, rien ne doit être abandonné dans l'île. Le camping est limité à trente jours par an. Le mouillage est limité à deux heures et est interdit la nuit.

Si vous visitez l'île, désormais connue sous le nom de **Garden Key**, vous découvrirez le fort en terminant par les quartiers du docteur Mudd. Au-delà, la plage représente l'extrême pointe du territoire américain.

※ S'y rendre

Plusieurs services de bateau et d'hydravion proposent des excursions à Fort Jefferson, mais seule la compagnie Chalk offre des services réguliers. Départ de Key West à bord d'un hydravion Turbo Mallard à 9h30, retour à 14h30. Masques et tubas vous sont prêtés, et les boissons sont offertes, mais vous devez apporter votre repas. Vous ne trouverez rien sur l'île, sauf peut-être de la pellicule Kodak.

Prix des places : $139 adultes ; $95 enfants de 7 à 11 ans ; $70 de 2 à 7 ans ; gratuit pour les moins de 2 ans.

Le Key West Seaplane Service organise des excursions matin et après-midi sur des hydravions monomoteur. Pour plus d'informations, appelez-le au (305) 294 6978 - Fax 294 4660.

JOHN PENNEKAMP CORAL REEF STATE PARK
Key Largo **Tél. (305) 451 1621**
De 8h au coucher du soleil ou de 8h à 17h.

A 102 miles au nord de Key West. Promenades en bateaux à fond de verre, visite des fonds sous-marins avec masque et tuba, avec bouteilles, location de voiliers, etc. Le John Pennekamp Coral Reef State Park représente 178 miles carrés d'un parc national de fonds sous-marins. Pour de plus amples informations, se reporter à la rubrique "ESCAPADES" de Miami.

LOUISIANE

POURQUOI ALLER EN LOUISIANE?

Champs de coton, rizières, maisons blanches à colonnades, esclaves noirs, robes à crinoline, douceur de vivre, guerre de Sécession, bayous, alligators, azalées, magnolias, *Autant en emporte le vent*... Des dizaines d'images se bousculent dans les têtes à la seule évocation du nom Louisiane. On imagine un petit bout de terre française dans l'immense Amérique du Nord. On a tort ! La Louisiane francophone ne concerne qu'un petit million d'irréductibles et l'architecture du Quartier français de la Nouvelle-Orléans est ... espagnole !

Le voyageur peut chercher longtemps les traces de la présence française et ne jamais les trouver. Car il n'y a rien de palpable, rien de visuel. Tout est dans l'ambiance, dans cette façon de vivre des Louisianais qui ne se retrouve nulle part ailleurs aux Etats-Unis : la décontraction, la nonchalance des gens du Sud, une hospitalité sans bornes, une gentillesse à toute épreuve. Les Cajuns qui remportent la palme pour le contact facile, adorent parler français avec leurs "cousins venus de loin". Si vous n'y prenez garde, ils vous emmèneront boire, manger et danser jusqu'au bout de la nuit. Laissez-vous entraîner et vous comprendrez la Louisiane.

Pour vous aider, nous vous avons concocté un petit parcours initiatique : la Nouvelle-Orléans en long, en large et en travers, la route des plantations, le pays cajun et les promenades dans les réserves naturelles à la rencontre des alligators. Un périple à suivre à sa guise après avoir adopté la maxime locale *"Laissez le bon temps rouler"*

LOUISIANE EN BREF

Superficie : 125 675 km2 (un quart de la France)

Climat : subtropical. Précipitations annuelles : 127 cm (moyenne)

Population : 4 574 000 habitants

Population francophone : 260 000 personnes (soit 6% de la population totale)

Gouverneur : Edwards

Capitale : Baton Rouge, 540 000 habitants

Drapeau : un pélican brun aux ailes à demi-déployées sur fond bleu avec les mots *"union, justice, confiance"*.

Emblème : la fleur de magnolia

Ressources naturelles : pétrole, gaz, sel, soufre, chaux, lignite, bois, pêche.

Ville principale : La Nouvelle-Orléans,1 325 000 habitants. Deuxième port des Etats-Unis.

LA LOUISIANE SURVOLEE

Occupant un territoire grand comme un quart de la France, la Louisiane se partage en cinq régions aux paysages très différents qui tous, cependant, ont un point commun : la platitude et une altitude proche du niveau de la mer. Ceci est vrai partout sauf dans le nord de l'Etat où de petits vallons viennent casser la monotonie d'un paysage somme toute magnifique.

La Nouvelle-Orléans et sa région - Au sud-est de l'Etat, deux paysages se reflètent dans le lac Ponchartrain. Au nord, des forêts de pins entourent des prairies où paissent d'importants troupeaux de bétail. On y vient faire de longues balades à cheval, visiter des parcs fleuris ou écouter les explications du spécialiste "es-alligator" de la ferme de Hammond.

Le lac Ponchartrain doit son nom au ministre de la Marine qui favorisa l'essor de la Louisiane sous Louis XV. Long de 60 km et large de 40 km, il se jette dans le golfe du Mexique. Son plan d'eau en fait le terrain favori des amateurs de voile. (Le Southern Yacht Club est d'ailleurs le deuxième club des Etats-Unis par son ancienneté.) Le lac est traversé par le plus long pont en dur du monde, le Lake Ponchartrain Causeway (37 km).

Au sud du lac, des cyprès aux allures fantomatiques peuplent les bayous marécageux. La pointe la plus au sud, Grand Isle, est le paradis des pêcheurs mais l'eau boueuse du golfe incite d'autant moins à la baignade que les silhouettes de dizaines de plates-formes pétrolières se profilent à l'horizon. Les Louisianais préfèrent prendre leurs bains de mer vers Gulfport, dans l'Etat voisin du Mississippi, ou bien à Pensacola, en Floride, qui n'est qu'à quatre heures de route de la Nouvelle-Orléans.

Le pays des plantations - Le pays des plantations s'étend du Mississippi (le fleuve) jusqu'à la frontière du Mississippi (l'Etat). Avant la guerre civile, plus des trois-quarts des millionnaires américains vivaient dans de somptueuses maisons entre Natchez et la Nouvelle Orléans. Les restes de ces splendeurs sont plus ou moins bien conservés. Aujourd'hui la plupart des plantations à visiter se trouvent le long du Mississippi.

Non loin des plantations, les champs de canne à sucre et de coton disputent le terrain aux complexes chimiques qui ont progressivement envahi la rive sud du fleuve.

Au bord des routes et dans les jardins, de magnifiques chênes bravent les ouragans depuis des siècles. Il existe d'ailleurs une association de protection du chêne mais face aux tornades, les hommes ne sont que faibles roseaux !

Le pays cajun - Houma - frontière texane - Marksville : voilà le triangle "pays cajun", dit aussi francophone. Dans ce labyrinthe de lacs et de bayous, on se déplace plus facilement en bateau qu'en voiture.

D'immenses ponts (celui reliant Baton Rouge à Lafayette au-dessus du bassin de l'Atchafalaya mesure 36 km de long) se sont élevés à grands coups de dollars mais le terrain marécageux ne permet pas de construire des routes partout. Résultat : il faut parfois faire de longs détours pour atteindre son but mais personne ne s'en plaindra. Les "bayous" (de l'indien "petit cours d'eau") se fraient leur chemin dans une jungle verte souvent impénétrable où les cyprès laissent pendre leur mousse espagnole au-dessus d'une eau boueuse.

Le soir venu, leurs ombres énigmatiques enchantent ou terrorisent mais ne laissent pas indifférent. Tout au sud, le golfe du Mexique mélange ses eaux salées aux lacs et marécages d'eau douce, si bien que l'on ne sait plus trop où finit la terre et où commence la mer. On y rencontre des gros reptiles dont la peau fait les délices des sacs à main, des ceintures ou des chaussures... les alligators ont élu domicile dans tous les trous d'eau de Louisiane. Au centre de ce pays cajun, le bassin de l'Atchafalaya, long de 210 km, est le repaire des chasseurs, pêcheurs et amoureux de la nature. Tantôt lac parsemé de cyprès, tantôt bois aux taillis si épais que la lumière n'y pénètre pas, on s'y promène de préférence avec un guide, car même les Cajuns natifs du lieu peuvent se perdre dans le dédale végétal.

La région "carrefour" ("crossroads")

Au nord du pays cajun, une région boisée sert de jonction entre la Louisiane des bayous et la Louisiane du Nord. Les villes principales, Natchitoches et Alexandria, sont reliées par la Red River (rivière Rouge) bordée par d'immenses champs de coton. Il n'y a pas grand-chose à voir sinon des bois, quelques plantations bien préservées et un ancien fort français à Natchitoches.

Le paradis du sportif ("Sportsman's paradise")

Comme son nom l'indique, cette région fait le bonheur des adeptes du sport en plein air : pêche, marche, canoë et camping dans la forêt. Les villes de Shreveport et Monroe n'ont pas d'attrait particulier, sinon celui d'être très fleuries. Cette région, fort prisée des Louisianais qui veulent passer un week-end retour à la nature, est un peu éloignée de la Nouvelle-Orléans (au moins 4 heures de route) pour des touristes qui comptent leurs jours de vacances.

HISTOIRE

L'histoire de la Louisiane commence en 1519 lorsque l'Espagnol Alvarez de Pineda découvre l'embouchure du Mississippi. Peu aventureux, de Pineda laissera à son compatriote Hernando de Soto le soin d'explorer le fleuve. Mais les conquistadores se lassent de ne pas trouver l'Eldorado recherché et abandonnent la partie. Plus d'un siècle plus tard, les Français, présents en Nouvelle-France (le Québec), relèvent le défi. En 1682, Robert Cavelier, sieur de La Salle, quitte les grands lacs glacés et descend le Mississippi jusqu'à son delta à bord de petites embarcations. Ayant atteint le but de son voyage, il revendique tout le territoire traversé. Du Canada au golfe du Mexique et des Appalaches aux Rocheuses, c'est une immense terre (à peu près dix-sept Etats d'aujourd'hui) qu'il offre à Louis XIV, après l'avoir nommée Louisiane en son honneur. Dès 1698, les frères d'Iberville et le sieur de Bienville se chargent de la protection du pays contre leurs turbulents voisins, les Anglais à l'est et les Espagnols à l'ouest.

Le gouvernement royal dote le territoire d'une constitution et organise son peuplement. Prisonniers, voleurs, prostituées sont ramassés dans les rues ou sortis des prisons françaises et déportés de force vers la nouvelle colonie. Des "filles à la cassette", orphelines que les autorités incitent à s'expatrier en leur donnant une dot (la cassette), s'embarquent pour l'aventure. La légende dit que Manon Lescaut, l'héroïne de l'abbé Prévost, a traversé l'Atlantique. Mais rien n'est moins sûr, et puis avez-vous déjà vu un personnage imaginaire prendre le bateau ?

En 1717, la colonie est administrée par un certain John Law, dont les idées financières vont révolutionner le capitalisme. En fait, c'est sa Compagnie des Indes qui colonise la Louisiane. Par une habile campagne de presse vantant les beautés et les richesses du pays, Law persuade des centaines de candidats français de tenter l'aventure, tandis que d'autres sont enrôlés de force : *"Un régiment d'archers recevait 100 livres par personne qu'il capturait. En avril 1721, cinq mille personnes disparaissent, en septembre, des prisonniers obtiennent leur liberté à condition qu'ils épousent des prostituées et qu'ils partent pour la Louisiane"*. Les "créoles" (comme ils sont appelés) édifient une ville à une centaine de kilomètres de l'embouchure du Mississippi : la Nouvelle-Orléans, ainsi nommée en hommage au régent de l'époque, Philippe, duc d'Orléans.

Après les guerres franco-germaniques, quelque 2 000 Allemands fuient leur pays, la famine et les maladies et se réfugient en Louisiane où ils s'installent au bord d'un lac (le lac des Allemands aujourd'hui).

Sous perfusion française car ne produisant pas assez de richesses, la Louisiane n'est pas une très bonne affaire : la Compagnie des Indes la rend donc au roi en 1731.

A l'exception de quelques plantations installées au bord du fleuve et mises en valeur par une vaste population d'esclaves noirs, la Louisiane est bien déserte. Les Indiens, qui occupent la majeure partie du territoire, ne sont pas toujours conciliants ni pacifiques mais certains colons parviennent à développer avec eux un florissant commerce de fourrures.

Anglais et Français ne s'entendent pas plus dans le Nouveau Monde que sur le sol de la vieille Europe. L'année 1763 marque la fin de la guerre de Sept Ans et la défaite française. Pour éviter que la Louisiane ne tombe entre les mains des Britanniques, Louis XV cède la Nouvelle-Orléans et les terres à l'ouest du Mississippi à son cousin, Charles III d'Espagne. On ne peut pas dire que la couronne d'Espagne s'en réjouisse, car elle considère plutôt le cadeau comme empoisonné : les Indiens lui mènent la vie dure et les colons français refusent son autorité. En 1768, ils instituent même une Louisiane libre... pendant dix mois !

En 1763, la fin de la guerre franco-anglaise est aussi le début d'une tragédie pour les Acadiens, les Français du Canada. Ne voulant pas prêter allégeance à la couronne britannique, ils sont déportés en divers points de la côte est mais ils n'y restent pas et rejoignent la Louisiane. Les Espagnols les accueillent en leur donnant des terres, le long de la rivière Atchafalaya et au bord du bayou Lafourche. Ils contribuent ainsi à la mise en valeur de la colonie.

En 1800, Napoléon Bonaparte et Charles IV d'Espagne signent la convention de San Ildefonso : la Louisiane se retrouve française à nouveau. Mais pas pour longtemps. En 1803, Napoléon décide de la vendre aux jeunes Etats-Unis d'Amérique (libres et unis depuis 1776) pour 15 millions de dollars car il a besoin d'argent pour financer ses guerres contre l'Angleterre. Ironie de l'histoire : les Etats-Unis demandent de l'argent aux banques anglaises pour financer cet achat ! Napoléon annonce : *"J'ai donné un rival maritime à l'Angleterre qui va l'obliger à ravaler sa fierté"*. Le 30 novembre 1803, le dernier préfet français en Louisiane, Pierre Clément de Laussat, prononce un discours émouvant : *"Puissent ainsi, de nos jours et à l'avenir, un Louisianais et un Français ne se rencontrer jamais, sur aucun point de la terre, sans se donner mutuellement le nom de frère..."*

Voici la Louisiane américaine, enfin... presque. Encore dix années de tracasseries administratives et d'annexions diverses et elle devient, en 1812, le dix-huitième Etat de l'Union.

Une période de prospérité s'installe, la population augmente, des commerçants bâtissent de gigantesques fortunes. En 1861, quand éclate la guerre civile, les planteurs ne sont évidemment pas décidés à libérer les esclaves qui travaillent leurs champs et assurent leur fortune. La Louisiane fait donc sécession, mais bien vite l'Etat est divisé en deux : les Confédérés sont à l'ouest et les forces de l'Union campent à la Nouvelle-Orléans. La défaite du Sud, en 1865, place la Louisiane sous régime militaire. Les Noirs obtiennent l'égalité des droits civiques. Les "carpetbaggers", coureurs de fortune venus du Nord, profitent de la confusion pour s'enrichir allègrement en toutes sortes de trafics. L'Etat ne recouvrera sa pleine indépendance au sein de l'Union qu'en 1877. C'est le début d'une nouvelle ère de prospérité : la Nouvelle-Orléans s'agrandit avec la venue de milliers d'immigrants.

Pendant la Première Guerre mondiale, de nombreux Louisianais s'engagent dans l'armée pour servir d'interprètes aux troupes envoyées en France.

De 1928 à 1935, le gouverneur Huey P. Long développe les transports, les hôpitaux, le système routier, les écoles. Ses doctrines socialistes : *"Chaque homme traité comme un roi"*, *"un poulet dans chaque casserole"*, font partie de son programme intitulé *"Partager les richesses"*. H.P. Long estime qu'aucun homme n'a besoin de gagner plus d'un million de dollars par an et qu'il doit donc reverser le surplus à un fonds commun d'aide aux démunis.

Si les pauvres apprécient ses idées, même s'il emploie des méthodes de dictateur pour les appliquer (contrôle de la presse...), Long se fait inévitablement des ennemis et meurt assassiné dans le capitole, le 8 septembre 1935.

Le sous-sol regorgeant de pétrole, le produit de l'or noir coule dans les caisses de l'Etat, tandis que l'industrie se développe et que des complexes chimiques s'installent le long du Mississippi. Mais le pétrole est coûteux à extraire dans les marécages, et les compagnies délaissent peu à peu la Louisiane pour le Texas voisin. L'économie s'en ressent...

Aujourd'hui, l'Etat est un des cinq plus pauvres des Etats-Unis. Certains chiffres sont effrayants : 24% de la population vit en dessous du seuil de pauvreté ; 26% des mères élèvent leurs enfants seules (4e rang aux Etats-Unis) ; la Louisiane est au 6e rang (sur 50) pour le nombre de prisonniers par habitant. Situation caractéristique typique des pays du Tiers-Monde : une minuscule minorité de multimillionnaires, une majorité de pauvres et une classe moyenne peu importante.

La Louisiane est aussi réputée pour la corruption de ses hommes politiques, experts en magouilles en tout genre. Les mauvaises langues disent que si Bill Clinton est aujourd'hui président, c'est grâce aux conseils avisés de son conseiller personnel, James Carville, originaire de Louisiane.

Le gouverneur actuel de l'Etat, le démocrate Edwin Edwards, défraie régulièrement la chronique par ses frasques en Californie et au Nevada. Surpris plusieurs fois en compagnie de prostituées, il est fortement soupçonné de jouer l'argent des contribuables dans les casinos de Las Vegas. Il a fait part de ses convictions dans les termes suivants : *"Je démissionnerai le jour où l'on trouvera une femme morte dans mon lit ou un garçon vivant"*...

Très bientôt, il n'aura plus à prendre l'avion pour aller jouer puisqu'une loi autorisant l'installation de casinos à la Nouvelle-Orléans vient d'être votée. Edwards remplit son quatrième mandat en tant que gouverneur. Les dernières élections en 1992, l'opposaient à David Duke, un ancien membre du Ku-Klux-Klan. Entre un "truand et un nazi", les Louisianais ont choisi "le moins pire" comme ils disent.

GEOGRAPHIE

Chaleur et humidité sont les deux constantes du climat sub tropical louisianais. Les températures sont en conséquence de très agréables à très désagréables tout au long de l'année, variant entre 12° (minimum) en hiver et 40°c les après-midi du mois d'août. Il ne neige jamais sauf exceptionellement au nord de l'Etat, l'hiver est doux mais très inégal : un jour vous vous habillez en T-shirt, le lendemain vous ressortez un blouson.

Le printemps est magnifique (surtout avril et mai), l'air est tiède, il ne fait pas encore humide et la végétation est en pleine floraison. A partir de juillet la chaleur devient étouffante car accompagnée d'un taux d'humidité qui frôle les 80%. Le mois d'août marque le grand rendez-vous avec des orages violents, il n'est pas rare de voir les rues se remplir de 50 cm d'eau en une demi-heure. Août peut aussi être la saison des tornades et ouragans dévastateurs comme l'a été Andrew en 1992. L'automne est une très belle saison : la végétation tourne au rouge et or, les températures sont agréables sans humidité excessive. On se baigne dans les piscines extérieures jusqu'au 15 novembre sans problème.

Pour apprécier pleinement les charmes de la Louisiane, essayez de partir au printemps ou en automne... si vous avez le choix bien sûr !

FLORE

Terre fertile, chaleur et pluies intenses : toutes les qualités sont réunies pour que la végétation soit abondante. Avec 4 500 espèces végétales, la Louisiane fait honneur à la nature.

Dans la région des marais, les saules bordent les bayous recouverts par des jacinthes d'eau. Accidentellement importées d'Amérique du Sud, les jacinthes sont dangereuses pour les hélices des bateaux, c'est pourquoi les autorités font vaporiser un puissant désherbant pour les exterminer, sans grands résultats.

Le cyprès chauve vit les pieds dans l'eau sans problème, puisqu'imputrescible. Il est souvent recouvert de mousse espagnole (appelée ainsi par les Créoles à qui cette mousse rappelait la barbichette des Espagnols de l'époque). Ce n'est pas un parasite, elle vit uniquement d'air et d'eau.

Nénuphars, iris, hibiscus, chèvrefeuille, roseaux, pins, pacaniers, chênes, hêtres, bambous, gommiers, fleurs des villes et fleurs des champs... La Louisiane est un inépuisable trésor pour l'amateur de nature.

FAUNE

La faune est très riche et vous vous en apercevrez vite au nombre impressionnant de carcasses d'animaux gisant le long des routes. Des milliers d'espèces d'oiseaux ont adopté la Louisiane pour passer l'hiver, voire l'année entière : le pélican brun est l'emblème de l'Etat car il se reproduit sur les côtes du golfe du Mexique.

Lacs, bayous, marécages fourmillent de poissons d'eau douce (carpes, poissons-chats, truites) et de crustacés (écrevisses, crevettes, huîtres).

La Louisiane compte aussi un grand nombre de mammifères (ratons laveurs, ragondins, tatoos, biches, renards, ours, loups) et de reptiles (tortues, serpents), sans oublier l'incontournable alligator.

L'alligator

On met souvent crocodiles et alligators dans le même sac. Grossière erreur.

L'alligator appartient à la famille alligatoridae. Il en existe deux espèces : le mississippiensis, qui vit dans le sud-est des Etats-Unis, et le sinensis, qui hante la vallée du fleuve Yang-tsê en Chine.

Le crocodile (parent des crocodylidae) est un animal des tropiques, on le trouve donc en Afrique, en Asie, en Australie et en Amérique. Les plus connus sont le crocodile du Nil et le crocodile d'estuaire. S'ils sont aussi réputés, c'est qu'ils aiment bien dévorer les nageurs imprudents.

Outre l'habitat qui n'est pas le même, ces deux reptiles ont quelques petites différences physiques. L'alligator a un museau plus plat et plus large que le crocodile et lorsqu'il le maintient fermé, on ne voit pas ses dents. Le crocodile, au contraire, aime montrer son impressionnante denture : gueule fermée, quatre dents restent visibles. Les deux espèces s'en servent de la même manière, pour saisir et déchirer et non pour mâcher. Lorsqu'ils attrapent une proie, ces reptiles attendent qu'elle se décompose avant de l'avaler tout rond. Enfin l'alligator hiberne pendant l'hiver alors que le crocodile reste vigilant toute l'année !

Pour profiter pleinement de la nature, vous pouvez vous rendre dans un des 40 parcs naturels aménagés ou bien dans un des "Wildlife Refuge" (réserve sauvage) comme le Sabine National Refuge, à la frontière du Texas, ou le Rockefeller Refuge (vous y verrez d'énormes alligators), sur la côte au sud de Lake Charles.

ECONOMIE

Voisine du Texas, la Louisiane possède elle aussi du pétrole, estimé aujourd'hui à 10% des réserves totales des Etats-Unis. Cependant, ce pétrole n'est pas facile à extraire car il se trouve la plupart du temps dans des zones marécageuses. La construction et le fonctionnement des plates-formes coûtent cher, le pétrole louisianais est donc de moins en moins compétitif, peu à peu les puits ferment, les compagnies préfèrent forer au Texas.

La Louisiane est plus riche en gaz naturel puisqu'elle possède 25% des réserves américaines. Douze raffineries et plus de 100 usines pétrochimiques sont implantées principalement à Baton Rouge et dans le sud.

Le Tabasco, la sauce piquante à base de piment, célèbre dans le monde entier, est fabriquée à Avery Island, tout près d'une mine de sel puisque le sel est une composante essentielle de cette sauce. Premier producteur de sel des Etats-Unis avec 11,8 millions de tonnes, la Louisiane a aussi des gisements importants de soufre et de chaux.

Une terre riche, un climat doux et des pluies abondantes : le cocktail permet à la Louisiane d'être un grand producteur agricole. Canne à sucre, coton, soja, maïs, patates douces et fraises sont ses principales cultures.

L'industrie forestière coupe plus de 300 millions de mètres-planches de bois dans les 5,9 millions d'hectares de forêts. Le bois (surtout le pin) est transformé en carton et en papier, ou utilisé dans la construction : de nombreuses maisons louisianaises sont encore en bois.

Enfin la Louisiane est riche par son eau. Le Mississippi coule avec un débit moyen de 14 000 m3 et alimente de nombreux barrages. Un réseau de 8 100 km de rivières, bayous et canaux navigables fait de la Louisiane un Etat privilégié pour le transport fluvial des marchandises.

La plus grosse ressource reste la pêche qui se pratique en mer et en eaux douces, dans les lacs et les rivières. Chaque année, plus de 680 000 tonnes de poissons, crustacés et fruits de mer sont remontés dans les filets des pêcheurs.

L'économie du Mardi gras

Un Bacchus géant de couleurs vives trône sur un char décoré de grappes de raisins. Autour de lui d'immenses figurines en papier mâché et carton : Pinocchio, Roger Rabbit, ET ... Même Alice est là avec sa petite robe bleue et son tablier blanc, on ne doit pas être très loin du pays des merveilles !

Ce pays est l'antre de Blaine Kern, alias "Monsieur Mardi Gras", constructeur de char à la Nouvelle-Orléans depuis 1947.

Chaque année les deux dessinateurs-maison imaginent plus de 300 chars, tous construits sur place par une quarantaine d'ouvriers permanents. Spécialistes en papier mâché et en carton, sculpteurs, plâtriers, menuisiers, soudeurs, peintres : entre Janvier et février, 150 travailleurs indépendants sont embauchés afin de pouvoir livrer les commandes à temps.

Bon an mal an, le tiers seulement de la production est entièrement nouveau. En 45 ans d'existence, l'entreprise familiale a ainsi accumulé des centaines de figurines dont elle se ressert, les modifiant en fonction du thème de l'année. La taille, la complexité et la richesse des décorations font varier le prix d'un char de 3 000 à 100 000$ (16 500 à 555 000 F).

Le carnaval de la Nouvelle-Orléans est un événement majeur pour la Louisiane puisqu'il attire environ 500 000 touristes. Ces douze jours de fête extraordinaire sont d'un grand secours pour une ville économiquement sinistrée. Selon James J. McLain, consultant économique et auteur d'un rapport sur le carnaval, *"la fabrication des chars, l'organisation des bals et toutes les dépenses occasionnées par l'événement apportent 580 millions de dollars (3,2 milliards de F) à l'économie locale. La ville dépense 2,3 millions de dollars (12,6 millions de F) pour assurer la sécurité publique et le nettoyage, mais elle perçoit environ 11 millions (60,5 millions de F) en impôts et taxes. Mardi gras est donc une source de revenus importante pour la Nouvelle-Orléans, d'autant plus qu'il contribue à sa renommée touristique tout au long de l'année".*

La ville n'ayant pas de budget pour les festivités, ce sont les 103 associations de carnaval ("krewes") de la paroisse de la Nouvelle-Orléans qui financent la fête. Une loi interdit la commercialisation du carnaval, et il n'y a aucun sponsor : les cotisations (de 880 à 4000 F par an) des 31 000 membres permettent d'acheter les chars et les costumes.

Centenaires pour certaines (Comus, Rex...), les associations choisissent chacune un thème différent et toutes sont en compétition amicale pour la beauté de leurs chars et de leurs costumes. Les gagnants sont ceux qui s'amusent le plus car c'est bien la seule raison d'être de ces associations et de ces défilés.

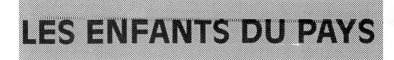

LES ENFANTS DU PAYS

Parce que la Louisiane est sûrement l'Etat le plus riche de par son passé historique, voici quelques explications sur les noms que vous ne manquerez pas de voir à tous les coins de rues !

Audubon Jean-Jacques (1785-1851)
Fils d'un colon français, passionné par la nature louisianaise, il peignit plus de 160 toiles et dessina des milliers d'oiseaux et d'animaux. C'est au cours d'un voyage en Europe que son talent d'ornithologiste fut reconnu. Ses dessins ont largement contribué à la connaissance de la flore et de la faune.

Beauregard, Pierre Gustave Toutant (1818-1893)
Brigadier général de l'armée confédérée, il fit tirer le premier coup de canon de la guerre de Sécession.

Bienville (1680-1767)
Jean-Baptiste Le Moyne, sieur de Bienville, gouverneur de la Louisiane de 1733 à 1743, décida la construction de "levées" le long du Mississippi pour protéger les terres des inondations.

Bonnie Parker and Clyde Barrow
Les deux bandits de grand chemin ont été tués par des policiers embusqués sur une petite route de la paroisse de Bienville.

Carondelet, Francisco Luis Hector (1748-1807)
Sixième gouverneur espagnol de Louisiane, il a laissé un très bon souvenir. Sous son gouvernement s'ouvrit le premier théâtre, la sécurité dans les rues fut renforcée grâce à des éclairages publics et le premier journal local vit le jour.

Cavelier de La Salle, Robert
Explorateur français. Parti du Canada, il a descendu le fleuve Mississippi et revendiqué le territoire, appelé Louisiane pour le roi de France Louis XIV.

Claiborne
Gouverneur du territoire d'Orléans. Lorsque la Louisiane est achetée par les nouveaux Etats-Unis en 1803, elle est divisée en deux : territoire d'Orléans et district de Louisiane.

Crozat, Antoine
Secrétaire de Louis XIV, trésorier de France, financier international à qui le roi concéda en 1712, l'exclusivité des droits de commercer avec la Louisiane.

Huey Pierce Long (1893-1935)
Gouverneur de la Louisiane de 1928 à 1931, sénateur des Etats-Unis de 1931 à 1935. Dictateur vulgaire mais habile, il sut parfaitement se servir des médias pour étendre son pouvoir. Il modernisa son Etat en faisant construire routes, hôpitaux, ponts et écoles. La population appréciait son souhait de faire reculer l'analphabétisme mais ses détracteurs lui reprochaient de tout contrôler, des élections à l'édition des lois. Il fut assassiné en 1935.

Iberville (1661-1706)
Pierre Le Moyne sieur d'Iberville, frère du sieur de Bienville. Fondateur de la Louisiane, chargé de la défense du territoire.

Jackson Andrew (1767-1845)
Planteur et homme politique, il participa très tôt à la guerre d'Indépendance. Héros de la bataille de la Nouvelle-Orléans il devint le septième président des Etats-Unis en 1828.

La Fayette
Le marquis, héros de la Révolution américaine, était très aimé en Louisiane. Il fit une tournée triomphale en 1825 et à cette occasion, on lui fit bâtir un arc de triomphe (aujourd'hui disparu) sur la place d'Armes de la Nouvelle-Orléans.

Laffite, Jean
Corsaire, contrebandier, chef des Baratariens, il s'engagea aux côtés du général Jackson lors de la guerre contre les Britanniques. Figure locale, il était invité chez les plus riches planteurs. Officiellement, il exploitait une forge avec son frère à la Nouvelle-Orléans.

Napoléon
Les lois de la Louisiane restent basées sur le Code Civil Napoléon alors que tous les autres Etats ont adopté le droit anglais coutumier et jurisprudentiel.

Ponchartrain
Ministre de la marine de Louis XIV

Séjour, Victor
Ecrivain noir, il publia plusieurs pièces à succès dont *Les volontaires de 1814*. En 1864 il fit partie des gens de couleur émancipés qui demandèrent le droit de vote... sans toutefois l'obtenir.

LES MUSICIENS

Louis Armstrong (1900-1971) : on ne vous fera pas l'affront de vous présenter le trompettiste de jazz le plus connu du monde. Après ses tournées internationales, "Satchmo" (de satchel, sacoche, car lorsqu'il soufflait dans sa trompette, on aurait dit qu'il avait des sacoches à la place des joues) revenait toujours dans sa ville natale où il distribuait dollars et cadeaux aux plus déshérités. Une statue a été érigée à l'entrée du parc qui porte son nom.

Mahalia Jackson (1911-1972) : chanteuse de renommée internationale née à la Nouvelle-Orléans, elle interpréta des chants de gospel et spirituals .

Sidney Bechet (1897-1959) : beaucoup d'entre vous ont découvert le jazz grâce à ce clarinettiste de talent. Bien que Louisianais, il vécut en France, (où il est mort), une bonne partie de sa vie.

Et King Oliver, Buddy Bolden, Jelly Roll Morton.

LES ECRIVAINS

Tennessee Williams : né dans l'Etat voisin du Mississippi, Tennessee est devenu célèbre en publiant entre autres *Un tramway nommé Désir*. Pour cela il s'est inspiré du tramway desservant le quartier français, surnommé "desire" ... tout simplement parce qu'il se faisait désirer !

William Faulkner (1897 - 1962) : nè dans l'Etat du Missipi famille aristocratique ruinée par la guerre de Sécession, ce puritain rêvait d'un Sud intact face au Nord mercantile bancaire et industriel qu'il méprisait. Il laisse une œuvre immense dont sa chronique de Jefferson (*Les barrons, La ville, Le Hameau, Le Domaine,* etc.) où, à travers des générations, court le thème d'un inéluctable déchéance et l'obsession de la fatalité. Prix Nobel de la littérature en 1949. Il est un des plus grands précurseurs du roman contemporain.

LES FILMS

Chut... chut... chère Charlotte (1964) de Robert Aldrich, avec Bette Davis, Olivia de Haviland et Joseph Cotten. Tourné dans la plantation Houmas.

L'esclave libre, avec Yvonne de Carlo et Clark Gables.

Autant en emporte le vent.

Down by Law, de Jim Jarmusch.

BIBLIOGRAPHIE

La conjuration des imbéciles, de John Kennedy Toole. Ce roman retrace très bien l'atmosphère du quartier français, le French Quarter (à lire aussi *La Bible de néons*).

Un grand pas vers le Bon Dieu , de Jean Vautrin. Une grande fresque chez les Cajuns.

La Louisiane du coton au pétrole, de Jacqueline et Maurice Denuzière. Nombreuses photos d'époque et d'aujourd'hui pour tout comprendre depuis le début.

Lumière d'août, Les palmiers sauvages, Sanctuaire, Absalon! Absalon!, de Faulkuer. Le Missipi, les plantations, les destins enchevêtrés des maîtres et des esclaves dans les coins les plus reculés du Sud : une gigantesque saga par un géant des lettres.

A lire aussi les romans de l'écrivain Ann Rice qui vit à la Nouvelle-Orléans. Elle n'écrit que des histoires de vampires et connaît un réel succès dans tous les Etats-Unis. Son *Interview with a vampire* vient d'être adapté pour le cinéma et tourné dans le Quartier français, avec dans le rôle du vampire... Tom Cruise !

GASTRONOMIE

L'Etat de Louisiane se démarque du reste des Etats-Unis par une cuisine élaborée, variée et succulente. Un vrai bonheur pour nos papilles et estomacs fatigués du hamburger-frite-coca. Faut-il le dire, cette cuisine, fruit d'une combinaison détonante entre cuisine créole, cadjine et africaine, est épicée. Crevettes, écrevisses, crabes, huîtres sont généralement dégustés frits.

"Nous, on ne mange pas pour vivre, on vit pour manger" est un proverbe cajun. Tout comme *"Une bonne cuisinière doit savoir tout accommoder, même le putois"*. Pour survivre dans les bayous, les cajuns ont dû manger ce qu'il y avait : écureuils, tortues, alligators, poissons, crustacés... Leur cuisine très "hot" ou "spicy" (le tabasco est fabriqué en Louisiane) est maintenant connue dans tous les Etats-Unis. Voici un petit lexique pour vous aider à savoir ce que vous allez voir apparaître dans votre assiette.

Alligator sauce piquante : morceaux d'alligator dans une sauce à base de tomate et tabasco.

Andouille : saucisse de porc très épicée.

Beans and rice : fèves rouges cuites dans une sauce avec de petits bouts de saucisses et mélangées à du riz.

Boudin blanc : boyau de porc farci de riz, d'oignon et de morceaux de porc. Epicé.

Cuisses de ouaouarons : cuisses de grenouilles.

Etouffé d'écrevisses : écrevisses décortiquées, préparées dans une sauce épaisse et relevée, accompagnées de riz.

Gumbo : soupe à base d'okra, de crevette, de crabe, de saucisses de porc, de riz et agrémentée d'épices diverses.

Huîtres de Rockefeller : huîtres à l'étouffée servies avec des épinards.

Jambalaya : paëlla avec du poisson, des crustacés et de la viande relevée par du filé (poudre de sassafras).

Muffelatta : d'origine italienne, gros sandwich rond au jambon, olives et autres condiments, arrosé d'huile d'olive.

Oreilles de cochon : espèces de beignets.

Pain perdu : arrosé de rhum ou de whisky et truffé de raisins.

Po'boy : sandwich.

Pralines : spécialité de la NOuvelle-Orléans.

Soupe de tortue.

Boissons : la plus répandue est la bière (Dixie, Jolie Blonde) mais il y a plus typique.

Mint julep : bourbon et sirop de menthe.

Sazerac : bourbon, pernod, tabasco.

Absinthe frappée : pernod et sucre.

Café brûlot : café, cognac, curaçao, clous de girofle, pelures d'orange et de citron, cannelle et sucre.

Hurricane : devinez !

FESTIVALS

On vient en Louisiane pour faire la fête, c'est l'Etat qui organise le plus de festivals aux Etats-Unis. En voici une petite liste non exhaustive.

Février - Mardi gras est célébré avec faste surtout à la Nouvelle-Orléans. Des centaines de chars défilent dans les rues pendant tout le mois, des millions de spectateurs participent avec enthousiasme aux nombreux défilés et autres manifestations. L'un des plus grands carnavals du monde.

Avril - Festival international de Louisiane à Lafayette : quatre jours de musique, de rencontres avec des groupes venus des quatre coins de la planète. Leur point commun : la plupart sont francophones.

Mai - Jazz Fest' à la Nouvelle-Orléans : les meilleurs du jazz et du blues sont là pendant une semaine. Grand rendez-vous des afficionados de vraie, bonne musique.
Festival de l'écrevisse à Breaux Bridge.

Juin - Festival de musique cadienne à Mamou.

Juillet - Commémoration de la prise de la Bastille à Kaplan.

Août - Festival de la crevette à Delcambre.

Septembre - Festivals de zydeco à Plaisance, du pétrole à Morgan City, des Acadiens à Lafayette, de la canne à sucre à New Iberia, de la grenouille à Rayne, du blues à Baton Rouge.

Octobre - Festival du bétail à Abbeville, de musique cajine à Lafayette, du coton à Ville Plate, de folklore à Eunice, du riz à Crowley, de la patate douce à Opelousas.

ASSOCIATIONS FRANÇAISES

Alliance française. 1519 Jackson Ave..Tél. 568 0770
Bastille Day Committee. 1032 Soniat St...Tél. 899 5396
Les causeries du lundi. 401 Pine St. ....Tél. 861 3004
French-American Chamber of Commerce.
2 World Trade Center, suite 2938. ....Tél. 524 2042
France-Louisiane. P.O Box 13930. ....Tél. 866 0157
Sociétés franco-louisianaises. 4979 Elysian Fields Ave. ....Tél. 288 6793
La société pétanque. 301 W.Gatehouse Dr. Apt D, Metairie LA 70001. Tél. 835 8040
L'Union des Français de l'étranger. 5935 Painters, New Orleans 70122
L'Union française. 4522 Prytania, New Orleans 70 115.

LE VAUDOU

Le vaudou est une religion matriarcale née au Togo et au Nigéria et importée en Louisiane par les esclaves. "Vaudou" signifie "monde des esprits". Les hommes vivent dans un monde où les esprits partout présents, contrôlent même les actions des humains. Hollywood a largement déformé l'utilité des poupées vaudoues, lesquelles, à l'origine, ne servaient pas à faire le mal mais plutôt à guérir. On enfonçait des aiguilles dans une poupée représentant le malade et lorsqu'on les retirait, le Mal disparaissait.

Les zombies eux, sont d'abord apparus en Haïti. On avait coutume d'empoisonner les criminels avec des plantes. Lorsqu'ils paraissaient morts, on les enterrait puis on les déterrait 24 heures après en leur administrant un antidote. Ils étaient alors "ressuscités" mais l'aventure leur avait coûté une partie de leur cerveau, une lobotomie avant l'heure en quelque sorte ! Ces pauvres "zombies" étaient ensuite employés aux tâches les plus dures.

Contrairement à ce que l'on pourrait croire, la religion vaudoue a de nombreuses connections avec le catholicisme : Ishu par exemple, est le gardien des vœux de la dualité (Bien et Mal), un peu comme saint Pierre, gardien des clés du paradis. Le serpent est un animal très important car il symbolise la même dualité (Bien-Mal) qu'est la vie. 3 est le chiffre sacré : si vous faites le bien, il vous sera rendu multipié par trois mais si vous faites le mal, il vous sera rendu au triplé !

La Nouvelle-Orléans a toujours vécu au rythme des cérémonies de vaudou. Les Noirs pratiquaient leurs danses étranges dans Congo Square, tout près du cimetière. Marie Laveau, une mulâtre née en 1794, est connue comme la plus célèbre prêtresse vaudoue de toute l'histoire de la ville. Elle vendait philtres d'amour, potions, poisons, gris-gris aux Noirs et aux Blancs, aux riches et aux pauvres qui la sollicitaient. Elle lisait l'avenir et organisait des danses rituelles dans son jardin (1020 St. Ann St. : des cérémonies ont lieu à cet endroit encore aujourd'hui). Marie Laveau détestait les exécutions en public. Un jour, les cordes qui allaient pendre deux condamnés se cassèrent en même temps : tout le monde pensa que c'était de la volonté de la prêtresse. Jusqu'au bourreau, qui, craignant l'étendue de ses pouvoirs, décida d'exécuter les criminels suivants en comité restreint. Marie Laveau est morte vers 1891, laissant quinze enfants dont une seule fille hérita de ses pouvoirs exceptionnels. Elle est enterrée au cimetière St. Louis sous le nom de "Veuve Paris", tombe n°3.

Dans les années 1920-30, la prêtresse vaudoue à la mode s'appelait Armanda Dorsey Broswell Carroll. Aujourd'hui il est difficile de savoir qui détient le pouvoir de communiquer avec les esprits, les gens n'avouent pas facilement leurs habitudes et pourtant plus de 15 % de la population pratique la religion vaudoue. Si vous restez quelque temps en ville, un soir entre deux verres parlez-en à vos amis autochtones, vous risquez d'être surpris. Le milieu est très fermé aux non-initiés mais vous pouvez assister à une cérémonie du 1er novembre (la fête des Morts) à condition... d'être invité. Entre nous, il paraît que la serveuse du Café Istanbul est une prêtresse mais... chuuut !

PRATIQUE LOUISIANE

COMMENT S'Y RENDRE ?

Voici les différents organismes que vous pouvez contacter avant de partir. Ils vous renseigneront et vous enverront de la documentation.

Association France-Louisiane. 17, quai de Grenelle 75015 Paris   Tél. 45 77 09 68

Office du tourisme, Ambassade des Etats-Unis.
2, avenue Gabriel, 75008 Paris. Tél. 42 60 57 15 (de 13h à 17h). Minitel 36-15 code USA. Il vaut mieux écrire, on vous répondra par courrier.

Louisiana Office of Tourism.
P.O Box 94291/ Dept.5136, Baton Rouge, LA 70804-9291.   Tél. (504) 342 8119

Quelques agences de voyage spécialisées sur les Etats-Unis :
Voyag'Air. 55, rue Hermel 75018 Paris   Tél. 42 62 20 20
Look Charter.   Tél. 44 10 76 76 ou 3615 Promovol
3615 AIRWAY. Vols réguliers ou charters à prix d'ami. Devis gratuit.
Voyageurs aux Etats-Unis. 55, rue Ste-Anne 75002 Paris   Tél. 42 86 17 30
Vacances Fabuleuses. 6, rue de la Chaussée d'Antin 75009 Paris Tél. 45 23 45 35
et à Lyon   Tél. 78 43 30 53
Access Voyage. 6, rue Pierre Lescot 75001 Paris   Tél. 40 26 33 45
DAM.   Tél. 45 77 10 74
Et aussi AnyWay, Campus Voyage et OTU (étudiants).

AEROPORTS

New Orleans International Airport. ....Tél. 464 3536
De l'aéroport, on accède au centre-ville (Downtown) par l'autoroute I10 puis la bifurcation US 90. Le centre est partagé en deux par Canal Street, une immense artère, la plus large des Etats-Unis.

Lakefront Airport. ....Tél. 243 4010
Navettes. 4220 Howard Ave. Téléphonez au 522 3500 pour réserver une navette de votre hôtel (ou d'un hôtel proche). Elle vous emmènera à l'aéroport à l'heure que vous souhaitez pour 10$.

ALCOOL

Attention, en Louisiane les moins de 18 ans ne consomment pas d'alcool. La loi est stricte, on vous demandera une ID (pièce d'identité, prononcez aï-di) à l'entrée des bars, cabarets et dans les magasins si vous achetez de l'alcool. Si vous voulez vraiment boire un coup, privilégiez les festivals car personne ne s'intéresse à votre âge les jours de fête. Sachez que les puritains de Baton Rouge interdisent la vente de l'alcool (sauf de la bière) le dimanche.

ANIMAUX

Très peu d'animaux en laisse, les Louisianais ont chiens et chats mais ils les laissent à la maison.

APPELS TELEPHONIQUES

Téléphoner n'est pas une simple affaire aux Etats-Unis. Chaque Etat est partagé en plusieurs zones avec leurs codes (area code de la Nouvelle-Orléans à Baton Rouge : 504, Lafayette : 318). Si vous appelez dans une autre zone que celle où vous êtes, faites le 1 + area code + numéro. Pour la France, faites le 011 + 33 + numéro.

Les communications locales sont souvent gratuites dans les hôtels. Dans une cabine publique, la communication est de 25 cents, un "quarter". Evitez d'appeler une autre zone d'une cabine à moins d'avoir un bon kilo de "quarters" sur vous.

Vous pouvez demander à l'opérateur d'appeler en PCV (collect call) en composant le 0. Très pratique : la carte vendue par France Télécom (voir page 59) qui débite votre compte bancaire en France lorsque vous téléphonez de l'étranger.

BANQUES

First National Bank of Commerce. 210 Baronne St. ....Tél. 561 1371
Thomas Cook Currency Services. 111 St Charles Ave...........................Tél. 524 0700
American Express Co. 158 Baronne St.......................................Tél. 586 8201

Distributeurs automatiques de billets

First National Bank of Commerce. 240 Royal St.

Whitney National Bank. 228 St Charles Ave.

Cartes EUROCAR MASTERCARD, voir page 198 (encadré).

CLIMAT

L'été est très chaud, les moustiques abondent (et piquent) et en août, il y a un orage violent par jour. Toute l'année, le temps varie sans cesse (T-shirt un jour, gros pull le lendemain), il est donc plutôt incertain de camper sous la tente. A propos, s'il existe de nombreux campings, on n'y voit que des camping-cars ou des caravanes.

CRIMINALITE

En novembre 93, la Nouvelle-Orléans enregistrait 345 meurtres pour l'année en cours tandis que Washington en recensait 427. Par rapport au nombre d'habitants, la ville du Croissant est aussi dangereuse que la capitale fédérale. Baton Rouge est réputée comme la capitale d'Etat qui a le plus grand nombre de meurtres par rapport à sa population. Notre propos n'est pas de vous faire peur, mais de vous mettre sur vos gardes.

A la Nouvelle-Orléans, certains quartiers méritent que vous n'y pointiez pas un nez trop curieux : les alentours du cimetière St Louis et le carré délimité par les rues Claiborne Av-Jackson St Charles Ave.-Louisiana Ave en font partie. Ce sont de grosses cités-ghettos ("projects") pas touristiques pour deux sous. Cependant, les quartiers à éviter ne sont pas clairement définis. Par exemple sur Magazine Street, vous vous promenez au milieu de belles maisons en bois de style créole, puis deux blocs plus loin, vous arrivez dans une zone complètement délabrée.

Carrondelet St. ou Prytania St. ont des portions à éviter et pourtant elles sont parallèles (à un bloc) de l'avenue St Charles et de ses magnifiques demeures. Une même rue (et elles sont très longues à la Nouvelle-Orléans) peut être très correcte puis se transformer en coupe-gorge avant de redevenir sûre.

L'opulence, la richesse côtoient de très près l'extrême pauvreté, c'est d'ailleurs assez choquant lorsqu'on découvre la ville. La nuit, évitez de vous perdre dans un quartier que vous connaissez mal, fermez vos portières de voiture quand vous roulez (tout le monde le fait) et dans le Quartier français, ne vous éloignez pas dans des rues sombres et désertes, les voleurs tuent avant de dévaliser (c'est plus facile) et ils aiment les devises étrangères...

Police ....Tél. 822 4161

DECALAGE HORAIRE
- 7 heures par rapport à la France.

EAU
L'eau du robinet n'est pas très bonne à boire... Disons qu'elle n'a pas bon goût. Les nappes phréatiques sont polluées (grande concentration d'industries pétro-chimiques) et à certains endroits, on a l'impression de boire de l'eau de Javel... Préférez l'eau en bouteille si vous restez longtemps.

ELECTRICITE
Attention ! Si vous emportez du matériel électrique, le voltage est de 110 volts aux Etats-Unis. Prévoyez un transformateur et un adaptateur de prise.

FAX
La plupart des stations-service Circle K proposent un service de fax mais le coût est élevé, environ 7$ la page pour la France.

FOOTBALL AMERICAIN
Assister à un match des Saints (l'équipe de football américaine) au Superdome, le plus grand stade couvert du monde (90 000 places) : impressionnant. Vous pouvez aussi le visiter pendant la journée mais c'est beaucoup moins amusant. Renseignez-vous au 587 3810 ou rendez-vous1500 Poydras St.

LA FRANCE A NEW ORLEANS

Avocat parlant français : Sidney Bach. ....Tél. 537 1346

Consulat de France
Lykes Center Building. 300 Poydras St. Suite 2105................................Tél. 523 5772

Médecin parlant français : Dr Louis Balart ....Tél. 838 5081

Dentiste parlant français : Dr Gérard Chiche ....Tél. 942 8384

Presse française : Sidney's News stand. 917 Decatur St. ....Tél. 524 6872

Interprètes :
Professional Translators & Interpreters. 1042 World Trade Center. ....Tél. 581 3122

Eglises : messe en français tous les dimanches à 12h à St Augustine Church. 1210 Governor Nicholls St. Tél. 525 5934

HOPITAL
Mercy Hospital of New Orleans. 301 N. Jeff Davis Pkwy........................Tél. 486 7361
Tulane University Medical Center. 1415 Tulane Ave. ....Tél. 588 5263

INVASION TOURISTIQUE

Le Jour de l'An, Mardi gras (février), Jazz Fest' (fin avril), Halloween (30 octobre) sont des événements très importants surtout à la Nouvelle-Orléans. Lorsque vous réservez dans des hôtels, les prix doublent allégrement à ces périodes.

LANGUES ETRANGERES PARLEES

Ne croyez pas que la Louisiane soit bilingue, c'est faux. Elle n'est restée française que 80 ans et c'était il y a bien longtemps. On parle français dans la région de Lafayette (et encore !!). La communauté française n'est pas très soudée ni active. Curieusement, ce sont les citoyens les plus pauvres (Indiens, paysans cajuns) et les plus isolés qui souvent parlent français. Les jeunes cadres dynamiques et urbains ne connaissent pas la langue de Molière.

NEW ORLEANS ATMOSPHERE

Aller boire un café dans la cour du restaurant Louis XVI (730 Bienville Street, dans le Quartier français). L'endroit est réellement magnifique : plantes vertes exubérantes, sièges confortables, jazz en sourdine. Qu'il pleuve ou qu'il vente, vous pouvez expérimenter l'ambiance "New Orleans first class" grâce aux petits radiateurs d'extérieur (!) et à la bâche protectrice. Le breakfast coûte de 7 à 18$.

PAROISSES

Les "parishes" sont des circonscriptions administratives. Dans le reste des Etats-Unis, on les appelle "counties".

POURBOIRE

Le service n'est pas compris dans les additions, il faut que vous ajoutiez 15% du montant total. Le salaire des serveurs dépend de vous pour la moitié. Ne l'oubliez pas !

RADIO

WWOZ (FM 90.7) pour ses excellents programmes de jazz et WWON (FM 89.9) pour son émission d'actualités françaises présentée par Christine (que je remercie pour son aide précieuse) et Marie-Do, tous les samedis à 9h .

ROUTES

Le réseau routier n'est pas très important, le terrain marécageux complique la construction des routes. Les pluies diluviennes et la chaleur rendent les routes glissantes (attention les jours d'orages). L'état général du réseau est déplorable, d'énormes trous peuvent vous surprendre sur les autoroutes (gratuites heureusement). De plus les Louisianais ne connaissent pas l'existence du clignotant, ce qui est assez gênant.

SPIRITUALS

Assister à la messe gospel de la Greater St. Stephan Baptist Church, 2308 S. Liberty (à l'angle de Simon Bolivar et Philip) - Tél. 895 6800. En plein quartier noir, cette grande église swingue tous les dimanches (vers11h30) au son d'un orchestre détonant et d'une chorale enflammée. Le pasteur dit son sermon comme un one-man show, il le vit comme sur une scène de théâtre. Beaucoup de bruits et de fureur (religieuse), parfois une grosse mama noire tombe en transes : très impressionnant.

TOURISME

Office du tourisme : 529 St Ann St sur Jackson Square

Visites guidées - Si l'historique de la Nouvelle-Orléans du Petit Futé ne vous suffit pas, vous pouvez téléphoner au 523 3939 (The friends of Cabildo) et arranger une visite du Quartier français à pied en compagnie d'un guide francophone. Tous les jours à 10h et 13h 30 (sauf lundi 13h 30 uniquement). Prix : 10$. Le tour en calèche à partir de Jackson Square coûte environ 8$.

Visite guidée par Isabelle, réservation 2 ou 3 jours à l'avance au 391 3544, fax 391 3564.

Si vous ne voulez pas louer de voiture, vous pouvez visiter les alentours grâce à Isabelle. Elle propose des tours de ville (25$), des tours des plantations (60$) en petit bus d'une dizaine de personnes guidées par un francophone. Il vous expliquera que les plantations ne sont plus des exploitations agricoles mais des musées, qu'on ne voit plus d'esclaves dans les champs parce que l'esclavage a été aboli et que les Américains sont gros parce qu'ils mangent trop de hamburgers, bref tout ce qui tracasse les touristes !

Vaudou Walking Tour, tous les jours à 13h au 724 Dumaine St. (musée).Prix : 18$. Pour ceux qui maîtrisent bien l'anglais car Alex, le guide, parle très très vite. Il vous promène dans le Quartier français et jusqu'au cimetière en vous racontant des histoires de fantômes et de maisons hantées. Vous frissonnez et souriez (il a beaucoup d'humour) pendant deux heures et demi puis terminez en visitant le musée de la pharmacie.

Patin à roulettes - Se balader au parc Audubon en roller skate, très à la mode et très fun. Park SK8, 6108 Magazine St. (Tél. 891 7055). Prix : 5$ l'heure de location.

TRANSPORTS

Hotard Coaches. 2838 Touro St. ....Tél. 944 0253
Greyhound Bus. 2101 Earhart Blvd...Tél. 525 9371

Train : Union Passenger Terminal, Amtrak. 1001 Loyola Ave. .....Tél. 1-800 872 7245
Le réseau ferroviaire n'est pas très développé pour les voyageurs. Ainsi, pour aller à Miami de la Nouvelle-Orléans, il vous faut passer par... Washington, soit 2 jours de voyage en plus. Avant de prendre un pass-train d'un mois, pensez à votre itinéraire.

Location de voiture

Auto Rent Intl. 740 Baronne St. ....Tél. 524 4645
Avis Rent a Car. 2024 Canal St.............................Tél. 1-800 331 1212 ou 523 4317
Budget Rent a Car. 1317 Canal St. ....Tél. 467 2277

Taxis : United Cab Inc. ....Tél.1-800 323 3303 ou 522 9771
Compter environ 21$ pour aller de l'aéroport au Quartier français (2 personnes).

Ferry - Ne pas rater le coucher du soleil et la tombée de la nuit sur la ville à partir du ferry sur le Mississippi. Le spectacle est magnifique et gratuit (jusqu'à 21 heures).

UNIVERSITE

N'hésitez pas à aller traîner du côté des universités. Quelque soit votre âge, vous ne dénoterez pas car il est fréquent d'y rencontrer des étudiants octogénaires. Certaines universités (Loyola à la Nouvelle-Orléans par exemple) sont des trésors d'architecture à visiter. Vous aurez plus de chances de rencontrer des gens parlant français et susceptibles de vous aider. Enfin vous trouverez toutes sortes d'informations et de combines dans les journaux étudiants et sur les panneaux d'affichage (chambre à louer, voiture à partager, billet d'avion en solde, coupons de réduction pour vous nourrir ou pour voir des spectacles).

VELO

Vous pouvez louer un vélo tout terrain (10$ la demi-journée, 15$ la journée, 55$ la semaine) et découvrir la ville par vous-même ou bien participer au périple des "Joyeux riders". Pour 38$ vous aurez droit à la visite de la ville, une balade au bord du Mississippi jusqu'au parc Jean Laffite, la location d'un canoë (balade sur le bayou) et le déjeuner cajun (avec musiciens cajuns). Par groupe de 10 à 15 personnes accompagnées d'un guide (parlant français) qui s'amuse tout autant que vous. Une excellente façon de voir les choses.

Olympic Bike Rental, 1506 Prytania St.   Tél. 523 1314/523 1190 pour les résas
On vous apporte le vélo à votre hôtel gratuitement sur simple demande.

VERNISSAGES

Tous les premiers samedis de chaque mois, les galeries de la rue Julia (Warehouse District) organisent des vernissages : pourquoi ne pas aller boire un verre en compagnie des artistes locaux ?

EUROCARD MASTERCARD

Les ETATS UNIS ont un réseau très dense de commerçants et de distributeurs de billets acceptant les cartes Eurocard MasterCard : Plus de 74 000 distributeurs automatiques de billets, 84 000 points cash et 2 800 000 commerçants affichent les logos MasterCard et/ou Cirrus.

N'oubliez pas :
L'ASSISTANCE MÉDICALE RAPATRIEMENT

Pour tous les titulaires de la carte Eurocard MasterCard et leur famille et aussi l'assistance sur les pistes de ski. Partout en France et à l'étranger :

• Rapatriement ou transfert à l'hôpital après l'accord d'Eurocard MasterCard Assistance.

• Prise en charge des frais de visite d'un membre de votre famille en cas d'hospitalisation de plus de 5 jours.

• Prise en charge des frais d'hôtel jusqu'à 2 000 francs.

Avantages :
Avec votre carte Eurocard MasterCard vous bénéficiez du remboursement des frais médicaux et d'hospitalisation (jusqu'à 70 000 F) dans ce pays, ainsi que de l'assurance accidents de voyage sans franchise kilométrique et de l'assurance solde des paiements.

En cas de perte ou de vol :
24h/24 appelez le **33 - (1) 45 67 84 84** en France (PCV accepté) pour faire opposition, faites une déclaration aux autorités de Police ou au Consulat et prévenez votre agence par lettre recommandée.

En cas de perte de tous vos moyens de paiement, le Service Assistance vous assure un Cash Dépannage jusqu'à 5 000 F.

Important :
Vous bénéficiez également de l'Assistance Juridique à l'étranger : Prise en charge des frais d'avocat à concurrence de 5 000 F et avance de la caution pénale jusqu'à 20 000 F.

Pour plus d'informations, Minitel 36-15 ou 36-16 EM.

PETIT LEXIQUE :
• Distributeurs de billets : A.T.M (Automatic Teller Machine) ou Cash Dispenser.

• Code confidentiel : Pin code.

• Retrait au guichet d'une banque : Cash advance.

Dans les distributeurs automatiques de billets :
Après avoir introduit votre carte, suivez les instructions (souvent en anglais) de l'appareil. Si celui-ci propose plusieurs opérations, choisir la touche *"Credit Card"*. Certains offrent la possibilité de taper un code à plus de 4 chiffres : ne vous en préoccupez pas, tapez votre code à 4 chiffres et validez.

LA NOUVELLE-ORLEANS

Lorsqu'on survole la Nouvelle-Orléans, on est surpris par la forme de la ville. Coincée entre un immense "S" du Mississippi, au sud, et le lac Ponchartrain au nord, la Nouvelle-Orléans est surnommée la "ville du Croissant". A l'est, le golfe du Mexique prend ici le nom de lac Borgne.

Laissons à un artiste de la Nouvelle-Orléans, Joel Lockhart Dyer, le soin de présenter sa ville : *"La Nouvelle-Orléans est la Venise de l'Amérique du Nord. Comme les Vénitiens, nous vivons un peu hors du temps. Nous nous battons contre la boue, la chaleur, la pluie et les insectes en essayant - si vous cherchez un peu - de créer un "Paris-sur-marécage". Notre architecture et notre façon de vivre sont telles parce que nous avons une certaine attitude, une conception du temps différente de partout ailleurs aux Etats-Unis. La Nouvelle-Orléans ne changera pas - cela serait le début de son déclin - et pourtant elle évolue. Mais couche après couche, elle reste la même. Elle ne veut pas être pragmatique ni suivre les modes des autres Etats, et pourtant c'est une ville où l'on aime vivre, Je ne sais pas pourquoi. Ce que Je sais, c'est qu'on y est bien."*

Vous êtes dans le Sud profond et rien ne presse. Laissez-vous envahir par l'ambiance décontractée d'une ville si fière de son passé et de son héritage qu'elle ne se laisse découvrir que par ceux qui en prennent vraiment le temps et la peine.

De sa fondation

Pourquoi fonder une ville au milieu de marécages infestés de moustiques, sur un terrain situé non seulement en dessous du niveau de la mer, mais sur la route des ouragans, et qui plus est, constamment inondé par les caprices du Mississippi ? Tout simplement parce que le sieur de Bienville, dans son exploration de la Louisiane en 1699, ne trouva pas d'endroit aussi prometteur que le site de la Nouvelle-Orléans. Le Mississippi est très large à cet endroit, ce qui permettra (bien plus tard) aux gros transatlantiques d'accoster sans problème . Quant au lac Ponchartrain (du nom du ministre de la marine de Louis XIV), il donne un accès direct et rapide au golfe du Mexique. Bienville savait que la ville baptisée en l'honneur du duc d'Orléans n'aurait d'avenir que sur l'eau, et il avait raison.

En 1712, les premières concessions de terrain sont faites à des particuliers venus du Canada ou de France, qui s'installent le long des bayous St John et Gentilly. Ils sont chasseurs-trappeurs, chômeurs (dès qu'un homme n'avait pas de travail pendant trois jours consécutifs, un voyage gratuit pour la Louisiane lui était offert) ou ce sont des condamnés à des peines légères qui préfèrent l'enfer des marécages aux cachots de la Bastille. Il leur faut supporter la chaleur humide, les moustiques et autres insectes, combattre les animaux sauvages et élever des digues pour tenter de contenir le fleuve fougueux : un vrai travail de forçat. La France, trop préoccupée par ses guerres contre l'Espagne, ne fait pas beaucoup d'efforts pour organiser la colonie et donne en 1717 la concession au banquier John Law, président de la Compagnie des Indes.

Une campagne de presse attire quelques candidats à l'aventure et en 1718, la Nouvelle-Orléans rassemble une centaine de cabanes, un entrepôt, trois maisonnettes en bois pour 470 habitants. Un ouragan ayant détruit le tout en 1720, Pierre Le Blond de la Tour dessine un nouveau plan de la ville qui surgit de terre en 1722.

De la nouvelle ville
La disposition des maisons est à peu près la même que celle du Quartier français d'aujourd'hui, les rues suivent le cours du fleuve et portent les noms des hommes célèbres de la Mère Patrie. Avec quelques touches d'ironie puisque Conti, Toulouse et Maine sont supposés être les fils illégitimes de Louis XIV. Ces noms de rues ont d'ailleurs traversé les siècles sans trop de dommages puisqu'on les retrouve aujourd'hui à peu près inchangés.

Des levées et des canaux sont construits pour lutter contre le principal problème de la ville : l'eau. Selon une description de l'époque, *"à marée haute, la rivière se déverse dans la rue. La Nouvelle-Orléans est connue pour ses tombes : les cercueils sont percés de trous pour les empêcher de flotter lors d'inondations"*.

Afin de réaliser ces grands travaux, la Compagnie des Indes fait venir un grand nombre d'esclaves et le gouvernement adopte un Code Noir en 1724 pour les protéger. Les propriétaires ont obligation de faire baptiser leurs esclaves, ne doivent ni les maltraiter ni leur donner du travail le dimanche.

En 1727, une douzaine de sœurs, les Ursulines, arrivent de Rouen, s'installent dans un couvent et commencent à soigner les malades et à éduquer les jeunes filles.

De la période espagnole
Par le traité de Fontainebleau en 1762, la Louisiane devient espagnole. Les colons français n'apprécient guère le changement de souveraineté et se rebellent. Don Alejandro O'Reilly, le nouveau gouverneur, fait arrêter et fusiller les leaders de l'opposition, Lafrenière, Foucault, Noyan et de Boisblanc. Ce qui lui vaut le surnom de "Sanguinaire" ("Bloody O'Reilly").

La Nouvelle-Orléans n'a jamais été espagnole dans sa culture ou ses coutumes mais certains gouverneurs espagnols ont beaucoup œuvré pour l'amélioration des conditions de vie. Le baron de Carrondelet, par exemple, décide l'installation de lampadaires pour éclairer les rues tandis que des policiers patrouillent toutes les nuits. Une taxe sur les cheminées est instaurée (certaines sont alors utilisées pour chauffer trois étages). Quatre forts, des remparts entourés de fossés et des bâtiments de régiment ("barracks") sont construits pour protéger la ville des Indiens.

Des grands incendies
1788 : une bougie qui tombe d'une table et c'est la catastrophe. Une maison s'enflamme et avec elle tout le Quartier français. Quelques 850 demeures et bâtiments (soit la moitié de la ville) sont réduits en cendres. Six ans plus tard, en 1794, des enfants jouant dans la rue Royale, mettent le feu à une grange par mégarde. En trois heures, 272 magasins et maisons sont détruits. Une fois de plus, les habitants doivent camper sur la levée au bord du fleuve. Mais ils tirent bonne leçon de ces catastrophes. Les habitations sont reconstruites avec des toits en tuile, celles de plus d'un étage doivent être en briques. Arcades, cours intérieures avec fontaines, balcons en fonte forgée deviennent l'apanage des nouvelles maisons.

Les Néo-Orléanais peuvent payer une cotisation à une compagnie privée de pompiers (il n'y a pas de pompiers de ville) qui viendront éteindre un feu éventuel, après avoir vérifié que la plaque en fonte de leur société (preuve du paiement de la cotisation) est bien posée sur le mur de la maison. Ceux qui ne peuvent pas se payer une telle "assurance" ne doivent compter que sur l'aide de leurs voisins...

La ville compte à peu près 19 500 Blancs, 1 700 Noirs libres et 21 500 esclaves lorsque Napoléon, victorieux de ses campagnes d'Italie, souhaite récupérer la Louisiane pour étendre l'influence de son empire. Charles IV d'Espagne accepte de signer le traité de San Ildefonso qui rétrocède la colonie à la France en 1800.

De la France et de l'Espagne

En un siècle, le commerce fluvial s'est beaucoup développé. Des canoës, des ferryboats, des barges tirées par des mules de la rive, descendent le fleuve depuis le Kentucky, l'Ohio, le Tennessee et le Mississippi et apportent à la ville toutes sortes de produits. Ne pouvant pas remonter le fleuve à cause du courant, les propriétaires ont coutume de débiter leurs embarcations en planches de bois qu'ils vendent pour acheter un cheval et retourner par la terre. Seules trois maisons construites avec de telles planches existent encore de nos jours, au 632 Dumaine St notamment.

L'insurrection de Saint-Domingue en 1791 provoque un afflux de réfugiés à la Nouvelle-Orléans. La plupart sont des gens de couleur, libres artisans qui apportent leur savoir-faire aux Créoles. On leur doit notamment les plus beaux balcons forgés à la main. Ces nouveaux arrivants s'intègrent vite et bien ; une particularité de la ville qui accepte et amalgame toutes les populations.

Le Marché français (French Market) illustre bien cette tendance : construit en partie par les Espagnols, c'était, à l'origine, l'endroit où les Indiennes venaient vendre leurs herbes et épices. Plus tard, les Allemands installés en amont du fleuve y ont descendu leur production, fournissant ainsi la ville en produits frais. Les vendeurs italiens sont arrivés par la suite : ce marché n'a jamais eu de français que le nom !

De la fête

La vie à la Nouvelle-Orléans est festive. Les Créoles (natifs de la Nouvelle-Orléans) n'ont guère d'autres préoccupations que celles de paraître à chaque réception, boire, manger et danser. La ville est majoritairement catholique mais d'une manière très libérale, personne ne trouve rien à redire contre les nombreux bordels et salons de jeux. La tradition veut même que les Créoles fortunés et déjà mariés prennent une maîtresse "quadroon" (un quart de sang noir) choisie lors des "quadroon bals" (organisés dans une salle de l'immeuble où se trouve aujourd'hui le Bourbon Orleans Hotel, 717 Orleans St.) et qu'il l'installe dans une maison particulière avec des esclaves pour la servir. Il doit alors subvenir aux besoins de la jeune fille qui lui jure fidélité à vie. Cette coutume du "placage" a fait écrire à l'auteur louisianais Lyle Saxon : *"il semble qu'une certaine substance chimique flotte dans l'air et détruise tout puritanisme".*

De la vente de la Louisiane aux Etats-Unis

Cette folie, cette non-convenance aux usages puritains, en vigueur dans les autres Etats, vont profondément choquer les Américains arrivés en grand nombre depuis que Napoléon a vendu la Louisiane aux jeunes Etats-Unis d'Amérique en 1803.

Un conflit latent apparaît alors entre les Créoles à peine éduqués et qui ne pensent qu'à profiter de la vie, et les Américains, attirés par l'importance du port et la fortune qu'on peut y édifier en travaillant dur. Les Américains s'installent dans le Faubourg St Mary (aujourd'hui Garden District), séparé du Vieux Carré des Créoles par un canal en construction. Le canal ne verra jamais d'eau (il deviendra Canal St.) mais la séparation et l'inimitié entre les deux communautés subsistent.

La bataille de la Nouvelle-Orléans le 22 décembre 1814 est un grand moment de patriotisme dans l'histoire de la ville. Les Créoles, les Américains, les Noirs libres, les pirates, tous se portent volontaires aux côtés du général Jackson pour sauver leur ville des Anglais. Ils y réussissent grâce à l'attaque surprise organisée par Jackson, le héros de la bataille (sa statue est au milieu du square qui porte son nom aujourd'hui).

Des steamboats et de la richesse

1820-1870 est l'ère des bateaux à vapeur et de l'enrichissement de la cité. Des centaines de steamboats accostent et déchargent balles de coton, tabac, indigo, céréales, toutes sortes de marchandises et de voyageurs. En 1830, on recense 990 bateaux à vapeur sur tout le Mississippi. Les banques sont de plus en plus importantes, la Nouvelle-Orléans devient riche. A partir de 1820, des Irlandais et des Allemands (20 000 en 1860), fuyant la famine de leurs pays, viennent tenter leur chance dans "Crescent City" (ainsi nommée à cause de sa forme en croissant). Ils sont intégrés et participent à la prospérité générale.

De la fièvre jaune

Comme tous les pays de climat semi-tropical, la Louisiane n'est pas à l'abri de la fièvre jaune, maladie transmise par les moustiques. La pire épidémie que la ville ait connue a lieu en 1853, lorsqu'un bateau en provenance de Jamaïque fait escale et propage la maladie. Sur les 100 000 habitants qui restent en ville en été (50 000 riches fuient la chaleur et vivent dans leurs maisons de campagne pendant trois mois), 10 000 meurent dans d'atroces souffrances. Les corps s'entassent dans les cimetières sans qu'on ait le temps de les enterrer : c'est la plus grave épidémie de toute l'histoire des Etats-Unis, elle est souvent comparée à celle de la peste noire en Europe, au Moyen Age.

En 1860, la Nouvelle-Orléans est la plus grande ville du sud des Etats-Unis avec 168 000 habitants, et surtout le plus gros marché de coton du monde. Mais elle est aussi l'une des plus sauvages : la prostitution, le jeu, la corruption, la boisson sont les "quatre mamelles" de la ville.

De la guerre de Sécession

Les Néo-Orléanais ne sont pas très favorables à la Sécession car ils craignent de briser le commerce établi avec les Etats en amont du Mississippi. La Louisiane vote tout de même la Sécession et baisse le drapeau américain au profit de la bannière des Confédérés.

Le 25 avril 1863, l'officier américain Farragut prend et occupe la Nouvelle-Orléans sans avoir à la bombarder, le maire Monroe ayant préféré se rendre plutôt que de voir mourir ses concitoyens.

Le gouvernement municipal reste en place mais les "Yankees" instaurent la loi martiale. Ceux qui jurent fidélité aux Etats-Unis reçoivent protection des soldats, la presse est soumise à la censure militaire, les moyens de communication sont contrôlés.

La population supporte mal la situation, les femmes insultent les soldats chaque fois qu'elles le peuvent. Si bien que le général Butler doit adopter une ordonnance indiquant que *"toute femme manquant de respect à un soldat américain sera considérée comme une femme des rues et traitée comme telle"*. La résistance à l'ennemi se fait plus sourde mais reste vivace.

En fait l'occupation va apporter quelques bienfaits à la ville. Le maire ayant décidé de ne plus rien faire pour favoriser le séjour des Nordistes, ce sont les soldats qui s'en chargent et ils en ont les moyens. Ils améliorent l'hygiène en nettoyant les rues, la sécurité en organisant des patrouilles, ils font baisser le nombre de pauvres en les rémunérant pour des tâches de nettoyage.

De la reconstruction

La guerre s'achève en 1865 et les années de reconstruction sont les plus noires de la Nouvelle-Orléans où règnent violence, anarchie et corruption. A tel point que le maire Joseph A. Shakspeare (élu de 1880 à 1882) fait voter une loi de protection des joueurs (de casinos) par la police...

A cette époque, Blancs et Noirs vivent dans les mêmes quartiers et non dans des ghettos bien distincts comme dans la plupart des villes du Nord. L'abolition de l'esclavage provoque un afflux de Noirs fuyant les plantations. De nombreux Asiatiques arrivent aussi, attirés par le travail des champs délaissés par les Noirs. Mais la plupart restent en ville où ils ouvrent laveries et restaurants.

En 1890 a lieu un épisode sanglant aux répercussions internationales. Deux familles siciliennes contrôlent certaines activités du port. Le chef de la police locale, David Hennessy, capture le bandit sicilien Esposito et l'envoie à New York pour qu'il soit jugé. La famille se venge en assassinant le policier mais sur les 19 personnes arrêtées après le meurtre, 10 seulement sont condamnées. La population ne supporte pas la clémence de la justice d'autant plus qu'un bateau chargé de 1800 immigrés siciliens arrive au port et une rumeur court : *"Ils vont prendre le contrôle de la ville entière"*. Une foule en colère se réunit et marche sur la prison où elle rend justice elle-même en abattant froidement un par un, tous les Siciliens. Après cet épisode, les Etats-Unis doivent verser 25 000 dollars de dommages et intérêts au gouvernement italien.

De la prostitution

La prostitution a toujours été un secteur d'activité très développé dans Basin Street et dans le "Swamp" (Julia Street et Girod Street). *"Ces endroits étaient remplis d'égorgeurs, d'incendiaires, de voleurs, de "macs". Il y avait des salles de danse, des bordels, des saloons, des salles de jeu, des terrains de combats de coq et des chambres d'accueil. La mortalité policière était élevée dans ces quartiers"* (Gallatin, historien). *"C'était le centre du trafic de drogue et des marchandises volées"* (Al Rose, auteur de *Storyville*). En 1898, Alderman Sidney Story décide de limiter l'exercice de la prostitution à un seul quartier (entre le cimetière et Congo Square) qu'on appelle Storyville. Quartier de débauche de luxe, il attire la curiosité de tous les habitants de la ville. Jusqu'aux dames de la haute société qui font tout leur possible pour assister aux bals de Mardi gras dans cet antre de l'interdit : derrière leurs masques, elles peuvent regarder à loisir sans être reconnues. En 1906, une descente de police est organisée : toutes les femmes ne pouvant pas présenter une carte de prostituée officielle sont arrêtées. (Curieuse expérience pour des bourgeoises que d'être emmenées au poste de police avec pour motif "ne sont pas des prostituées"...)

Le quartier de Storyville est nettoyé en 1917, la loi prévoyant qu'il ne doit pas y avoir de tels établissements à moins de 5 km d'une base militaire. Résultat : les prostituées retournent dans le Quartier français... ce qui les rapproche de la base navale située de l'autre côté du fleuve !

Dans les années 1920-30, la population prend conscience de l'état de dégradation avancée du Vieux Carré. Une commission mise en place doit veiller à la rénovation des bâtiments dans un strict respect des styles architecturaux qui font la particularité du Quartier français.

Pendant la Deuxième Guerre mondiale, la rive sud du lac Ponchartrain est aménagée en base militaire : hôpital, aéroport, base d'aviation...Tout sera rasé dans les années 60 pour construire l'Université de la Nouvelle-Orléans (UNO).

De la Nouvelle-Orléans aujourd'hui

Premier port des Etats-Unis, la Nouvelle-Orléans est gérée depuis 1986 par un maire noir, Sidney J. Barthelemy. La ville (banlieues non-comprises) comporte une majorité noire dans sa population de 558 000 habitants. Compte tenu des réalisations, la Nouvelle-Orléans peut maintenant s'affirmer comme n'importe quelle autre cité américaine moderne.

Dans le quartier des affaires, les bâtiments sont étonnamment hauts lorsqu'on sait qu'ils reposent sur un sol instable, le Superdome est le plus grand stade couvert des Etats-Unis et le Convention Center (complexe où sont organisées d'énormes réunions) l'un des six plus grands du pays : on ne vient plus que pour s'amuser à la Nouvelle-Orléans .

Le principal problème (après la criminalité ?) reste le danger que représente l'élément aquatique. Actuellement 20 stations de pompage et 54 énormes pompes électriques aspirent en permanence l'eau du sous-sol. 360 km de canaux et 2 200 km de tuyaux font du système de drainage, le plus grand du monde. Le long du Mississippi, devant le Quartier français, les digues ne sont pas très hautes afin de préserver la vue sur le fleuve pour les touristes. Mais un mur a été construit et de lourdes portes coulissantes bleues (vous pouvez les voir derrière le French Market) ferment les accès en cas de montée des eaux ou d'ouragans. Les Néo-Orléanais savent bien qu'ils ne sont pas complètement protégés des caprices du "Père des fleuves". La raison de leur attachement est peut-être celle que propose l'écrivain Pierce F. Lewis : *"Quelle autre ville est aussi tolérante face au péché, aussi laxiste en matière de relations inter-raciales ? Quelle autre ville américaine est aussi imprégnée de catholicisme méditerranéen, avec le carnaval comme lien entre sacré et profane ? Quelle autre ville est bâtie sur un site aussi illogique et dangereux mais qui mélange commerce et amusement pour mieux défier la peur des maladies, des inondations et des ouragans ? Enfin et surtout, quelle autre ville est aussi extravagante et charmante ?"*

QUARTIERS

Le Quartier français

A l'est de Canal Street, le Quartier français (French Quarter) est le quartier historique avec ses vieilles bâtisses à l'architecture espagnole, leurs balcons en fonte moulée, les patios où il fait bon prendre un verre. Dans Bourbon Street (rue piétonne), les boîtes de jazz à la mode coexistent avec les sex-shops en tout genre et les boutiques de souvenirs ringards. (Voir chapitre "visite historique du Quartier français".)

Le Warehouse District : la nostalgie d'un autre temps

A l'ouest de Canal St., le quartier des affaires érige ses gratte-ciel aux vitres-miroirs. Le long du Mississippi, Tchoupitoulas Street et Magazine Street témoignent d'un passé glorieux où le port accueillait chaque semaine des centaines de bateaux. Les vieux entrepôts, toujours debout, sont peu à peu réhabilités. Transformés en galeries d'art, en appartements d'artistes, en restaurants ou en bars-boîtes de jazz, ces immeubles de briques rouges constituent un bel ensemble aux allures parfois inquiétantes. Le soir, les rues sont désertes et les terrains vagues nombreux : mieux avoir l'adresse exacte où l'on se rend et éviter de se perdre. De jour, il n'y a pas grand-chose à voir sinon d'immenses fresques murales colorées très réussies. A vous d'imaginer l'activité portuaire qui régnait dans ce dédale il y a moins d'un siècle.

Tout cela va changer avec l'ouverture des casinos prévue pour 1995-96. Déjà les promoteurs se sont rués sur les immeubles et les terrains disponibles. La valeur de l'immobilier a augmenté de plus de 30 % depuis que l'accord a été donné aux sociétés de jeux. On prévoit de construire plusieurs hôtels et un grand casino (en face du Riverwalk ?). Si beaucoup pensent que la Nouvelle-Orléans va perdre son âme dans l'affaire, tout le monde est bien conscient que les casinos vont attirer du monde et des capitaux. Certaines écoles se sont mises à la page et proposent déjà des cours pour devenir croupier.

Le Garden District : l'avenue St Charles et son tramway.

Courant parallèlement au Mississippi, au nord de Magazine St, . St Charles Avenue a été rendue célèbre par son tramway (nommé Désir par Tennessee Williams tout simplement parce qu'il se faisait "désirer" par les gens qui l'attendaient). C'est le plus vieux tramway encore en circulation au monde puisqu'il a pris son service le 9 février 1833. D'abord tiré par des mules puis électrifié en 1893, il démarre sur Canal St., parcourt toute l'avenue St. Charles et Carrolton Ave. : la balade, vivement conseillée, coûte un dollar (attention le chauffeur n'a pas de monnaie). Pour l'anecdote, jusqu'en 1987 les nonnes Ursulines voyageaient gratuitement. Ainsi étaient-elles remerciées pour avoir prié si fort pendant la bataille de la Nouvelle-Orléans (en 1815 !).

Bordée de magnifiques demeures, l'avenue St Charles passe sous une voûte de chênes centenaires du plus bel effet. Le Garden District (carré délimité par Jackson Ave., Magazine St., Louisiana Ave. et St Charles Ave.,) a été construit par les hommes d'affaires des Etats du nord attirés par la richesse de la ville au début du XIXe siècle. N'ayant pas les mêmes conceptions de la vie que les Créoles du Quartier français, les "Yankees" se sont démarqués en construisant de grandes bâtisses à étage, en bois, avec des balcons et des vérandas où il fait bon prendre le frais sur une chaise à bascule à la tombée du jour.

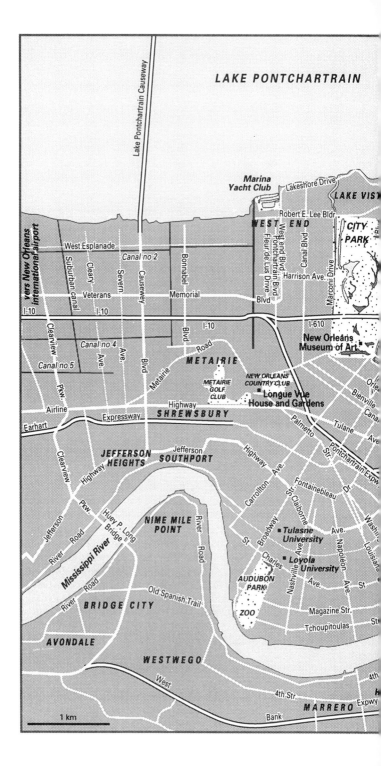

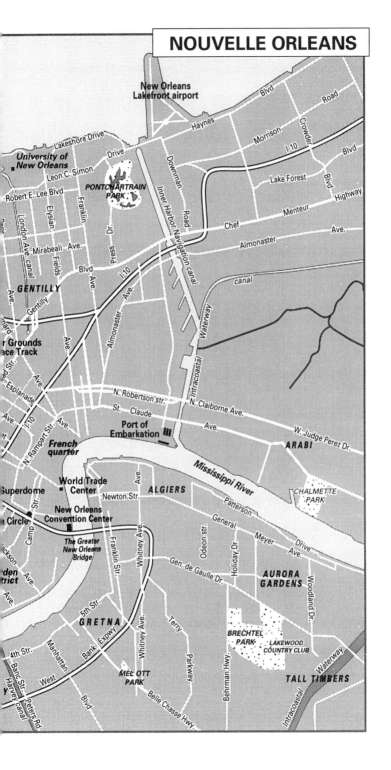

NOUVELLE ORLEANS

New Orleans
Lakefront airport

University of
New Orleans

Lakeshore Drive

Leon C. Simon

PONTCHARTRAIN
PARK

Robert E. Lee Blvd

Elysian

London Ave. canal

Fields

Franklin

Press

Dr.

Mirabeali Ave.

Blvd

I-10

GENTILLY

Gentilly

Ave.

Almonaster Ave.

r Grounds
ace Track

Ave.

I-10

Esplanade

N. Robertson str.

St.   Claude

N. Rampart Str.

Ave.

French
quarter

Port of
Embarkation

Superdome Str.

World Trade
Center

Newton Str.

e Circle

Camp.

New Orleans
Convention Center

The Greater
New Orleans
Bridge

Franklin Str.

ckson Ave.

rden
trict

Ave.

Whitney Ave.

5th Str.

4th Str.

West

GRETNA

Whitney Ave.

Manhattan

Bank Expwy

MEL OTT
PARK

Banc Str.

Harvey

Peters Rd.

canal

Blvd

Belle Chasse Hwy.

Terry

Parkway

Behrman Hwy.

Haynes

Downman

Road

Blvd

Morrison

Crowder

I-10

Lake Forest

Chef

Menteur

Almonaster

canal

Waterway

Intracoastal

N. Claiborne Ave.

Ave.

W. Judge Perez Dr.

ARABI

Mississippi River

ALGIERS

Patterson

General

Meyer

Odeon str.

Holiday Dr.

Gen. de Gaulle Dr.

AURORA
GARDENS

BRECHTEL
PARK

LAKEWOOD
COUNTRY CLUB

CHALMETTE
PARK

Drive
Ave.

Woodland Dr.

Waterway

Intracoastal

TALL TIMBERS

Blvd

Road

Blvd

Highway

Drive

La plupart des balcons sont soutenus par des colonnes. Petites et carrées ou énormes et rondes, ces colonnes marquent l'attrait pour le style "Renaissance grecque" propagé à la Nouvelle-Orléans par l'architecte irlandais James Gallier. Réminiscence de la mode "Renaissance grecque" du XIXe siècle, les rues Calliope, Clio, Erato, Thalia, Melpomene, Terpsichore, Euterpe, Polymnia et Urania (toutes perpendiculaires à St Charles) ont emprunté leurs noms aux neuf muses grecques.

Au bout de St Charles Ave., le parc Audubon fait face aux campus des universités de Loyola et Tulasne qu'il faut aller voir pour comprendre pourquoi l'enseignement supérieur est si cher : équipement dernier cri, salles très confortables, cadre somptueux...

Bord du lac Ponchartrain

Au nord de la ville, coupé par l'Interstate 610, le City Park est un immense espace vert où les sportifs se donnent rendez-vous le week-end. Les amateurs d'art peuvent aussi s'y retrouver au musée d'art de la ville. Sur le bord du lac, d'immenses maisons d'architecture américaine s'étalent dans des jardins au gazon bien tondu. L'université de la Nouvelle-Orléans est très bien située puisqu'elle a une petite plage sur le lac mais ses bâtiments sont bien laids comparés à ceux de Loyola.

Le quartier noir

La moitié de la population de la Nouvelle-Orléans intra-muros est noire et le maire, Sidney J. Barthelemy, est lui-même métis. Il n'existe cependant pas à proprement parler un quartier noir mais plusieurs cités où il ne fait pas bon traîner lorsqu'on est seul et qu'on a le visage pâle.

Le carré délimité par Claiborne Ave., Jackson Ave., St Charles Ave. et Louisiana Ave. recèle des rues dangereuses. Entre Magazine St. et Tchoupitoulas St., de Jackson Ave. à Julia St., le quartier n'est pas sûr non plus.

VISITE HISTORIQUE DU QUARTIER FRANÇAIS

Le Quartier français est classé au registre historique national et donc protégé par une commission. Tous les travaux y sont strictement surveillés. Ainsi, lors du câblage (pour la télévision) du quartier, chaque pierre déplacée a été numérotée et remise à sa place après les travaux, ce qui, comme on s'en doute, a considérablement augmenté le coût de l'opération.

Environ 4 000 personnes habitent le Quartier français, en majorité des gens fortunés, artistes ou vedettes de cinéma et de télévision. Néanmoins les familles avec enfants ne sont pas absentes, puisqu'il y a plusieurs écoles.

Jackson Square

La première ébauche de la ville a été conçue sur le modèle français, avec une place dégageant l'entrée de l'église. Jackson Square, ainsi nommé en l'honneur du héros de la bataille de la Nouvelle-Orléans (1815), est l'ancienne Place d'Armes où se rassemblaient les troupes pour la revue ou le lever des couleurs, et la population pour les événements importants. Une statue d'Andrew Jackson se dresse au milieu d'un parterre de fleurs.

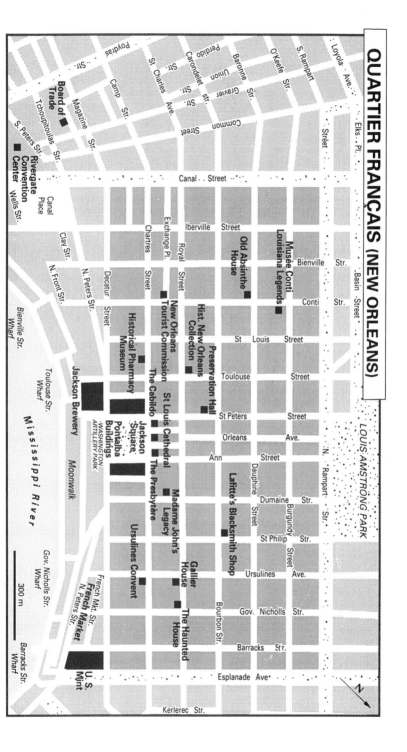

QUARTIER FRANÇAIS (NEW ORLEANS)

LOUIS ARMSTRONG PARK

Mississippi River

300 m

Board of Trade

Tchoupitoulas Str.

Magazine Str.

Camp Str.

St Charles Ave.

Carondelet Str.

Baronne Str.

O'Keefe Str.

S. Rampart Str.

Loyola Ave.

Poydras Str.

Perdido Str.

Union Str.

Gravier Str.

Common Street

Canal Street

Elks Pl.

Basin Street

Rivergate Convention Center

S. Peters Str.

Wells Str.

Canal Place

Clay Str.

N. Front Str.

N. Peters Str.

Decatur Street

Chartres Street

Exchange Pl.

Royal Street

Iberville Street

Bienville Str.

Conti Str.

St Louis Street

Toulouse Street

St Peters Street

Orleans Ave.

Ann Street

Dumaine Str.

St Philip Str.

Ursulines Ave.

Gov. Nicholls Str.

Barracks Str.

Esplanade Ave.

Kerlerec Str.

Old Absinthe House

Musee Conti Louisiana Legends

Hist. New Orleans Collection

New Orleans Tourist Commission

Historical Pharmacy Museum

The Cabildo

St Louis Cathedral

Preservation Hall

Jackson Brewery

Jackson Square

Pontalba Buildings

WASHINGTON ARTILLERY PARK

The Presbytere

Madame John's Legacy

Lafitte's Blacksmith Shop

Gallier House

Ursulines Convent

The Haunted House

U.S. Mint

French Market

French Mkt. Str.

N. Peters Str.

Bourbon Str.

Dauphine Street

Burgundy Street

N. Rampart Str.

Bienville Str. Wharf

Toulouse Str. Wharf

Gov. Nicholls Str. Wharf

Barracks Str. Wharf

Moonwalk

N

Cathédrale St Louis

Construite en 1788 grâce à un don de Don Almonester y Rosas, riche bienfaiteur de la ville, c'est la plus ancienne cathédrale des Etats-Unis. Bien qu'elle ait échappé au feu de 1794, elle fut reconstruite en 1849. On voulait l'agrandir et la rendre plus française avec un clocher et deux tours pointues. Derrière l'église, un terrain accueillait les duellistes venus défendre leur honneur à grands coups d'épée vengeresse. Puis la ville ordonna que les inconditionnels du duel aillent régler leurs différends au City Park.

Le presbytère

Situé à droite de la cathédrale, ce bâtiment n'a en dépit de son nom jamais servi de presbytère mais de Cour de Justice jusqu'en 1911, et de musée depuis.

Le Cabildo

Palais du Gouverneur lors des périodes française et espagnole, le Cabildo a été détruit dans l'incendie de la ville de 1788. Reconstruit il fut le siège de la signature du Louisiana Purchase, l'acte de vente de la Louisiane aux Etats-Unis en 1803. Il fit ensuite office de mairie puis abrita la Cour Suprême de Louisiane en 1847. En 1911, le Louisiana State Museum prit possession des lieux mais un incendie a ravagé le deuxième étage du bâtiment en 1988. Le musée devrait rouvrir en 1994.

Les appartements Pontalba

Les deux immeubles de deux étages qui bordent Jackson Square sur toute sa longueur ont été construits par Michaela de Pontalba. Orpheline de père à trois ans, à l'âge de 16 ans cette richissime héritière épousait son cousin. Très vite un grave différend allait éclater entre elle et son beau-père qui lui reprochait de ne pas vouloir partager son immense fortune avec son mari. Lors d'une dispute, son beau-père lui tira dessus, puis se suicida. Michaela perdit plusieurs doigts dans l'affaire mais obtint le divorce. Amoureuse de Paris, elle entreprendra la construction d'immeubles qui lui rappelaient la capitale française. Elle en dessina elle-même les plans et veilla de très près à leur construction. Très modernes pour l'époque, ces bâtiments de briques rouges et aux toits d'ardoises, abritaient des échoppes au rez-de-chaussée et des appartements au-dessus. En s'y installant, la célèbre chanteuse Jenny Lind (surnommée "le Rossignol") fit la publicité des logements... et assura le succès de leur vente. Actuellement rénovés, les deux immeubles sont la propriété, l'un de la ville, l'autre du musée de l'Etat de Louisiane.

La maison de Faulkner

William Faulkner, prix Nobel de Littérature en 1949, vécut au 624 Pirate's Alley (entre le Cabildo et la cathédrale) entre 1924 et 1926. C'est là qu'il commença à écrire des articles pour la presse avant de débuter dans le roman avec *Monnaie de singe* et *Moustiques*.

La maison de Tennessee Williams

L'auteur d'*Un tramway nommé Désir* vécut de 1938 à 1939 au 720 Toulouse St.

La maison Merieult (533 Royal)

Survivante du grand incendie de 1794, cette maison, la plus ancienne de Royal St., date de 1792. Elle fut construite par Jean-François Merieult, négociant en import-export, et servait à la fois d'habitation (au premier étage) et de bureau (au rez-de-chaussée). La femme de Merieult était célèbre pour sa magnifique chevelure blonde, très rare à la Nouvelle-Orléans où la plupart des femmes étaient brunes. Elle voyageait souvent avec son mari, notamment en France, où sa chevelure ne passait jamais inaperçue. A cette époque, Napoléon essayait de signer un traité avec le Sultan de Constantinople. Ayant entendu dire que le sultan cherchait une perruque blonde pour l'une des femmes de son harem, l'Empereur offrit à Mme Merieult de couper ses beaux cheveux contre une coquette somme. Cette dernière refusa. Napoléon eut beau proposer plus et plus d'or et même un château, la fière dame Merieult refusa de se faire "scalper" et repartit en Louisiane. *"Tout ne peut donc pas s'acheter"*, s'étonna Napoléon.

La maison de Gallier (1132 Royal St)

Propriété du célèbre architecte James Gallier qui dessina les plans de l'opéra et de nombreuses demeures du Garden District, cette demeure resta dans la même famille jusqu'en 1917, puis elle fut restaurée et transformée en musée. On peut y voir la parfaite reconstitution d'un intérieur néo-orléanais des années 1860.

La maison hantée (1140 Royal St)

Lorsqu'en 1832, Delphine Lalaurie convola pour la troisième fois en de justes noces, elle s'installa avec son mari dans cette demeure toute neuve. Issu de la haute bourgeoisie créole, le couple était apprécié pour ses soirées mondaines. Un jour une esclave se tua en tombant d'un balcon, ce qui alimenta la rumeur selon laquelle Madame Lalaurie maltraitait ses esclaves. Or le code en vigueur protégeait les esclaves et menaçait les maîtres de prison s'ils les maltraitaient. Les autorités eurent beau perquisitionner chez les Lalaurie, on ne trouva rien d'anormal. En 1834, un feu éclata dans la maison et les voisins, en aidant les Lalaurie à sauver leurs meubles, découvrirent dans une petite pièce sans lumière sept esclaves enchaînés et portant des traces de sévices. Une foule révoltée se rassembla devant la maison mais le couple réussit à s'enfuir, peut-être vers l'Europe. Depuis on dit que la maison est hantée par les cris des esclaves qui y furent torturés.

Le restaurant Antoine (713 St Louis St)

Ce restaurant est tenu par la même famille depuis cinq générations. En 1868, Antoine Alciatore, arrivé de France où il avait travaillé avec les meilleurs chefs du moment, ouvre un restaurant dans cette maison datant de 1831. Aujourd'hui, l'affaire s'est étendue à d'autres bâtiments : 14 salles à manger différentes abritent ce monument de la gastronomie néo-orléanaise. Tenu par l'arrière-arrière-petit-fils du fondateur, le restaurant sert toujours les huîtres Rockefeller dont Antoine Alciatore avait inventé la recette.

Le vieil opéra français (541 Bourbon)

Les Créoles, qui adoraient la musique, la danse et le théâtre, aimaient beaucoup se rendre à l'opéra. On prit aussi l'habitude de donner des bals, particulièrement ceux de Mardi gras dans ce grand bâtiment construit en 1859. Tout autour s'étaient installés des magasins vendant des accessoires pour le spectacle : perruquiers, tailleurs, créateurs de masques...

Lorsqu'en 1919, un incendie ravagea l'opéra, Lyle Saxon put écrire que *"le cœur du Quartier français a cessé de battre"*. Sur le même emplacement s'élève aujourd'hui un hôtel.

La boutique de Laffite (941 Bourbon)

Au début du XIXé siècle, Jean Laffite et son frère étaient les pirates de la ville. Si à cette époque l'esclavage était toujours légal, il était par contre interdit d'importer des esclaves. Les Laffite attaquaient donc les bateaux étrangers, et s'emparaient de leur cargaison humaine qu'ils revendaient ensuite discrètement au prix fort. Leur boutique de forgeron leur servait de quartier général. Les vaisseaux pirates et leurs équipages étaient basés dans la baie de Barataria, d'où leur nom de "Baratariens". Le gouverneur américain Claiborne fit apposer des affiches offrant 500$ à celui qui capturerait Laffite mais quelques jours plus tard, des tracs similaires circulaient offrant 1 500$ pour la capture du gouverneur. Jean Laffite était connu de toute la haute bourgeoisie de la ville qui appréciait l'aide précieuse que lui et ses hommes apportèrent à Jackson pendant la bataille de la Nouvelle-Orléans. Aujourd'hui la boutique est devenue un bar sombre éclairé par des bougies. Des musiciens y jouent parfois du blues. Il y règne une ambiance spéciale.

Ecole McDonogh (700 St Philip)

John McDonogh était un riche excentrique du début du siècle dernier que ses compatriotes considéraient comme fou car il éduquait et payait ses esclaves, lesquels pouvaient ensuite lui racheter leur liberté. Son avarice était proverbiale. Ainsi, il ne prenait jamais le ferry pour traverser le fleuve mais une barque avec un de ses esclaves à la rame. A sa mort, il légua sa fortune à la ville avec l'ordre de construire 35 écoles publiques.

Congo Square

Situé à l'extrémité d'Orléans St, de l'autre côté de Rampart St., c'était l'endroit que les esclaves avaient choisi pour se réunir et danser sur les rythmes des tam-tams. Chaque dimanche, quelque 2000 personnes venaient se réunir après la messe jusqu'au coup de canon indiquant l'heure du couvre-feu. Des cérémonies de vaudou avaient lieu parfois, ce qui faisait peur aux Créoles. Aujourd'hui Congo Square est devenu Armstrong Park et n'offre rien de particulièrement intéressant, sinon des concerts organisés dans l'auditorium. Le quartier est un peu dangereux, soyez prudents.

Le couvent des Ursulines (1112 Chartres)

Les premières sœurs Ursulines arrivèrent de Rouen en 1727 pour éduquer les enfants et s'occuper des orphelins. En 1749, elles emménageaient dans le couvent (le même qu'aujourd'hui) puis le délaissaient en 1824. Aujourd'hui rénové, le couvent contient des archives ecclésiastiques. Vous remarquerez sur les murs des "Y" en fer. Ce sont des poutrelles métalliques incorporées aux cloisons pour donner plus de stabilité au bâtiment qui repose sur du sable.

Le cimetière St Louis

Construit à l'écart par peur de la propagation de la fièvre jaune, c'est le plus ancien de la ville. Les tombes sont rehaussées car cette partie de la Nouvelle-Orléans est située sous le niveau de la mer. Avec la chaleur et l'humidité, les corps se décomposent très vite. Après un an et demi, on avait l'habitude de "recycler" les tombes : les restes étaient poussés au fond et un nouveau cadavre était mis dans la même tombe. Comme les cercueils-tiroirs qui constituent le mur du cimetière, pour gagner de la place.

Les propriétaires des tombeaux doivent payer un loyer à l'Eglise. S'ils ne le font pas, le nom est supprimé, l'épitaphe est effacée et la tombe revient à une autre famille. Ne pas s'attarder le soir dans le cimetière, situé dans un quartier dangereux.

L'église de Our Lady of Guadalupe (face au cimetière)

Construite lors de la grande épidémie de fièvre jaune pour bénir les morts juste avant de les brûler, l'église Notre-Dame de Guadeloupe sert de lieu de prière pour deux rituels, le catholique et le vaudou. Les saints représentés ont donc deux noms. A droite de l'église, une petite grotte représente "Our Lady of Lourdes".

La brasserie Jax (Jackson Brewery, 600 Decatur)

Construite en 1891 pour la compagnie Jackson Brewing Company, la brasserie a fermé en 1974 et a été transformée en galerie commerciale.

SE LOGER

Lors d'événements particuliers comme Halloween (week-end du 1er novembre), Thanksgiving (vers la fin novembre), Noël, Jour de l'An, Mardi gras (février), Jazz Fest' (dernier week-end d'avril et premier week-end de mai), les hôtels de la Nouvelle-Orléans sont combles et les prix des chambres doublent et parfois triplent. Pour ces manifestations, il est préférable de réserver de 3 à 6 mois à l'avance et il faut rester entre trois et cinq nuits minimum au même endroit.

En revanche, l'été est une saison creuse pendant laquelle il est possible d'obtenir des tarifs vraiment intéressants.

Enfin n'oubliez pas d'aller à l'office du tourisme (Jackson Square) pour retirer des coupons qui peuvent vous offrir jusqu'à 50 % de réduction sur une chambre en semaine (du dimanche au jeudi soir).

Les prix indiqués ci-dessous sont pour une nuit en chambre double.

"Grand luxe"

The Column's. 3811 St Charles Ave.   **Tél. 899 9308**
De 60$ (deux chambres se partagent la même salle de bains) à 150$, breakfast compris.
Cette magnifique bâtisse à colonnes construite en 1883 et classée monument historique depuis 1982, est située sur la plus belle avenue de la Nouvelle-Orléans (le tramway passe devant et vous emmène dans le French Quarter en quelques minutes). Les 19 chambres, toutes différentes, mais également spacieuses, sont meublées à la mode victorienne. Dans certaines salles de bains, la baignoire sur pied est posée au milieu, comme dans l'ancien temps.

Du haut des nombreuses petites terrasses, on peut profiter des magnifiques chênes qui bordent l'avenue.

Au rez-de-chaussée, le plus beau bar victorien des Etats-Unis a accueilli des visiteurs prestigieux comme Clint Eastwood ou le commandant Cousteau. L'ensemble est chaud avec des chandeliers en bronze qui dispensent une lumière intime, et harmonieux grâce aux plafonds en bois sculptés parfaitement assortis au mobilier. Tous les jeudis soirs, un concert de jazz (5$) est organisé dans la salle de bal.

Célèbre pour son brunch du dimanche (de 11h à 15h), le restaurant sert une formule intéressante : Jambalaya, crawfish pie et gumbo pour 11$. Le personnel est attentionné et parle français.

Pour l'anecdote, c'est au Column's que Louis Malle a tourné son film *La Petite*.

The Sully Mansion Bed and Breakfast. 2631 Prytania St.　　　**Tél. 891 0457**
De 75 à 150$ suivant la taille de la chambre, breakfast compris. Non fumeurs.
Située dans le très calme Garden District, au milieu d'autres demeures plus belles les unes que les autres, cette maison datant de 1890, a été conçue par l'architecte Thomas Sully (d'où le nom), une référence pour la Nouvelle-Orléans de l'époque et pour cause : toutes ses maisons sont encore debout. La Sully Mansion a été rénovée. Les meubles (époque Anne d'Angleterre) sont en harmonie avec les voilages aux tons pastel. Un piano trône dans le hall de réception pour ceux qui veulent s'y dégourdir les doigts. Maralee, la propriétaire, est discrète et serviable. La clientèle est composée essentiellement d'hommes d'affaires qu'on ne voit jamais.

Lorsqu'on referme la porte de sa chambre (toutes sont impeccables et spacieuses), on se retrouve au calme d'un siècle passé, et Bourbon Street est alors bien loin. Une excellente adresse pour se reposer des frasques néo-orléanaises.

ITT Sheraton Hotel. 500 Canal St.　　　**Tél. 525 2500 - Fax 561 0178**
De 100 à 200$.
Pas de surprise, le confort d'un hôtel de grand luxe. Situé au cœur du centre-ville, donc de l'action. Concerts de Jazz tous les soirs.

Le Méridien. 614 Canal St.　　　**Tél. 525 6500- Fax 525 8068**
A partir de 130$.
Semblable à tous les Méridiens du monde, à ceci près que tous les soirs des concerts de Jazz sont donnés dans un salon décoré de grandes photos de musiciens en noir et blanc.

Dans le French Quarter

Le Richelieu. 1234 Chartres St.　　　**Tél. 529 2492 ou (800) 535 9653 - Fax 524 8179**
De 95 à 120$, suite "lune de miel" à 160$. Breakfast non compris mais parking inclus (important dans le Quartier français). On y parle français.
Dans un très bel immeuble à façade rouge et aux volets verts, des chambres spacieuses et bien tenues. Chacune meublée de meubles modernes, toutes sont décorées différemment. Dans la cour, la piscine est bordée de fleurs changées à chaque saison.

Lorsqu'en 1762 Louis XV donna la Louisiane en secret à son cousin Charles III d'Espagne, certains Français se rebellèrent. Le gouverneur espagnol O'Reilly fit arrêter le meneur : Nicolas Chauvin de la Frenière fut fusillé à l'emplacement du parking de l'hôtel.

L'immeuble date de 1845, c'est le premier bâtiment de style Renaissance grecque du Quartier français. Usine de macaroni (1902) puis de matelas (1939), il a été transformé en hôtel en 1969.

Pour la petite histoire, en 1976, Paul Mc Cartney est resté le temps d'enregistrer un album (deux mois et demi) dans une des suites avec sa famille (pour les Beatlemaniacs seulement car à 175$ la nuit...)

The Royal Barracks Guest House.
717 Barracks St. -   **Tél. 529 7269/523 2175 - Fax 529 7298**
De 75 à 110$, breakfast (donut, croissant, muffin, baguette) compris. Fumeurs acceptés. A cinq minutes de la sulfureuse Bourbon Street, et proche (à pied) de la plupart des curiosités de la ville, cette guest house se trouve dans une rue très calme. La chambre Napoléon est petite mais amusante avec les nombreux portraits de l'empereur et de sa famille. Super breakfast à prendre dans une petite cour intérieure. Accueil chaleureux, un brin familial sans être omniprésent, Christine la propriétaire saura vous renseigner avec gentillesse et en français puisqu'elle est... française.

Ursuline Guest House. 708 Ursulines St.   **Tél. 525 8509 Fax 525 8408**
De 60 à 100$. Petites chambres propres. Jolie cour extérieure. Pour les gays uniquement

"Charme et confort"

Terrel House. 1441 Magazine St.   **Tél. 524 9859**
De 60 à 110$, breakfast inclus. Non fumeurs. Accessible en tramway, descendre à l'arrêt Felicity. Cette maison, bâtie en 1858 par Richard Terrel, appartient désormais à un collectionneur de lampes à gaz, de meubles anciens et de tapis. Cela se voit. Les salons et les chambres sont meublés de manière telle qu'on se croirait dans la Nouvelle-Orléans du XIXe siècle. Les lits à baldaquins sont impressionnants de hauteur (gare au vertige !). Sous l'escalier, des antiquités, de petits meubles d'enfant rajoutent du charme à l'ensemble. Une jolie petite cour sépare la maison principale des quartiers anciennement réservés aux esclaves. Un seul problème : le quartier n'est pas très sûr, si vous rentrez tard, préférez le taxi.

Garden District Bed and Breakfast. 2418 Magazine St.   **Tél. 895 4302**
De 55 à 75$, breakfast compris.
Idéal pour ceux qui veulent rester plusieurs jours à la Nouvelle-Orléans, car en fait de chambre, ce sont cinq petits appartements qui vous sont proposés. Une grande chambre, une petite cuisine entièrement équipée et une salle de bains : on se sent très vite chez soi. Tout est propre, confortable dans une maison en bois vieille de 110 ans et que la charmante propriétaire rénove petit à petit. L'endroit n'est pas très loin du Quartier français, accessible en bus en 10 miutes.

Prytania Inns. 1415 Prytania St.   **Tél. 566 1515 Fax 566 1518**
De 60 à 90$. Breakfast 5$. De jolies petites chambres accueillantes avec leurs tissus fleuris. La salle à manger est très agréable (tables et chaises blanches, nappes à fleurs de couleur), tout cela est bien "cosy". A cinq minutes du Quartier français.

"Bien et pas cher"

St Charles Guest House. 1748 Prytania St.   **Tél. 523 6556**
38 chambres de 35 à 75$. 6 chambres à 12,5$ réservées aux étudiants. Deux bungalows dont le prix est à négocier suivant la durée du séjour. Accessible en tramway, descendre à Felicity.
Petites chambres confortables, propres mais sans luxe ni décoration particulière. Hilton Dennis, le propriétaire, est très sympathique. Il organise des soirées au bord de la piscine sous les bananiers pour certaines occasions (Halloween ou Mardi gras). Près du centre.

Marquette House. 2253 Carrondelet　　　　Tél. 523 3014 Fax 529 5933

Acheter une carte des AYH Hostel sur place : 18$. Un lit en dortoir (non-mixte) : 12$. Appartements privés (2-4 personnes, mixte) : de 39 à 45$. Café gratuit. Non fumeurs. Accessible en tramway, descendre à Jackson.

Sans charme mais efficace, et pouvant accueillir 250 à 350 personnes réparties dans les trois bâtiments, c'est une excellente adresse pour rencontrer d'autres voyageurs. Propres, les dortoirs ont des douches communes et les studios, des salles de bains privées. Une cuisine est à la disposition des résidents, des tables à l'extérieur accueillent ceux qui veulent pique-niquer. Enfin un petit jardin avec une fontaine est prévu pour ceux qui veulent se détendre. L'établissement n'est pas éloigné du centre, mais évitez de vous perdre dans le quartier qui n'est pas des plus sûrs.

Longpré House. 1726 Prytania St.　　　　Tél. 581 4540

10$ pour un lit dans un dortoir. Il y a aussi 7 chambres individuelles de 35 à 60$. Café gratuit. Accessible en tramway, descendre à Euterpe.

On vient vous chercher gratuitement à la gare ferroviaire ou routière. Correct, mais le bâtiment est à rafraichir. Ambiance "jeunes voyageurs" ou "sacs-à-dos".

"Camping"

New Orleans KOA Campground. 11129 Jefferson Hwy, River Ridge. Tél. 467 1792

Etendu et à l'ombre, bien équipé (laverie, piscine, bar, salle de jeux), cher (entre 30 et 50$ la nuit). Eloigné du centre mais accessible en bus. Il est possible de louer une voiture au camping.

SE NOURRIR

"Qualité et charme"

Bon Ton Café. 401 Magazine St. (entre Canal et Poydras).　　　　Tél. 524 3386

Ouvert du lundi au vendredi de 11h à 14h et de 17h à 21h. Réservation conseillée. Aucun plat en dessous de 20$.

Poussez la porte de cette petite maison aux volets clos, et vous découvrez une salle qui donne envie de s'asseoir : murs en briques rouges, tables en bois recouvertes de nappes à carreaux rouges et blancs, et au fond, une armada de serveurs tout habillés de blanc. La clientèle est digne des alentours : hommes d'affaires qui fêtent un contrat ou l'anniversaire de leur secrétaire. Pour ce qui est dans l'assiette, c'est de la vraie cuisine cadjine, sortie des bayous par les époux Pierce qui ont repris le restaurant en 1950. Ne manquez pas les spécialités, le crabe légèrement frit dans une sauce au beurre et au citron ou le "bread pudding with whiskey sauce" en dessert.

L'économie. 325 Girod St
(à deux blocs de Poydras, dans le Warehouse district).　　　　Tél. 524 7405

Autre adresse : 5908 Magazine St., spécialité de sorbets aux parfums inédits.

Compter pour le déjeuner 8-10$ par plat ; pour le dîner 12-17$.

L'extérieur étant peu engageant, genre entrepôt délabré aux carreaux cassés, on a du mal à imaginer qu'en poussant la porte on trouvera un décor chaud et rassurant : murs aux tons pastel habillés de toiles géantes représentant la jungle ; bar-comptoir en bois à l'entrée ; petites tables carrées et chaises paillées confortables.

Hubert, le chef français, vous concocte des plats tout droit sortis de son imagination comme le "saumon poché dans une sauce au chablis, miel et orange". Mélange de goûts et d'influences (française, créole, cadjine, caraïbe), c'est original, bon et joliment présenté. Amical aussi car Hubert n'hésite pas à sortir de sa cuisine lorsque des compatriotes lui rendent visite.

"Abordable"

Siam Café. 435 Esplanade Ave.   Tél. 949 1750
Ouvert de 11h30 à 15h et de 17h30 à 3h du matin. Situé à deux blocs de Café Brasil, dans un quartier qui bouge.
Compter pour le déjeuner 6$, pour le dîner 10$.
Spécialités thaïlandaises comme le Pahi Thaï (mélange de poulet, crevettes et nouilles) ou le curry spécial (réputé dans toute la ville). C'est très fin et en quantités suffisantes. Le décor est surprenant : murs rouges couleur sang, faible éclairage et ambiance vraiment spéciale : la clientèle est essentiellement locale et on y voit de drôles de looks. Au premier étage, on peut s'affaler dans des coussins, boire du saké en écoutant du boogie-woogie, du jazz soft, du blues ou de la poésie le lundi soir.

Deanie's Seafood.
1713 Lake Avenue à Metairie, près du lac Ponchartrain.   Tél. 835 4638
Compter pour le déjeuner 8$ le plat. Plateau de fruits de mer 15$.
Situé au bord du lac (mais hélas on ne le voit pas du restaurant), l'endroit est réputé pour ses fruits de mer. Peu de touristes mais des "locaux" au terrible accent "yat" de la Nouvelle-Orléans. A voir leur tour de taille, on comprend vite qu'ils ont abusé des fruits de mer frits de Deanie's. Le décor est froid et impersonnel, mais le rapport quantité-prix excellent.

"Bien et bon marché"

Bluebird Cafe. 3625 Prytania St.   Tél. 895 7166
Ouvert de 7h à 15h du lundi au vendredi et de 8h à 15h le week-end. Compter entre 4 et 6$ le plat.
Omelettes copieuses de votre propre composition ou pancakes (vraiment) géantes, c'est l'endroit idéal pour un breakfast reconstituant. Les Néo-Orléanais le savent bien puisqu'ils y font la queue sur le trottoir le week-end.

La Péniche. 1940 Dauphine St.   Tél. 943 1460
Ouvert 24h sur 24. Le burger platter 5$, le plat de crevettes pour deux 13$.
Un peu excentrée par rapport au Quartier français mais accessible à pied, la Péniche est un repère (ou repaire ?) pour la population locale qui aime venir petit-déjeuner dans une ambiance calme, reposante et cosy. On y mange des plats typiquement américains avec quelques spécialités louisianaises. Les desserts sont faits maison. Service élégant.

Port of Call. 838 Esplanade Ave.   Tél. 523 0120
De 11h du matin à 1h (ou 3h le week-end) du matin. Compter de 5 à 10$ le repas.
Spécialités : le "port of call", un cocktail détonant à base de rhum (3,75$) mais aussi les hamburgers épais et cuits au feu de bois, accompagnés d'une "baked potatoe" (pomme de terre cuite au four) et tout cela pour 5,75$. Excellent rapport qualité-quantité-prix. Appétits d'oiseau s'abstenir. Décor de bateau : roue, gouvernail et cordages partout.

SE NOURRIR DANS LE QUARTIER FRANÇAIS

"Cher"

Toucan Du. 201 Decatur St.   **Tél. 522 2638**

Ouvert de 11h à 23h (voire plus tard). Compter un minimum de 12$ par plat.

Une grande salle décorée comme dans les îles : ventilateurs, profusion de plantes vertes, balcons en fer forgé avec instruments de musique incrustés, appliques en forme de bateaux. Le bar est un petit bungalow et la rôtisserie une cabane en bois de style caraïbe. Et dans ce superbe décor, on mange... des tapas ! Comme en Espagne, vous commandez plusieurs assiettes différentes (de 3 à 6$ chacune) car la quantité servie est celle d'une petite entrée. Ce n'est pas plus mal car cela vous permet de goûter à une cuisine variée et vraiment originale. Un exemple de mélange étrange mais excellent : du boudin cajun dans une sauce à la moutarde ancienne accompagné d'un fruit malais. C'est aussi très joliment présenté. Ne manquez pas les desserts, chers mais renversants, surtout pour les fondus de chocolat. Bonne sélection de vins, variée et abondante (de 12 à 23$ la bouteille, 3,75$ le verre).

The Court of Two Sisters. 613 Royale St.   **Tél. 522 7261**

Le menu à 33$, le plat entre 15 et 30$ (homard). Le menu est expliqué en français sur demande.

Voici un endroit mythique de la Nouvelle-Orléans. On y entre par un couloir aux murs gravés de noms et de souvenirs d'une époque révolue et si vous touchez la grille en fer forgé, cela vous portera chance. Le bâtiment appartenait à deux sœurs qui tenaient un magasin d'articles féminins au début du siècle. Elles sont mortes en 1944 mais le restaurant a gardé le nom d'origine. Les tables sont dressées dans une cour superbe qui respire le luxe. Le brunch (contraction breakfast et lunch) se mange en musique (jazz) comme pour mieux faire passer l'addition (19$). Au menu, des spécialités louisianaises et de la maison (coq au vin rouge, veau pané, canard rôti à l'orange).

Brennan's. 417 Royale St.   **Tél. 525 9711**

Ouvert tous les jours de 8h à 14h30 et de 18h à 22h. Le breakfast complet de 35 à 50$. Aucun plat n'est en dessous de 40$.

Fondé en 1946 par Owen E. Brennan, le restaurant est aujourd'hui tenu par ses deux fils. La haute société de la ville se doit d'être vue chez Brennan pour le petit déjeuner. Un exemple : œuf poché avec épinards, grillade de veau accompagnée de semoule, crêpes fourrées à la crème et aux fraises, café : 41$. Mais il y a d'autres formules. Le décor est d'un luxe plutôt "quelconque", on préférerait manger dans la très jolie cour intérieure.

Dans le même genre il y a aussi le "Commander's Palace". 1403 Washington Ave. Tél. 899 8221. Excellent Bread pudding, même ordre de prix que Brennan's.

"Abordable"

Gumbo Shop. 630 St Peter St.   **Tél. 899 2460**

Ouvert tous les jours midi et soir. Le gumbo est à 5$. Compter entre 9 et 15$ pour un plat.

L'endroit est réputé pour son gumbo mais propose toutes les spécialités louisianaises. Il y a beaucoup de monde (locaux et touristes), on fait souvent la queue sur le trottoir.

Praline Connection. 542 Frenchmen St. **Tél. 943 3934**

Ouvert tous les jours de 11h à 22h sauf le dimanche de 7h à 22h. Compter pour le déjeuner 5$ par plat, 10$ pour le dîner.

Bonne variété de "soul food" (cuisine du Sud) : gumbo, jambalaya, red beans and rice. Recommandé par les gens du cru.

Acme Oyster House. 724 Iberville. **Tél. 522 5973**

Ouvert à midi et le soir. Compter 6$ la douzaine d'huîtres, 10$ le plateau d'huîtres frites, les po-boys entre 4,5 et 6$.

Fréquenté par la population locale car réputé pour la fraîcheur de ses fruits de mer. Décor à l'américaine (néons rouges et bleus de marques de bière), grands comptoirs derrière lesquels les écaillers s'activent à préparer les plats qui volent ensuite jusqu'aux petites tables serrées les unes contre les autres.

Nos amis de Honfleur peuvent passer à l'hôtel **Le Provincial** (1024 Chartres St.). Le restaurant et le bar sont entièrement décorés avec des objets (meubles, vaisselle, tableaux) rapportés de Honfleur. Surprenant.

"Pour manger sur le pouce"

Mother's, 401 Poydras St. **Tél. 523 9656**

Compter 5$ pour un gros po-boy.

Cela fait 50 ans que Mother's cuit son jambon dans ses propres fours, et le résultat est succulent. La grande variété de po-boys vaut le déplacement.

Louisiana Pizza Kitchen. 95 French Market Place.Tél. 522 9500

Ouvert 7 jours/7, 24h/24.

Bonnes pizzas aux influences louisianaises, par exemple aux écrevisses et au crabe.

Hooter's. 301 N. Peters

Ouvert de 11h à minuit.

Dans ce fast-food, vous trouverez des fruits de mer, des sandwichs, des salades et leur spécialité : les ailes de poulet frites. On y va surtout pour regarder les serveuses vêtues de tout petits shorts et de T-shirts courts.

Napoleon House. 500 Chartres St. **Tél. 524 9752**

Spécialité de muffelata (énorme sandwich italien à base de jambon, olives et épices dans un pain rond - attention la moitié suffit pour une personne : 5,25$) et de po-boys (4,25$). Le bar est sombre où trônent de nombreuses effigies de Napoléon. On apprend que Girod, le propriétaire de la maison et le maire de la ville, complotait avec le corsaire Lafitte pour délivrer l'empereur français de son exil à Ste-Hélène. L'expédition mise sur pied fut interrompue par la mort de Napoléon. Reste la maison aménagée en son honneur. Un superbe endroit pour boire un verre.

Johnny's po-boy Restaurant. 511 St Louis St. **Tél. 524 8129**

Ouvert tous les jours de 7h à 16h sauf week-end de 9h à 16h. Aucun plat n'est au-dessus de 5$.

Vous trouverez chez Johnny dans un décor de cafétéria plus de 43 sortes de po-boys, les meilleurs de la ville. Les hommes d'affaires et les ouvriers viennent y commander leur déjeuner. Quand c'est prêt, le cuistot hurle le numéro du sandwich. Exotique.

COFFEE SHOPS

Avec les Espagnols arrivèrent les "maisons de café" (coffee shops) : la Nouvelle-Orléans devint un grand port importateur de café. Les Créoles aimaient leur café *"noir comme le Diable, fort comme la mort, doux comme l'amour et chaud comme l'enfer"*. La tradition s'est perpétuée. Le café au lait est une spécialité et aller boire un café, un thé ou un chocolat accompagné d'une pâtisserie fait partie intégrante du mode de vie de la population. Voici quelques adresses où vous pourrez facilement lier contact avec votre voisin de table et discuter des nouvelles du jour.

▦ Dans le Quartier français

Royal Blend. 623 Royal St.   **Tél. 523 2716**
Une très belle petite cour où il fait bon s'arrêter entre deux magasins d'antiquités.

Kaldis. 941 Decatur (face au French Marquet)
Décor chaleureux, tables et chaises en bois, vieux moulins à café, piano, odeur de café à 100 mètres à la ronde.

Croissant d'Or. 615 Ursuline.   **Tél. 524 4663**

La Marquise. 625 Chartres St.   **Tél. 524 0420**
Moins fréquentées par les touristes que Kaldis, deux pâtisseries françaises tenues par un Tourangeau depuis 21 ans. Deux jolies petites cours intérieures pour boire un café accompagné d'un ... millefeuille (1,25$).

Angelo Brocatto. 537 St Ann St. (Jackson Square)
Délicieux sorbets à l'italienne, les gâteaux (cannoli) ne sont pas mal non plus : oubliez le régime !

La Madeleine (angle de St Ann St. et Chartres St. -Jackson Square) et aussi angle de St Charles Ave. et S. Carrolton.
Restaurant-pâtisserie-salon de thé français où l'on peut manger croissants et pain... en cas de manque !

▦ Hors Quartier français

Café de la course, à l'angle de Magazine St. et Race St.
Les journaux sont à votre disposition pour accompagner votre café.

P.J's. 5432 Magazine ou 7624 Maple
Des dizaines de cafés et thés différents, des gâteaux aux céréales appelés les anti-faim !

SORTIR

Il serait trop long d'énumérer tous les bars, clubs et boîtes de la ville mais le Petit Futé vous offre un échantillon de ce que vous ne devez pas rater. Pour savoir "qui joue où ?", procurez-vous le **Gambit** ou le **Off-Beat**. Ces hebdomadaires (gratuits dans les hôtels ou à l'office de tourisme) vous donnent tous les programmes des clubs et salles de concert.

LE JAZZ

Qui dit Nouvelle-Orléans dit Jazz ! Cette musique contestatrice née au début du siècle fait partie intégrante du passé, du présent et du futur de la ville.

A l'origine, trois courants : le folklore des Noirs (chants et percussions transmises de génération en génération depuis l'Afrique) ; le ragtime créé par les Noirs qui s'inspirent des airs de quadrille qu'ils entendent chez les Créoles ; et enfin, la musique des fanfares noires qui animent les défilés, les enterrements et les bals. Le jazz est né de ces trois mouvements de musiques noires. Mais le mot "jazz" n'est apparu qu'en 1915.

A l'époque, lorsqu'on allait dans le quartier des prostituées (Storyville) on avait coutume de dire *I am goin' Jazzing* (de Jazzabel, la prostituée dans la Bible). La musique née à Storyville a donc été appelée "jazz music" par dérivation. C'est d'ailleurs dans les cabarets du quartier que le jazz a remporté ses premiers succès.

A la fermeture de Storyville, en 1917, les musiciens s'exilent à Chicago puis à New York. Le style Nouvelle-Orléans connaît son apogée avec des musiciens comme King Oliver ou Sydney Bechet. Dans les années 30, le jazz sort du cadre intimiste des cabarets pour s'offrir les grandes scènes des dancings populaires. Il est alors synonyme de joie de vivre et d'insouciance. Charlie Parker et Dizzy Gillespie innovent beaucoup, rajoutent de nouvelles harmonies, c'est le courant "be-bop" des années d'après-guerre.

Le jazz est d'abord encensé en Europe où il est considéré comme un art alors qu'aux Etats-Unis, c'est une musique de "nègre". Traditionnellement les musiciens noirs sont les plus nombreux mais les Blancs ont aussi leur école : le jazz "cool". A partir de 1960, Noirs et Blancs s'expriment à égalité dans les mêmes formations : le jazz, musique contestatrice, devient universaliste. Même si vous avez parcouru la ville en long, en large et en travers toute la journée, il vous sera impossible de vous reposer le soir. La Nouvelle-Orléans vit la nuit et vous aurez à cœur de connaître la "joie de vivre" qui fait sa renommée dans tous les Etats-Unis.

▨ Quartier français

Dans Bourbon Street - Vous la connaissez déjà de réputation, c'est la rue de toutes les folies. Un bar, un marchand de cartes postales-souvenirs, un bar, un club de strip-tease ou de spectacles porno, un karaoké, un bar... La rue est ainsi. Vous n'aurez donc que l'embarras du choix. Tous les bars ont leur orchestre mais ne vous attendez pas toujours au bon vieux jazz classique, les genres se mêlent.

Club Second Line. 216 Bourbon St.   Tél. (523 2020)
Vous pourrez y voir la Reine du blues, Marva Wright, et d'autres vedettes du monde de la musique. De très bons groupes presque tous les soirs.

Preservation Hall. 726 St Peter St.   Tél. (522 2841)
De nombreux touristes font la queue sur le trottoir tous les soirs parce que c'est l'endroit où vous entendrez le jazz dont vous rêvez. Un orchestre de vieux musiciens qui se défient à grands coups de solos (joués sans micro).

Une salle qui date d'un autre âge, trois bancs pour tout confort (la plupart des spectateurs s'assoient par terre ou restent debout), des sessions d'une demi-heure (vous pouvez rester autant de temps que vous voulez) de 20h 30 à minuit, et tout cela pour 3$ seulement. Si vous ne pouvez pas raconter l'atmosphère du Preservation Hall, on ne croira jamais que vous êtes allé à la Nouvelle-Orléans.

Bombay Club. 830 Conti St.　　　　　　　　　　　　　　**Tél. (586 0972)**
Très cher, c'est le bar où il faut être vu lorsqu'on est un artiste ou qu'on a beaucoup d'argent à dépenser. Décor d'ancienne colonie anglaise, ambiance très soft, musique cool (pianiste en solo)

Palm Court Jazz Cafe.1204 Decatur St.　　　　　　　　**Tél. (525 0200)**
D'excellents concerts de vrai bon jazz du mercredi au dimanche à 20h. On peut aussi y dîner.

▨ Dans le quartier de S. Carrolton Avenue

Muddy Waters. 8301 Oak St.　　　　　　　　　　　　　**Tél. (866 7174)**
L'endroit préféré de nombreux musiciens de blues. Grande salle avec une scène au milieu faisant face aux éternels jackpots électroniques. Super ambiance le week-end, entrée payante.

Carrolton Station. 8140 Willow St.　　　　　　　　　　**Tél. (865 9190)**
Tout près de l'entrepôt où les tramways se reposent de leur journée. Rendez-vous des étudiants des universités voisines. Téléphoner pour connaître les programmes et les prix.

Mid-City Lanes Rock'n Bow. 4133 S Carrolton.　　　　**Tél. (482 3133)**
Dans ce grand bowling-salle de jeu, on vient aussi chanter sur un karaoké ou danser au son d'un groupe. Bonne musique, bonne ambiance. Entrée payante selon les soirs.

Maple Leaf Bar. 8316 Oak St.　　　　　　　　　　　　**Tél. (866 LEAF)**
Un bar et une salle de danse à côté, décor chaleureux tout en bois, on s'y sent vite chez soi. L'ambiance est détonante, version rock ou cajun. Des célébrités hollywoodiennes comme Katlin Turner (qui habite le Quartier français) y viennent parfois, mais c'est loin d'être guindé. Entrée payante.

▨ Warehouse District

Howlin' Wolf. 828 S Peters.　　　　　　　　　　　　　**Tél. (523 2551)**
Un très grand bar avec billards, jeu de fléchettes, très peu de tables et de chaises. Une toute petite scène où néanmoins se produisent de grandes pointures du blues, du rock et de la country. Entrée payante, prix variable.

Lucy's Retired Surfer Bar.
701 Tchoupitoulas (croisement avec Girod St.)　　　　**Tél. 523 8995**
Point de rencontre des minets ex-surfers (elles sont loin, les vagues !) qui viennent boire des cocktails vraiment originaux. Le "shark" arrive avec un véritable requin ... en plastique retourné dans le verre gueule ouverte. Du sang (grenadine) s'en échappe ainsi qu'une petite sirène (son dernier repas ?). C'est amusant et surtout on ramène la petite bêbête à la maison. Méfiez-vous des cocktails sans baleine ni requin, la surprise est au fond du verre. Bon mais compter au moins 6$.

▒ Angle Napoleon St. et Tchoupitoulas St.

Tipitina's. 501 Napoleon. Tél. (897 3943)

Des musiciens internationalement connus, les meilleurs groupes de la ville passent régulièrement à "Tip's" (au bord du Mississippi). Rock, Jazz, blues et même cajun (bal tous les dimanches à partir de 17h) : vous entendrez tous les genres dans cette grande salle surmontée d'un balcon d'où vous pourrez apprécier le concert sans étouffer dans la foule. L'admission est parfois gratuite mais le plus souvent payante (5-15$).

▒ Autour d'Esplanade Ave. du côté du Mississippi

Snug Harbor. 626 Frenchmen St. Tél. (949 0696)

Les meilleurs musiciens de Jazz (les Marsalis par exemple) y passent. A ne pas rater. Entrée payante.

Café Brasil. 2100 Chartres St. Tél. (947 9386)

Une grande salle sans tables. On y vient pour danser sur des rythmes chauds et l'ambiance s'en ressent. Un monde fou même en semaine car on s'y amuse vraiment. Entrée payante le week-end.

Café Istanbul. 534 Frenchmen. Tél. (944 4180)

Juste en face de Café Brasil. Superbe endroit mais qui n'organise des soirées que ponctuellement. Si vous voyez de la lumière, n'hésitez pas à entrer, une chaude ambiance est assurée.

Chek Point Charlie's. 501 Esplanade. Tél. (947 0979)

Comme son nom l'indique, décor d'avion avec parachute. Une salle assez petite où l'on reste debout lorsqu'il y a un concert (tous les soirs sauf le lundi). Une mezzanine accueille ceux qui veulent s'asseoir à une table. Entrée gratuite.

Dragon's Den. 435 Esplanade (voir Siam café dans la rubrique restaurants).

Pour les hommes seuls, ce n'est pas difficile, ils n'ont qu'à suivre les enseignes lumineuses *"girls, girls"* comme au croisement de Decatur et Iberville Streets par exemple.

Si vous avez la chance d'être à la Nouvelle-Orléans à la période d'Halloween (30 octobre), du Jour de l'an ou de Mardi gras, faites l'effort de vous déguiser : les Néo-Orléanais adorent ça. Vous verrez des costumes extraordinaires, d'autres très kitsch fabriqués et portés avec beaucoup d'humour. En général, la fête dure toute la nuit et vous vous ferez des amis : à partir d'une certaine heure, tout le monde parle la même langue.

SHOPPING

Les prix affichés étant hors taxe, ne vous étonnez pas de payer plus cher que ce que vous pensiez : les taxes fédérales sont rajoutées à la caisse et diffèrent selon le type de produit. Cela dit, une bonne nouvelle : la Louisiane est l'un des rares Etats américains à rembourser le montant de la taxe aux visiteurs étrangers. Lorsque vous faites des achats, demandez à ce que l'on vous remplisse une "tax free form" (vous avez besoin de votre passeport pour cela). Le Jour de votre départ, à l'aéroport, rendez-vous au bureau des "sales tax refunds" où l'on vous remboursera le montant des taxes que vous avez payées, diminué d'une commission.

▓ Canal Street

Comme dans la rue new-yorkaise du même nom, vous trouverez des dizaines de magasins de hifi, vidéo, appareils photo et autres gadgets électroniques. Les prix ne sont pas indiqués, il faut entrer et demander. Même s'ils vous semblent intéressants, n'achetez rien si vous ne connaissez pas la valeur de la marchandise en France, les vendeurs sont très forts dans l'arnaque et parlent toutes les langues, le français compris. Parfois les marques fabriquent des modèles différents pour l'Europe et pour les Etats-Unis. On risque ainsi de vous vendre l'équivalent d'une marque (*"c'est le même, seul le nom diffère"*), alors qu'il s'agit d'un produit d'une bien moins bonne qualité. Pour des achats de ce type, rendez-vous dans des magasins spécialisés : cela reste moins cher qu'en France, et la vente est assurée par de vrais pros. En un mot, évitez Canal Street pour acheter l'appareil de vos rêves, je parle en connaissance de cause ! Une bonne adresse (dans le Quartier français) :

K and B Camera Center, 227 Dauphine St. **Tél. 524 2266**
Des tarifs intéressants sur tous les films, pellicules et matériel photographique.

▓ Le long du Mississippi

Dans l'immense galerie marchande Riverwalk (au bout de Canal Street) ainsi que dans celle de Jackson Brewery (sur Decatur Street), vous trouverez toutes les boutiques de gadgets et de vêtements à la mode.

▓ Magazine Street

Dans cette rue vous achèterez de vieilles bouteilles de Coca Cola, des Juke-box des années 50 et des antiquités de toute sorte. Les magasins - de charmantes petites maisons en bois peint - s'étalent tout au long de la rue. Antiquités de valeur ou de pacotille côtoient les derniers délires des designers à la mode. Une rue à arpenter pour se laisser surprendre.

▓ French Quarter

Le French Market (1008 N. Peter St.) est l'ancien marché où les Indiennes venaient vendre leurs épices. Aujourd'hui, marchands de bijoux, de lunettes et d'artisanat de tous les pays (surtout d'Afrique et d'Amérique Centrale) attirent les badauds par leurs multiples facéties. Le marché de légumes est très prisé de la population branchée du French Quarter mais aussi des autres Néo-Orléanais.

Royal St. et Chartres St. sont les plus intéressantes si vous vous intéressez aux antiquités. La Nouvelle-Orléans ayant toujours été un des plus grands ports des Etats-Unis (sinon le plus grand), de nombreux bateaux y débarquaient meubles et pièces rares venus d'Europe. Les Américains aiment venir y dénicher le candélabre ou l'armoire Louis XV de leurs rêves qu'ils se font ensuite envoyer dans leur lieu de résidence. Certains magasins (voir plus loin "Lucullus") ont des pièces très rares qu'on ne trouve même plus en Europe.

Toujours dans le Quartier français, de nombreuses galeries proposent de magnifiques posters de la Nouvelle-Orléans, de la Louisiane mais aussi de peintres et de photographes internationalement reconnus.

Les magasins sont généralement ouverts de 10h à 18h. En voici quelques-uns qui valent le déplacement :

Lucullus. 610 Chartres St. **Tél. 528 9620**
Porcelaine, couverts en argent ou tournebroche français de 1770, toutes les antiquités de l'art culinaire sont rassemblées dans cette caverne d'Ali Baba.

The Centuries. 517 St Louis St.   Tél. 568 9491
Dessins, peintures et cartes du monde entier (il y a même celle de département du Calvados), le tout datant du siècle dernier.

James H. Cohen and Sons. 437 Royal St.   Tél. 522 3305
Pièces de monnaie rares, bijoux, vieux fusils, costumes de l'armée confédérée, jetons de casinos anciens : un petit voyage dans le temps en entrant dans cette boutique.

Hové parfumeur. 824 Royal St.   Tél. 525 7827
Ici, on est parfumeuse de mère en fille depuis 1931. La boutique a un air de "bon vieux temps" sympathique.

The Rodrigue Gallery. 721 Royal St.   Tél. 581 4244
Cet artiste peintre cajun voit des chiens bleus partout ! George Rodrigue a commencé par peindre des paysages louisianais puis un jour, voulant dessiner un loup-garou, il eut l'idée de reproduire son chien tout en bleu pour le rendre plus mystérieux. Résultat : un succès immédiat et le bleu se transforme en or. Rodrigue est maintenant célèbre dans tous les Etats-Unis et ses "Blue-Dogs" peuvent se vendre jusqu'à 150 000 dollars. Si vous allez à Lafayette, il possède une autre galerie visible de l'autoroute (les chiens bleus toujours). Prendre la sortie Breaux Bridge, Henderson.

A Gallery For Fine Photography. 322 Royal St.   Tél. 568 1313
Cette galerie présente les œuvres des plus grands photographes d'Amérique et d'ailleurs. Ses deux étages se visitent comme un musée. Avis aux amateurs fortunés, certains tirages exceptionnels proposés à la vente dépassent les 25 000 dollars !

Flag and Banner Company. 543 Dumaine St.   Tél. 522 2204
Si vous voulez acheter la bannière confédérée, le pélican louisianais ou tout autre drapeau.

Idea Factory. 838 Chartres St.   Tél. 524 5195
Très beaux objets, jouets, sculptures en bois. Des idées ingénieuses pour des petits (ou des gros) cadeaux sympas.

Rumors. 513 Royal St.   Tél. 525 0292
Toutes les boucles d'oreilles que vous n'avez jamais osé imaginer sont là. Vraiment délirant. De 10 à 400 dollars la paire.

Southern Candymakers. 334 Decatur St.   Tél. 523 5544
La spécialité de la Nouvelle-Orléans comme autrefois. Ces pralines-là sont faites à partir de noix de pécan, de vrai sucre et de vraie crème, rien n'est "low fat" ni "low cholesterol". Pendant la dégustation, vous pouvez admirer le savoir-faire des confiseurs.

Blue Bayou Tradin'Post, 521 St Philip St.   Tél. 522 7730
Même si vous n'avez pas besoin de philtre d'amour, ne ratez pas l'occasion d'aller vous faire expliquer que les têtes d'alligators chassent les mauvais esprits, que certaines herbes vous apportent la chance, le bonheur ou l'argent. Et puis c'est là que vous pourrez vous procurer une poupée vaudou afin de faire souffrir vos ennemis. Bizarre, bizarre... mais c'est New Orleans !

Crafty Louisianian's. 813 Royal St.   **Tél. 528 3094**
Si vous voulez ramener des objets artisanaux de Louisiane et du Mississippi.

Mardi-Gras Center. 831 Chartres St.   **Tél. 524 4384**
Pour acheter ou louer votre costume de carnaval, d'Halloween et de toutes les autres occasions (et elles sont nombreuses).

Beckham's Bookshop. 228 Decatur St.   **Tél. 522 9875**
Le plus grand magasin de livres et disques de la ville. On y trouve tout ce qu'on cherche.

MUSEES

The Historic New Orleans Collection. 533 Royal St.   **Tél. 523 4662**
Ouvert du mardi au samedi de 10h à 16h45. Entrée gratuite.
Expositions temporaires sur différents aspects de l'histoire de la Nouvelle-Orléans et de la Louisiane. Un centre est à la disposition de ceux qui veulent faire des recherches généalogiques ou historiques.

Musée Conti, the Wax Museum. 917 Conti St.   **Tél. 525 2605**
Ouvert tous les jours de 10h à 17h. Brochure explicative en français Entrée : 5$.
Trente scènes jouées par des personnages en cire (fabriqués à Paris) racontent l'histoire de la Louisiane et surtout de la ville : sa découverte, la période espagnole, la vente du territoire aux Etats-Unis, la bataille de la Nouvelle-Orléans, Marie Laveau et son vaudou... En une heure vous saurez l'essentiel et vous vous en souviendrez, car c'est très visuel.

Longue View House. 7 Bamboo Road.   **Tél. 488 5488**
A partir de l'interstate 10, sortie 231 (Metairie Road) ou les bus en direction de Canal St. ou Metairie Road. Ouvert du lundi au samedi de 10h à 16h30 et le dimanche de 13h à 17h. Entrée : 6$ pour les adultes et 3$ pour les enfants.
Seulement si vous avez du temps ou si vous n'avez pas l'occasion d'aller voir d'autres plantations. Longue View House est une très belle maison à façade rose et colonnades de style Renaissance grecque, entourée de six jardins différents. L'intérieur reflète la mode anglaise du XVIIIe siècle. Le tout est très utilisé pour les photos de mariage (si cela vous donne des idées !) Brochure explicative en français disponible.

New Orleans Historic Vaudou Museum (Musée du vaudou).
724 Dumaine St.   **Tél. 523 7685**
Ouvert de 10h à 19h. Entrée : 5,25$.
A ne pas rater si vous voulez comprendre un aspect important de la vie à la Nouvelle-Orléans où environ 15 % de la population pratique le vaudou. On y apprend l'origine et les évolutions de cette religion méconnue, l'importance des gris-gris, des philtres en tout genre et comment utiliser les poupées maléfiques contre vos pires ennemis, que vous pouvez acheter sur place (pas les ennemis) !

Contemporary Arts Center. 900 Camp St.   **Tél. 523 1216**
Ouvert du lundi au samedi de 10h à 17h et le dimanche de 11h à 17h. Entrée : 3$.
Toutes les nouveautés les plus délirantes en matière d'art (théâtre, peinture, musique). Les derniers artistes à la mode locale. Surprenant !

Louisiana State Museum. 701 Chartres St.   **Tél. 568 6968**

Ouvert de 10h à 17h du mardi au dimanche. Entrée pour les trois bâtiments : 7$ adultes, 1,50$ enfants.

Le musée se répartit en trois bâtiments.

The Old US Mint (400 Esplanade Ave.) est l'ancien Palais de la Monnaie. Jusqu'en 1909, il employait une cinquantaine de femmes qui fabriquaient les pièces de monnaie pour tous les Etats-Unis. Le grand bâtiment de brique rouge renferme aujourd'hui une collection de costumes et de photos du carnaval, ainsi que des documents inédits retraçant toute l'histoire du Jazz depuis son apparition. Très bien fait et intéressant.

Le Presbytère (701 Chartres St.) n'a en fait jamais servi de presbytère. Il abrite le Masque de Mort de Napoléon, une galerie de portraits louisianais, ainsi que des expositions permanentes et temporaires sur l'histoire et la culture.

The 1850 House (523 St Ann St.) est la copie d'une demeure antebellum (d'avant la guerre de Sécession) de la Nouvelle-Orléans. Le lieu est entièrement meublé avec des objets du milieu du XIXe siècle.

New Orleans Museum of Art. 1 Lelong Avenue (dans le City Park).   **Tél. 488 2631**

Ouvert du mardi au dimanche de 10h à 17h. Entrée : 6$ pour les adultes et 3$ pour les enfants.

Contient une large collection de peintures, sculptures, photographies et arts décoratifs des Etats-Unis et d'Europe. La peinture française est à l'honneur : Renoir, Courbet, Monet, Gauguin et Degas qui peignit plusieurs tableaux lors d'un séjour à la Nouvelle-Orléans chez son oncle (sa mère était fille de planteur). Des toiles de Picasso, Braque, Miró, Warhol, Rodin, Giacometti complètent une grande diversité esthétique qui mérite le déplacement.

Mardi Gras World, Blaine Kern. 233 Newton Street.   **Tél. 361 7821**

Prendre le ferry sur le quai de Canal St et traverser le Mississippi. Entrée : 4,50$. Ouvert de 9h30 à 16h30 tous les jours.

Ceci n'est pas un musée mais la plus grosse entreprise de fabrication de chars de carnaval de la ville. En visitant ses entrepôts, vous verrez des dizaines et des dizaines de figurines multicolores et cela vous donnera une petite idée de ce qu'est la folie Mardi gras pour les Néo-Orléanais.

Pour les futés chanceux qui envisagent d'aller se déguiser et faire la fête au mois de février, ils peuvent assister aux les défilés du haut d'un char. Contacter le Ponchartrain Mardi-Gras Club, P.O Box 871836, New Orleans LA 70187-1836 ou appeler Paula au 1-800 228 2828.

▨ Autres musées

Confederate Museum. 929 Camp St.   **Tél. 523 4522**

Louisiana Children's Museum. 428 Julia St.   **Tél. 523 1357**

New Orleans Pharmacy Museum. 514 Chartres St.   **Tél. 524 9077**

PARCS et TOURISME

Audubon Park

Situé tout en haut de St Charles Av., le parc Audubon abrite l'un des cinq meilleurs zoos des Etats-Unis. Plus de 1 500 espèces vivent dans un jardin à la végétation luxuriante. L'un des résidents est un très rare alligator albinos. Si les animaux ne vous intéressent pas particulièrement, vous pouvez toujours regarder les humains qui font du jogging, du patin et de l'aérobique dans le parc : le spectacle est gratuit et amusant.

City Park

Un autre parc pour aller faire votre jogging ou bien pratiquer le golf. Très grands espaces, végétation magnifique, petits bayous : tout cela est bien agréable.

Aquarium of the Americas
Canal St., au bord du Mississippi. **Tél. 861 2537**

Ouvert tous les jours de 9h 30 à 17h (variable). Admission : 8$.

Plus de 10 000 poissons, oiseaux et reptiles sont exposés dans leur habitat naturel. Très réussi.

Armstrong Park

A éviter : il n'y a rien de particulier à voir et le parc est entouré de "projects" (cités sociales-ghettos où vivent pauvres, marginaux et criminels mélangés malgré eux). Ce n'est pas un endroit où flâner. Mieux vaut ne pas jouer la provocation à la Nouvelle-Orléans.

CROISIERES

Même si votre nature romantique vous y pousse, évitez la croisière d'une heure sur le Mississippi : c'est cher et vous ne verrez que des bateaux, des grues et des usines. En revanche, si votre budget le permet, les dîners-croisières sont très agréables : on écoute de la bonne musique et on se promène sur le Mississippi au clair de lune : c'est beaucoup plus romantique que dans la journée ! (environ 40$)

Les budgets encore moins serrés peuvent faire une croisière de 3-4 jours, de la Nouvelle-Orléans jusqu'à Natchez, avec des arrêts pour visiter des plantations.

• Creole Queen Paddlewheeler, Poydras Street Wharf. Tél. 529 4567

Vous pouvez aussi survoler la Nouvelle-Orléans (50$ les 35 minutes) ou d'autres coins de la Louisiane (660$ les 4 heures d'avion pour 3 personnes maximum). Moyennant un supplément, on vient vous chercher à votre hôtel.

• Southern Seaplane Inc., n° 1 Coquille Drive à Belle Chasse
  (6 miles au sud de la Nouvelle-Orléans). Tél. (504) 394 5633

SPORTS

Tennis : West End Tennis and Fitness Club, n° 1 Mariners Love N., Tél. 283 9303

Golf : Eastover Country Club, 5690 Eastover Dr. Tél. 241 4400

Courses de chevaux : New Orleans Fair Grounds, 1751 Gentilly Blvd. Tél.944 5515

or Farm.

w Water Road à Hammond   **Tél. (504) 345 3617**

e-Orléans, prendre l'I 55 nord direction Hammond, sortir à
ur la LA 22, passer sous l'interstate et prendre la route de service à
droite, fléché. Comptez une bonne heure. *Ouvert tous les jours de 12h à 18h. Admission : 4$.* Si vous voulez voir des monstres, vous en verrez dans cette ferme d'alligators et de tortues. D'énormes bestioles (dans un périmètre gardé), bien tranquilles (idéal pour prendre des photos qui impressionneront vos amis). Le guide vous explique tout sur ces charmantes petites bêtes qui peuplent la Louisiane et peut-être vos cauchemars...

LE MISSISSIPPI

Long de 3 778 km, le "Mee zee see bee" était le Père des eaux pour les Indiens d'Amérique. Les esclaves noirs, qui le surnommaient "Old Miss'" ou "Old Al'" (pour alligator), l'invoquaient souvent afin qu'il produise le brouillard et que le travail cesse. Lorsqu'il faisait beau, ils l'aidaient un peu en yyjetant des plants de tabac, espérant qu'ainsi le "Vieil Al" bourrerait sa pipe et se mettrait à fumer.

Tout en méandres, le Mississippi se tortille pour mieux séduire et embourber les aventuriers qui voyagent sur son dos. Les premiers explorateurs redoutaient les inondations impressionnantes que sa colère provoque. En 1717, le gouverneur de Bienville impose la construction de levées (digues en terre) pour tenter de le domestiquer. Au fil des siècles, un système de contrôle, de drainage et de dérivation du fleuve a été mis en place, mais les caprices du "Père" ont anéanti plusieurs fois la région, notamment en 1912, 1913 et 1927 (William Faulkner a magistralement décrit une crue du fleuve dans *Les Palmiers sauvages*).

En 1812, le premier bateau à vapeur descend le cours du Mississippi de Pittsburg jusqu'à la Nouvelle-Orléans en 11 jours. Cet exploit marque le début d'une ère d'expansion économique sans précédent pour la Nouvelle-Orléans qui devient le deuxième port du Nouveau Monde après New York.

Les flat boats (barges à fond plat transportant les marchandises) se multiplient. Mauvais garçons, aventuriers, joueurs professionnels et prostituées se retrouvent dans des show-boats, sorte de bateaux-théâtres-établissements de jeux malfamés. Les vapeurs transportent des centaines de passagers mais malheureusement pas toujours à bon port car des courses de vitesse sont fréquemment organisées entre les bateaux dont les capitaines, encouragés par les paris des voyageurs, poussent les machines à fond, parfois même jusqu'à explosion. Comme la plupart des passagers ne savent pas nager, le bilan des courses est souvent macabre. La plus fameuse course que l'histoire ait retenue eut lieu en 1870 entre le Robert E. Lee et le Natchez. Le Robert E. Lee arriva le premier à Saint-Louis (Missouri) en 3 jours, 18 heures et 44 minutes devant une foule de dix mille personnes massées sur les quais pour l'acclamer.

Aujourd'hui le fleuve reste la voie de communication privilégiée pour les marchandises lourdes mais le trafic a largement diminué depuis l'invention de la voiture et bien peu nombreux sont les romantiques qui préfèrent se promener sur le Mississippi plutôt qu'emprunter un moyen de transport plus rapide.

Le "grand fleuve" se jette dans le golfe du Mexique après avoir noyé tout le sud de la Louisiane, créant un immense delta qui est le refuge favori de millions d'oiseaux et d'animaux aquatiques.

LA ROUTE DES PLANTATIONS

Il est temps de s'enfoncer un peu dans l'arrière-pays pour découvrir ce que vous avez toujours imaginé à la seule évocation de la Louisiane : les plantations. Elles sont toutes situées au bord du Mississippi pour la bonne raison que leur survie en dépendait, tous les échanges se faisant sur le fleuve. Les planteurs affrétaient des barges pour descendre leur production de coton ou de tabac vers la Nouvelle-Orléans et les produits manufacturés dont ils avaient besoin revenaient par la même voie. Faut-il rappeler que les plantations ne sont plus aujourd'hui des exploitations agricoles, mais des musées, et que les esclaves ne travaillent plus dans les champs tout simplement parce qu'il n'y a plus d'esclaves !

Note : lorsque l'on écrit "ouvert tous les jours", comprendre "sauf Thanksgiving, Noël et Jour de l'An".

DE LA NOUVELLE-ORLEANS JUSQU'À BATON ROUGE

San Francisco

Située à Reserve. Au départ de la Nouvelle-Orléans prendre l'I 10, sortir à Laplace (sortie n°206), prendre la Hwy 3138 puis à droite sur la Hwy 61, ensuite à gauche sur la Hwy 53, enfin à droite sur la Hwy 44. La plantation est à cinq kilomètres de là, sur la droite. Tél. (504) 535 2341. Ouvert tous les jours de 10 à 16h. Entrée : 6$

Avec son allure de bateau à cubes, cette maison a de quoi surprendre. Cette construction de styles gothique, victorien et classique, a exigé trois ans de travaux (achevés en 1856). Son plan était très original pour l'époque : le salon principal se trouve à l'étage. Quant au système d'alimentation en eau à l'aide de tuyauteries reliées à des citernes, il était tout simplement révolutionnaire. Tout cela coûtait cher et le fils du premier propriétaire, Edmond Bozonier Marmillion, nomma sa demeure Saint-Frusquin, car cette petite folie avait englouti la fortune familiale.

Elle a été rénovée au début des années 80, mais ses peintures murales et ses frises du plafond n'ont rien perdu de leur éclat et restent très colorées. Elles datent de la période victorienne tout comme les montants bleus de la cheminée. Dans la chambre, au pied du lit, vous verrez une "commode" ou toilette très rare pour l'époque. Dans la cuisine, une grande jarre en terre est enterrée dans le sol : elle servait à conserver les aliments au frais. Enfin, dans le jardin, la petite tour contient une citerne d'eau.

Oak Alley

3645 La 18. De la plantation de San Francisco, prendre le ferry qui traverse le fleuve, ensuite à droite sur la La 18, passer le village de La Vacherie. La plantation se trouve sur la même route, quelques kilomètres plus loin.   Tél. (504) 523 4351. Ouvert tous les jours de 9h à 17h. Admission : 6$.

L'allée la plus célèbre de la Louisiane s'orne de 28 chênes plantés aux environs de 1690. Ces chênes ont incroyablement bien résisté aux ouragans, d'ailleurs des paratonnerres ont été installés à leur sommet afin de leur éviter le coup de foudre. Vingt-huit est le nombre fétiche de la propriété : 28 chênes, 28 colonnes et 28 dépendances. Construite en 1839, en 1925 Oak Alley est rachetée en ruine par un courtier en coton, Andrew Stewart. A sa mort, une fondation est créée par sa femme pour entretenir la maison.

La légende veut qu'un esclave de la plantation ait réussi à greffer un pacanier (arbre voisin du noyer). Le fait est que de nos jours, les pacanes entrent dans la composition de nombreux desserts louisianais, et sont même exportées.

La visite est intéressante, vous en obtiendrez de nombreux détails sur la vie quotidienne des planteurs. Ainsi, vous apprendrez que chaque matin, les domestiques aplatissaient les matelas à l'aide d'un rouleau en bois placé à la tête du lit.

Nottoway

A White Castle. De Oak Alley, continuez la La 18 jusqu'à la La 70 que vous prenez à gauche, puis tournez à droite sur la La 1 en direction de Donaldsonville et White Castle. La plantation se trouve quelques kilomètres après White Castle. Tél. (504) 545 2730. Ouvert tous les jours de 9h à 17h. Entrée : 8$.

Soixante-cinq pièces, sept escaliers intérieurs et deux escaliers extérieurs, une galerie semi-circulaire, des balustrades en fonte moulée, des cheminées de marbre, des lustres en cristal... Nottoway est l'une des plus grandes et des plus luxueuses maisons de Louisiane. John Hampden Randolph la fit construire en 1859 après avoir amassé une fortune considérable dans la culture et le commerce de la canne à sucre.

Randolph, homme résolument moderne, avait même fait installer une petite centrale qui permettait d'éclairer toute la maison avec des lampes à gaz et d'avoir de l'eau chaude au robinet. C'était révolutionnaire pour l'époque et pour l'endroit !

Cet homme de progrès était aussi un homme amoureux, et la frise de magnolias décorant la corniche du plafond de la salle est une délicate attention pour la maîtresse de maison dont c'était la fleur favorite.

L'immense salle de bal de 18 mètres de long est entièrement blanche : plancher, plafond, colonnes, moulures et cheminées de marbre. Des miroirs étaient apposés au bas des meubles afin que les femmes et les jeunes filles puissent vérifier la tombée de leurs robes. Randolph, qui avait cinq filles à marier, avait vu grand et luxueux, et cette salle de bal impressionnait les éventuels prétendants. De cette époque fastueuse il reste de nombreux instruments de musique car tous les membres de la famille aimaient participer ensemble à de petits concerts.

N'hésitez pas à vous asseoir sur la véranda dans un fauteuil à bascule et permettez à votre imagination de ressusciter pour vous un monde disparu !

Il est dommage qu'à cause des "levées" le fleuve ne soit pas visible de la maison. Bien que Nottoway soit vraiment très touristique, sa visite ne vous décevra pas.

Vous pouvez aussi y dormir (pour 125 à 250$). La plantation est très prisée des jeunes mariés américains. Enfin, il y a un restaurant.

Houmas House Plantation

40 136 Highway 942 Burnside. De Nottoway, retournez après Donaldsonville sur la La 70 que vous prenez à droite ; traversez le fleuve sur le Sunshine Bridge et prenez à droite la Hwy 942. La plantation se trouve peu après le croisement avec la Hwy 44. Tél. (504) 473 7841. Ouvert tous les jours de 10h à 17h (16h en hiver). Admission : 6,50$.

L'actuelle paroisse d'Ascension était autrefois habitée par les Indiens Houmas, d'où le nom de ce domaine à deux bâtiments, le premier de style provincial français et l'autre de type Renaissance grecque. La construction commença en 1790. En 1940, le domaine fut racheté par le docteur Georges B. Crozat, qui fit restaurer la bâtisse en éliminant les éléments anachroniques qui avaient été rajoutés au fil des années, et la meubla de pièces authentiques, datant toutes du milieu du XIXe siècle. En annexe, la cuisine coloniale (à l'écart de la maison principale pour éviter la propagation d'un incendie éventuel) est immense, et tous les ustensiles sont encore en place, y compris la broche à faire tourner les poulets au-dessus de la flamme de l'immense cheminée. Les garçonnières hexagonales, officiellement prévues pour recevoir des voyageurs égarés, servaient en fait plus souvent aux jeunes gens de la famille qui y rencontraient des jeunes et belles esclaves.

Les guides sont vêtus de costumes d'époque, ce qui rajoute un charme supplémentaire à la visite de la demeure.

▩ Se nourrir

Laffite's Landing Restaurant. A Donaldsonville. **Tél. (504) 473 1232**
Prendre une petite route à droite juste avant d'emprunter le pont Sunshine Bridge qui traverse le fleuve, c'est fléché. Fermé le lundi.

Le chef John Folse, le propriétaire de l'endroit, a acheté cette demeure où le pirate Laffite est supposé avoir vécu, puis l'a transportée sur son site actuel. C'est une petite maison de plantation typique en brique rouge, et au décor intérieur chaleureux avec des assiettes en étain au nom de Laffite. Le chef John Folse est connu dans tous les Etats-Unis grâce à "Taste of Louisiana", une émission de cuisine qu'il anime et qui est diffusée sur le réseau public. Ses prix d'excellence sont nombreux. Elu "meilleur chef national" en 1990, il a concocté un dîner pour le pape en 89. Sa cuisine est louisianaise avec des ajouts originaux : crevettes frites dans une sauce au maïs ou dans une sauce épicée accompagnée de pâtes, poulet au barbecue avec une sauce au fromage et au poivre, poissons. Les plats sont entre 9 et 20$, les sandwichs et salades entre 6 et 9$. Les légumes sont cultivés dans le jardin attenant.

Une fois la visite des plantations terminée, vous pourrez rejoindre Baton Rouge pour y passer la nuit. Tout au long de la route, vous verrez des champs de canne à sucre dont la récolte s'effectue en octobre.

Partir à l'étranger pour le Petit Futé

BATON ROUGE

Bien que Baton Rouge soit la capitale de l'Etat, vous n'y trouverez qu'un quartier des affaires (downtown) sans magasins ni rues piétonnes, donc sans vie, et des maisons particulières qui s'étendent à perte de vue. Baton Rouge est typiquement la ville américaine sans caractère. A peine arrivé, vous regretterez le Quartier français et ses petites rues. Ici, rien n'est prévu pour le piéton, d'ailleurs il n'y en a pas, et vous ne pouvez pas survivre bien longtemps sans voiture. Cela dit, rien ne vous empêche de passer la nuit et peut-être même la matinée à Baton Rouge, histoire de voir qu'il n'y a rien à voir.

Office du tourisme
Louisiana State Capitol. State Capitol Drive. Tél. 383 1825 ou 1-800 527 6843
Ouvert tous les jours ouvrables de 8h à 16h30.

TRANSPORTS

Aéroport national
A 20 minutes en voiture au nord du centre-ville.
- American Airlines. Tél. 387 1497
- Continental. Tél. 1-800 525 0280
- Delta Airlines. Tél. 1-800 221 1212

Bus
- Greyhound. 1253 Florida Street. Tél. 1-800) 231 2222
  Nombreuses liaisons avec la Nouvelle-Orléans.

Taxis
- Yellow Cab. Tél. 926 6400
- Metro Cab. Tél. 344 6720

Bus de ville
- 2222 Florida Street. Tél. 343 8331
- Tours organisés en bus : Hotard Coaches. 10464 South Choctaw. Tél. 273 0080

Location de voiture
- Enterprise Rent a Car. 7515 Florida Blvd. Tél. 929 7560
- University Ford Rent a Car. 7787 Florida Blvd. Tél. 927 5555
- Hertz Rent a Car dans l'aéroport. Tél. 1-800 654 3131

SE LOGER

Ramada Inn. 1480 Nicholson Drive. Tél. 1-800 228 2828 - Fax 343 5323
59$ la chambre double.
Facile à trouver surtout si vous arrivez des plantations par la Hwy 30. Poursuivez la même route : une fois dans la ville, l'hôtel, situé à cinq minutes du centre-ville et de l'université, se trouve à droite, deux miles après l'immense stade sur votre gauche. De grandes chambres propres (deux lits à deux places), une belle salle à manger, le confort d'une chaîne sans originalité mais sans mauvaise surprise. Piscine.

Motel 6. 9901 Gwendele Ave.   Tél. 924 2130

Entre 25 et 30$ la chambre double.

Sur l'I 12, prendre la sortie "Airline Hwy". Propre mais les meubles sont un peu vieillots. Piscine.

Plantation Inn. 10330 Airline Hwy.   Tél. 293 4100

Entre 25 et 30$ la chambre double.

Même genre que le Motel 6 mais moins facile d'accès.

"Campings"

River Road Campground. 6400 River Road.   Tél. 769 7805

Cajun Country Campground. 4667 Rebelle Lane, Port Allen.   Tél. 1-800 264 8554

SE NOURRIR

Mulate's. 8322 Bluebonnet Road.   Tél. 1-800 634 9880

Compter 15$ pour un repas.

Le restaurant cajun à ne pas manquer. Dans une grande salle chaleureuse, on vous apporte d'énormes plats de gratin d'écrevisses, de crabe ou de catfish sauce piquante accompagnés de maque-chou (maïs et petit salé) et d'une pomme de terre farcie... Un régal ! Des musiciens cajuns jouent le soir et tout le monde danse. Pour vous échauffer avant le pays cajun.

Mike Anderson.1031 W. Lee Drive.   Tél. 766 7823

Compter 15$ pour un repas.

Spécialités de fruits de mer et steaks. Décor chaleureux et service sympathique.

Superior Grill. 5435 Government St.   Tél. 927 2022

Compter 10$ pour un repas.

Cuisine mexicaine au barbecue. Bon et copieux. Célèbre dans toute la ville pour ses margaritas. Le jeudi soir, Happy Hour de 5h à 7h : deux cocktails pour le prix d'un.

Franck's. 8353 Airline Hwy.   Tél. 926 5977

Prix entre 5$ et 10$.

Les meilleurs biscuits de la ville. Les familles y viennent bruncher le dimanche et cela vaut le déplacement car c'est toute l'Amérique profonde qui débarque. Bon et copieux.

The Chimes. 3357 Highland Road.   Tél. 383 1754

Des plats du jour à 8$ (poisson, salade de pommes de terre) et un nombre incroyable de bières pour les accompagner. Situé sur le campus de LSU, c'est le rendez-vous des étudiants. Bonne ambiance (le Varsity, salle de concert, est voisin) bien que la musique soit trop forte certains soirs.

Silver Moon Café. 5142 Oleson St.

Lorsque vous êtes sur Nicholson Dr, prendre à droite sur Brightside, puis la première à droite après la voie ferrée. Cette petite maison en bois ne ressemble pas du tout à un restaurant. A l'intérieur quelques tables bancales, un vieux Noir derrière le bar qui vous annonce le plat du jour et crie votre commande à sa femme aux fourneaux. Typique "soul food" (cuisine du Sud), bonne mais très épicée. A cette adresse, très locale, vous ne rencontrerez que des habitués, des Noirs pour la plupart.

SORTIR

Attention : le dimanche, vous ne pourrez pas boire d'alcool dans un bar si vous n'y mangez pas, c'est la loi. Tous les bars ferment à deux heures du matin, c'est aussi la loi.

Tabby's Blues Box. 1314 North Blvd. **Tél. 387 9715**

Téléphoner avant car les jours d'ouverture sont fantaisistes. En plein centre-ville, dans un quartier assez dangereux, une petite salle délabrée : chaises bancales et tables recouvertes de plastique autocollant à fleurs. On n'y vient pas pour le décor mais pour d'excellents concerts de blues et pour l'ambiance particulière : on se croirait dans un film de série B. Entrée payante (4$) les soirs de grands concerts (...)

Phil Braddy's. 4848 Government. **Tél. 927 3786**

Pas très loin du précédent. Décor de saloon : billard, machines à sous et juke-box. Concours de fléchettes tous les lundis soir. Les week-ends, de bons groupes country-rock font danser une clientèle qu'on croirait sortie des ranchs texans. Ambiance sympathique.

Rick's Cafe. 2363 College Drive. **Tél. 924 9042**

Beaucoup plus chic que les précédents. Les jeunes cadres et étudiants s'y retrouvent dans un décor soft aux lumières tamisées et au mobilier sombre, avec des sièges confortables. Une toute petite piste de danse permet à peine de se défouler, c'est dommage car il y a souvent de bons groupes (Charmaine Neville par exemple). Payant (5$) lors des concerts importants.

Colonel's Club. 2857 Perkins Road. **Tél. 338 9073**

Clientèle un peu plus âgée qu'au Rick's mais ambiance plus délirante car tout le monde danse. Bons groupes de musique country-variété le week-end. L'endroit fait aussi restaurant.

POINTS D'INTERET

State Capitol

C'est le siège du gouvernement louisianais. Vous pouvez visiter la Chambre des représentants et le Sénat lorsqu'ils ne sont pas en session. Vous pouvez aussi monter gratuitement en haut de la tour : vue sur le Mississippi et les immenses usines et raffineries qui le bordent.

Louisiana State University

Superbe campus universitaire : ses bâtiments en brique rouge, ses pelouses, ses chênes centenaires ainsi que le confort des salles et des lieux de rencontre stupéfieront les "pauvres" étudiants français. C'est l'endroit où il se passe le plus de choses.

LSU Rural Life Museum. **Tél. 765 2437**

(Croisement de l'I 10 et d'Essen Lane.) Ouvert du lundi au vendredi de 8h30 à 16h. Dans un joli parc, une dizaine de cabanes en bois restituent le style de vie des premiers habitants de la Louisiane, outils et ustensiles de cuisine compris.

Jimmy Swaggart Ministry. 8919 World Ministry Ave.   **Tél. 768 8300**

(Sortie Bluebonnet sur l'I 10.) Tous les dimanches, deux "messes" sont données à 10h et à 18h (à vérifier) pour vous soulager de vos ... dollars. Swaggart est une caricature de télévangéliste ; il est célèbre dans tout le pays pour ses frasques en compagnie des prostituées californiennes. Des milliers de personnes lui font malgré tout confiance, et lui envoient de l'argent toutes les semaines pour qu'il prie pour le salut de leur âme.

Alligator Bayou

Sortie 166 sur l'I 10. Emprunter E. Perkins Road derrière le parc aquatique, après 3 miles prendre à droite la 928. Passer sur le pont au-dessus de l'autoroute, prendre la première à droite "Alligator Bayou Road". Deux miles plus loin, il y a un bar et une petite cabane où l'on peut louer des canoës (3$ l'heure) et se promener au milieu des souches de cyprès et des jacinthes d'eau. Très dépaysant.

DE BATON ROUGE A SAINT FRANCISVILLE

Saint Francisville est une jolie petite bourgade, avec plus d'une dizaine de plantations dans la forêt d'alentour.

De Baton Rouge, prendre l'I10 nord puis la La 61 en direction de Natchez. La route, d'abord bordée d'usines et de raffineries à la sortie de la capitale, change peu à peu de paysage et traverse une belle forêt de pins. Deux miles avant d'arriver à St Francisville (25 miles de Baton Rouge), prendre une petite route à droite dont le panneau indique "Audubon State Park Area. Antebellum Home". Elle mène à Oakley Plantation House.

Oakley Plantation House.

Ouvert tous les jours de 9h à 17h. Entrée : 2$.

La maison, petite et blanche, est entourée d'un grand parc. La visite guidée (explications écrites en français) est intéressante. Le visiteur peut voir, suspendue au-dessus de la table de la salle à manger, une palette en bois qu'un esclave actionnait pour ventiler les convives. La maison contient de très belles pièces d'argenterie. Jean-Jacques Audubon (XIXe siècle), célèbre ornithologiste américain pour ses "Oiseaux d'Amérique", était le précepteur de la fille des premiers propriétaires. Il capturait puis empaillait les oiseaux qu'il peignait ensuite avec moult détails, dans une petite chambre de la taille d'un placard.

Rosedown Plantation.

Ouvert tous les jours de 9h à 17h (16h en hiver). Entrée : 9$ maison + jardins ; 5$ les seuls jardins. Brochure explicative en français.

En arrivant à St Francisville, prendre à droite la La 10. Un énorme panneau indique Rosedown.

Achevée en 1835, Rosedown appartenait à Martha et Daniel Turnbull. Avec la guerre de Sécession et l'abolition de l'esclavage, le couple perdit ses cinq cent esclaves. Les Turnbull moururent ruinés. Leur dernière petite-fille vécut jusqu'en 1955 dans cette belle demeure classique à colonnes doriques. Le domaine, acheté en 1956 par Catherine Fondren Underwood, a été restauré après huit ans de travaux.

Les moindres détails de la vie au temps des planteurs ont été recréés, ce qui rend la visite intéressante mais sans vie, comme si on visitait un musée. A remarquer : l'immense lit de style gothique originellement destiné à Henry Clay, candidat à la présidence en 1844. Ce dernier n'ayant pas été élu, Daniel Turnbull racheta ce meuble d'art pour lequel il fit bâtir une pièce supplémentaire.

Les Jardins qui entourent la maison sont de toute beauté : azalées, roses, magnolias, chênes géants... Le tour du propriétaire incite à la rêverie, cela ne devait pas être si mal d'être planteur...

ST FRANCISVILLE

En prenant la direction "St Fancisville ferry", vous arrivez au centre-ville de la bourgade. Les magasins d'antiquités (heures d'ouverture fantaisistes) sont nombreux, mais on ne peut pas dire qu'il règne une intense activité. Il faut se promener dans le "Historical District", constitué de Jolies maisons du XIXe siècle. On dit qu'à cette époque, deux tiers des millionnaires américains vivaient sur les bords du Mississippi entre la Nouvelle-Orléans et Natchez. Sans aucun doute, nombre d'entre eux habitaient St Francisville.

Curieusement, le site de la ville était le cimetière des moines capucins espagnols établis sur l'autre rive du fleuve dès 1730. L'endroit prit en conséquence le nom de leur saint patron, St Francis.

On verra en particulier dans Prosperity Street un immeuble style Renaissance grecque construit par un avocat de New York en 1842 et qui abrite depuis un cabinet Juridique.

Sur Johnson St. (après le croisement avec Royal St.), les bureaux du Journal *St. Francisville Democrat* datent de 1908. Aujourd'hui, les Journalistes travaillent avec des ordinateurs mais dans une salle du fond les vieilles presses et les machines à plier le papier demeurent.

Motley Hall, sur Royal St., est construite en bousillage, mélange de boue et de mousse espagnole remplissant les interstices entre les planches de bois, un procédé de construction typique d'avant 1800.

Office de tourisme.
364 Ferdinand St.   Tél. 635 6330
Ouvert tous les Jours de 9h à 16h (le dimanche de 13h à 16h). Le bâtiment abrite également uneune librairie et un petit musée local.

SE LOGER

De nombreux B&B permettent de passer la nuit. Vous n'aurez que l'embarras du choix.

Propinquity. 523 Royal St.   **Tél. (504) 635 4116**
Chambre double de 85 à$100, breakfast compris.
Cette maison de briques (il en a fallu 250 000 !) construite en 1809 est classée monument historique. Elle est luxueusement meublée, dans un registre qui sétend de la fin XVIIIe Jusqu'à fin XIXe. Les chambres sont tout à fait agréables, certaines donnent sur un petit Jardin où coule une fontaine. L'endroit est calme et reposant.

Barrow House. 524 Royal St.   Tél. (504) 635 4791
Chambre double 75$ sans le breakfast

Butler Greenwood. 8345 US Highway 61.   Tél. (504) 635 6312

SE NOURRIR

Magnolia Café. 5687 E Commerce.   Tél. 635 6528
Ouvert du lundi au samedi de 10 à 16h.
Dans un décor rose avec des grandes peintures de fleurs de magnolia, des hommes d'affaires, des retraités, des mères de famille - le tout St Francisville - fait sa pause-déjeuner ici. Il faut dire que les sandwichs sont délicieux (4-6$), que les salades sont assez grosses (4-6$) et qu'on y sert aussi des plats mexicains (3-6$) ou de bonnes pizzas faites maison (de 4,50 à$15).

St Francisville Inn and Restaurant.118 N. Commerce.   Tél. 635 6502.
Du mardi au dimanche, de 11h à 14h et du mercredi au samedi de 17h à 21h.
En face du précédent, au fond d'un parc de chênes barbus de mousse espagnole, cette jolie petite maison bleue date de 1880. Au menu, salades (5-7$), plats cajuns comme l'étouffé d'écrevisses (7$) ou le crabe farci (8$). On peut manger à l'intérieur dans une salle plutôt cosy ou à l'extérieur dans un charmant petit patio. L'endroit n'est pas indiquési l'on est vêtu d'un vieux short sale.
On peut aussi dormir dans l'auberge pour$65 la nuit (chambre double).

En sortant de St Francisville pour aller vers Natchez, deux plantations se succèdent qu'il ne faut pas manquer.

The Myrtles Plantation.   Tél. 635 6277
Sur la Hwy 61 à 0,5 miles au nord de Rosedown (panneau indicateur à gauche).
Ouvert de 9h à 17h. Entrée : 6$ la journée et 8$ la nuit.
Cette maison est la plus hantée des Etats-Unis. En 1824, la femme du propriétaire et ses deux filles mangent un gâteau empoisonné par une esclave à qui l'on avait coupé une oreille parce qu'elle écoutait aux portes. Les trois goumandes meurent. Depuis, l'esclave hante la maison. Une autre histoire veut qu'un autre propriétaire soit mort en tombant dans les escaliers et que sa femme ait trépassé alors d'une crise cardiaque : ce serait elle depuis qui hanterait le premier étage de la maison sans pouvoir descendre les escaliers.
Tous les vendredis soir, un dîner est organisé auquel ne sont admis que les amateurs des histoires de fantômes car c'est le seul sujet abordé lors de ces réunions. Si vous n'êtes pas amateur de revenants, vous pouvez faire un tour dans la journée à la plantation Myrtles et admirer, entre autres, la très belle balustrade en fer forgé représentant une vigne.

Catalpa Plantation (à 5 miles au nord de la ville.   Tél. 635 3372
Prendre à droite au panneau indicateur jusqu'au 3é chemin sur votre droite).
De 10h à 17h tous les jours. Décembre et janvier sur rendez-vous. Entrée : 5$.
Cette plantation n'est pas un musée et c'est ce qui fait son charme. La propriétaire, Mamie Fort Thompson vit encore dans la maison qu'elle a héritée de son père au milieu de souvenirs d'un autre siècle.

Elle vous expliquera que les meubles, la vaisselle et les bibelots viennent pour la plupart de France (chandelier de Baccarat, porcelaine aux couleurs de Napoléon ou peintes par Audubon...). Lors de la guerre de Sécession, tout a été caché dans le lac au fond du jardin. L'idée était d'autant plus excellente que la maison a été presque entièrement détruite. Sur le Pleyel traînent encore des partitions de chansons de Jenny Lind, si souvent jouées que les touches du piano en sont tout usées. Ne refusez pas le verre de cherry que Mamie vous offre, son plaisir est de raconter (malheureusement en anglais seulement) la vie de sa maison (et la sienne). Sa mère habitait à Rosedown, ses grands-parents à Oakley et son père à Catalpa... En ressortant, vous aurez vraiment l'impression d'avoir fait un voyage dans le temps.

Dans les environs

Le rodéo de la prison d'Angola. A 25 miles au nord de St Francisville, panneau indicateur. Tourner à droite sur la Hwy 66. Tous les dimanches du mois d'octobre à 14h. Entrée : 6$

Les détenus de la prison d'Etat de haute sécurité organisent un rodéo auquel le public est convié.

La foule endimanchée a revêtu le costume de cowboy : chemise blanche et jean serré, santiags, ceinturon, chapeau. Un orchestre joue les derniers tubs à la mode pour faire patienter les 5 000 spectateurs venus de toute la Louisiane assister au dernier rodéo de la saison. L'ambiance est celle d'une kermesse de village. Une kermesse sans alcool et bien gardée : les sacs sont fouillés à l'entrée et tout le monde doit déposer les armes... dans un placard où s'entassent petits revolvers de défense et gros calibres : on est en Amérique !

A 14h, une fois la prière dite et l'hymne national entendu, le rodéo commence. La première épreuve est le "horse-riding". Le but : tenir le plus longtemps possible sur un cheval rendu "sauvage" en lui attachant les parties génitales. Suit un numéro de cavalières émérites : ces "cow-girls" montrent leur adresse en contournant, sur un cheval lancé au grand galop, trois fûts posés à terre

Entre chaque épreuve, trois clowns amusent le public avec des gags mille fois répétés mais jamais démodés. Le concours de rap organisé avec les enfants de l'assistance remporte un réel succès et arrache même quelques sourires à la centaine de prisonniers spectateurs cantonnés sur des gradins grillagés.

Si certains prisonniers participent au rodéo pour être dispensés de travail quelque temps, la plupart des autres veulent gagner de l'argent. 200$ représente une sacrée somme lorsqu'on ne gagne que 2 à 4 cents (10 à 20 centimes) de l'heure en travaillant. Cela permet d'améliorer l'ordinaire, d'envoyer quelques économies à la famille ou d'acheter du matériel pour faire de l'artisanat.

Autour des gradins, ceintures, sacs et bottes de cuir, sculptures et objets en bois, peintures à l'huile sont exposés sur des tables. Derrière de hauts grillages, les prisonniers marchandent leurs créations. S'ils en vendent beaucoup, ils pourront participer à la foire artisanale de printemps. Avec le rodéo, ce sont les seules occasions de voir des gens de l'extérieur. Bonnes distractions pour les détenus. Et un apport consistant d'argent à la prison : le rodéo draine chaque année entre 18 et 20 000 personnes, à 5$ la place. La somme est entièrement versée au Fonds d'aide aux prévenus et sert à acheter du matériel sportif et des postes de télévision.

Tous les prisonniers cowboys sont maintenant sur la piste ovale pour la dernière épreuve. Ils doivent essayer d'arracher un ruban fixé entre les cornes d'un taureau de belle taille. Les hommes prennent tous les risques, ils n'ont pas grand-chose à perdre. L'un d'eux repartira sur un brancard, blessé mais vivant. Il y a quelques années, un prisonnier n'a pas eu la même chance... Sitôt le ruban arraché, l'enthousiasme retombe et la foule quitte les gradins.

Par petits groupes, encadrés par des gardiens, les détenus spectateurs rejoignent les bus qui les ramènent vers leurs cellules. Tout se fait en ordre et sans bruit, comme une mécanique bien huilée. Les hommes adressent un dernier petit signe à leur famille assise sur les gradins d'en face. Quelques sourires dissimulent mal les yeux rougis par l'émotion. Dans moins d'une heure, la cellule.

NATCHEZ

A 80 miles de Baton Rouge (50 de Saint Francisville) par la US 61 en passant par une jolie forêt de pins, Natchez se trouve dans l'Etat du Mississippi, mais est si proche (de l'autre côté du fleuve, Vidalia est en Louisiane) qu'il serait dommage de ne pas faire le détour. Au départ de la Nouvelle-Orléans, comptez quatre bonnes heures de conduite.

Natchez est connue pour avoir été le premier endroit habité sur le Mississippi. En 1682, l'explorateur La Salle rend visite à ce qui est alors un village des Natchez, Indiens adorateurs du soleil comme les Mayas. Plus tard, en 1716, Bienville établit un fort en haut de la colline et la cité se bâtit tout autour mais le problème de cohabitation avec les premiers occupants devient vite crucial. Les Indiens natchez fomentent une révolte : en novembre 1729, ils détruisent Fort Rosalie et massacrent une grande partie de la population. Les Français, aidés par les Indiens choctaw, lancent alors des attaques punitives contre les Natchez jusqu'à la dispersion totale de la tribu.

Aujourd'hui, plus aucune trace ne subsiste de ce passé de plumes et de sang, sinon le "Grand Village", un parc où les monticules de terre (tombes indiennes) sont préservés et montrés aux enfants. Un minuscule musée explique les fouilles archéologiques qui ont été faites sur le site et ce qu'on y a trouvé. S'y rendre : 400 Jefferson Davis Blvd. Tél. 446 6502. Ouvert du lundi au samedi de 9h à 17h et le dimanche de 13h30 à 17h, entrée gratuite.

Natchez, resté longtemps le seul port entre la source du Mississippi et son embouchure, a beaucoup profité du commerce fluvial. Pendant l'âge d'or des bateaux à vapeur (au milieu du XIXe siècle), c'était la ville la plus riche des Etats-Unis après New York. Les restes de cette époque glorieuse sont encore debout : plus d'une trentaine de magnifiques demeures qui sont disséminées sous les arbres et font la joie des amateurs d'architecture car elles représentent des styles souvent complètement différents.

Natchez était aussi symbole de bars, de jeu, de bagarres, et la prostitution battait son plein dans le quartier bordant le Mississippi. Le capitaine de bateau à vapeur Mark Twain, qui était aussi écrivain, l'a bien décrit dans ses romans (souvenez-vous des *Aventures de Tom Sawyer*). L'ambiance n'est évidemment plus la même aujourd'hui, au contraire, et bien qu'il reste un casino flottant sur le fleuve, n'allez pas à Natchez pour faire la fête car le soir il ne s'y passe pas grand-chose.

Office du tourisme
Canal Street Depot (angle de Canal et State Street).Tél. 1-800 647 6742 ou 446 6631

Taxis   Tél. (601) 442 7500

Bus Greyhound. 103 Lower Woodville Road.   Tél. 445 5291

Location de voiture.   Tél. 445 0076

SE LOGER

Si vous avez quelquefois rêvé de dormir dans une maison du style *Autant en emporte le vent*, vous allez pouvoir réaliser votre rêve à Natchez. Mais rien n'est donné et les B&B, classés monuments historiques, sont plus chers que les hôtels. Leurs prix varient de 75 à 135$ la chambre double, breakfast compris. Pour toute réservation, contacter l'office du tourisme au 446 6631 ou 1-800 647 6742.

Sweet Olive Tree Manor
Quatre chambres à 110$.
Très classique maison victorienne datant de 1880, meublée avec des pièces d'époque.

Glen Auburn
Cinq chambres entre 145 et 200$.
Une rareté à Natchez car de style Second Empire français. Près du centre-ville, le confort moderne (Jacuzzi, piscine) et le charme victorien.

Hotel Ramada Inn. 130 R. Junkin Drive (Hwy 65/84), à gauche juste avant de traverser le pont en direction de Vidalia.   **Tél. 446 6311 ou 1-800 228 2828**
La chambre double entre 60 et 80$.
Grandes chambres spacieuses avec deux lits géants (Queen size), confortables comme dans tous les hôtels de la chaîne. Demandez une chambre avec vue, vous pourrez ainsi admirer le Mississippi du haut de la colline.

"Camping"
Whispering Pines Travel Trailer Park   Tél. 442 3624
A 0,5 miles au nord de la ville par la US 61.

SE NOURRIR

Au bord du fleuve, "Natchez under the hill" est l'emplacement originel de la ville. Par peur des inondations, la population a préféré s'installer en haut de la colline mais les bars et les lieux de perdition du XIXe siècle sont restés près des quais. Aujourd'hui, les anciens bordels sont devenus des maisons d'hôtes et les bars louches de bons petits restaurants. Il faut y faire un tour car l'endroit est encore empreint d'une certaine ambiance. Pour un peu on entendrait le sifflet des bateaux à aubes...

3615 FUTE Partir à l'étranger pour le Petit Futé

The Warf Master's House. 57 Silver St.   Tél. 445 6025

Ouvert tous les jours de 17h à 22h et de 11h30 à 16h le week-end.

Au bord du Mississippi. Suivre les panneaux "Natchez under the Hill". Il est très agréable de manger en terrasse avec vue sur le fleuve. La cuisine est typiquement locale avec catfish (8$), étouffé de crevettes (11$) ou grillade de thon (13$). Bon choix de viandes (8 à 18$) avec les "Barbecue Ribs" comme spécialité. La maison appartenait à la Rumble & Wensel Co., l'une des plus grosses compagnies d'exportation de coton au XIXe siècle.

Berry's Seafood. 175 Hwy 61 (sud).   Tél. 446 9518

Ouvert le jeudi, vendredi et samedi de 17h à 22h.

Pour les grosses, grosses faims, un buffet "all-you-can-eat" de fruits de mer et de poissons : crabe, huîtres, crevettes, cuisses de grenouilles, catfish, gumbo, écrevisses... Et tout cela à volonté !

West Bank Eatery.   Tél. (318) 336 9669

Ouvert à partir de 11h. A Vidalia. Juste après le pont prendre la première à droite, le restaurant est au bord du fleuve.

Dans une grande maison en bois sur pilotis (le Mississippi est imprévisible), une carte très fournie : sandwichs (4-5$), soupe (gumbo à 6$), salades, steaks (14$) avec spécialités de fruits de mer et de poissons. A goûter : les huîtres en brochettes avec du bacon, arrosées d'une sauce onctueuse (13$).

POINTS D'INTERET

Certaines maisons peuvent être visitées uniquement à l'automne et au printemps pendant le "pilgrimage" mais d'autres restent visibles toute l'année.

Dunleith. 84 Homochitto St.   Tél. 446 8500

Ouvert en semaine de 9 à 16h 30 et le dimanche de 12h30 à 16h 30.

Une majestueuse demeure à colonnes blanches plantée au milieu de pelouses bien vertes : exactement le vieux Sud comme on l'imagine. D'ailleurs plusieurs films (*Huckleberry Finn*) y ont été tournés. On ne visite que le rez-de-chaussée, le premier étage étant un B&B (85 à 130$ la nuit). A remarquer : le papier peint de la salle à manger, imprimé en France avant la Première Guerre mondiale, représente les différentes zones climatiques du monde et leur végétation. Caché dans une cave en Alsace-Lorraine pendant la guerre, le papier porte de minuscules traces de mildiou encore visibles.

Longwood. 140 Lower Woodville Road.   Tél. 442 5193

Ouvert tous les jours de 9h à 17h. Visite guidée toutes les 20 minutes.

La seule maison d'influence byzantine sur les bords du Mississippi ! Cette demeure octogonale en briques rouges et aux boiseries blanches est surmontée d'un dôme en forme de bulbe, comme les églises orthodoxes. Originellement la maison devait comporter six étages mais la construction a été interrompue par la guerre de Sécession et le pauvre docteur Nutt, propriétaire, mourut de pneumonie et de chagrin sans avoir vu son rêve achevé. Ses descendants ont habité les deux étages de la maison pendant une centaine d'années. Classée aujourd'hui monument historique, la maison vaut le détour.

Stanton Hal. 401 High St.   **Tél. 442 6282**
Ouvert tous les jours de 9h à 16h30. Visite guidée toutes les 30 minutes.
Cette grande bâtisse blanche a été entièrement conçue et construite par des artisans de Natchez en 1857. A remarquer, dans chaque pièce, les chandeliers en bronze illustrant une scène de l'histoire de la ville. Les immenses miroirs importés de France font paraître les pièces infinies. Aujourd'hui siège de plusieurs clubs, cette magnifique demeure est le théâtre des réceptions les plus huppées de Natchez.

Monmouth. 36 Melrose Ave.   **Tél. 5852**
Ouvert tous les jours de 9h30 à 17h. Visite guidée toutes les 45 minutes.
Encore une grande bâtisse à colonnes blanches. Celle-ci, construite en 1818 comme cadeau de mariage, fut aussi la maison d'un des premiers gouverneurs du Mississippi, le général John A. Quitman.

Il y a encore bien d'autres maisons à admirer, du moins de l'extérieur, et c'est tout l'intérêt de Natchez. Même si parfois on a l'impression de visiter une ville-musée sans vie, en déambulant à l'ombre des grands chênes on découvrira soudain, au coin d'une rue, une demeure d'un siècle passé.

SORTIR

Allez boire un coup à la Mark Twain Guest House : point de ralliement des habitués qui vous parleront volontiers du passé du quartier si vous prenez le temps de les écouter. Le décor est resté le même depuis l'époque de Twain : tables en bois gravées au canif, vieilles photos et gravures du fleuve et des bateaux, petit patio retiré et sombre. On imagine facilement les parties de poker enfumées, les duels dans l'arrière-cour et les prostituées qui montaient au premier avec les clients (aujourd'hui, chambres d'un B&B)... A voir, comme tous les lieux chargés d'histoire dont l'ambiance est si particulière.

SHOPPING

De nombreux magasins d'antiquités attendent les amateurs sur Franklin Street. Ils y trouveront meubles, bibelots, vaisselle et bijoux, américains mais aussi européens (surtout français). Vous dénicherez de véritables petites merveilles si vous prenez le temps de fouiner.
La spécialité de Natchez est un vin pétillant, provenant d'une vigne d'origine canadienne : la muscadine. Si l'aventure vous tente (ce n'est tout de même pas un grand cru : cela se saurait !), vous pouvez aller goûter la muscadine à la Old South Winery, 65 S. Concord Ave., Tél. (601) 445 9924. Ouvert tous les jours jusqu'à 18h.
Grand rassemblement de montgolfières en octobre pour le Great Mississippi River Balloon Race : impressionnant !

Si vous redescendez vers le sud de la Louisiane, reprenez la US 61 jusqu'à Saint Francisville au moins. La route qui longe la rive droite du Mississippi est moins bonne, plus étroite et l'on ne voit rien du fleuve à cause des levées. Elle est donc beaucoup plus ennuyeuse que la belle forêt de pins de l'US 61.

LE PAYS CAJUN

HISTOIRE DES CAJUNS

Au tout début du XVIIe siècle, poussés par l'envie et le besoin de posséder des terres, des Français émigrent vers les terres vierges du Canada où ils établissent une colonie prospère, bien que coupée du reste du monde. Mais après la première attaque anglaise sur Port Royal en 1613, les catholiques Acadiens doivent faire face à de nombreux raids sur leur territoire et à de nombreuses vexations de la part des Anglais protestants. Un climat de guerre permanente entre Français et Britanniques retarde la croissance des Acadiens dont le territoire est finalement cédé aux Anglais par le traité d'Utrecht de 1713. Soumis à l'autorité anglaise mais incapables de lever les armes contre les Français, les Acadiens demandent la neutralité et surtout le droit de se défendre contre les Indiens hostiles des alentours, qu'ils obtiennent non sans difficultés.

La guerre du roi Georges ayant éclaté en 1744, les relations entre les communautés acadienne et anglaise se dégradent. Dans les années 1750, les Acadiens se voient dans l'obligation de prêter serment d'allégeance à la reine d'Angleterre. Devant leur refus massif, les propriétés sont confisquées et les familles se voient séparées et déportées par bateaux dans d'horribles conditions Au cours de cet épisode tragique de l'histoire du Canada que les historiens nomment "le Grand Dérangement", les Acadiens sont dispersés qui dans les colonies britanniques de la côte Est de l'Amérique du Nord, qui en Angleterre ou en France. Près de 60 % d'entre eux mourront de faim, de maladie ou de chagrin.

Le célèbre poème de Longfellow intitulé *Evangéline* raconte l'histoire de cette jeune fille déportée la veille de son mariage avec Gabriel. Embarqués sur des bateaux différents, les deux amoureux ne se retrouvent que de longues années plus tard. Apprenant que Gabriel s'est marié avec une autre femme, la vieille Evangéline meurt de chagrin peu après leurs retrouvailles.

Louis XV est parvenu à sauver quelques déportés de la prison anglaise. Aux uns il offre des terres en France, pendant que d'autres tentent une nouvelle vie dans l'île de Saint-Domingue. Incapables de supporter le climat, eux qui s'étaient habitués aux rigueurs de l'hiver canadien, les exilés partent s'installer en Louisiane en croyant qu'elle est toujours terre française et qu'ils pourront y reconstruire ce qu'ils ont perdu.

En 1765, les premiers réfugiés arrivent à la Nouvelle-Orléans. Avec surprise, ils découvrent que son gouverneur est espagnol depuis 1763. Mais ils se voient accorder le droit de s'installer dans le district d'Attakapas. Tout nouvel émigrant est soigneusement inscrit dans les registres, on conseille aux célibataires de se marier au plus vite et de faire des enfants. En un an de travail acharné, les Acadiens élèvent des digues, labourent des champs, sèment, récoltent et produisent assez pour être auto-suffisants.

Jaloux de leur passé et de leur culture qu'ils veulent préserver, poussés par les autres fermiers qui les trouvent arrogants, têtus et fiers, les Acadiens s'enfoncent dans les bayous, se construisent des maisons-bateaux et vivent sur l'eau en se déplaçant au gré de la pêche et de la chasse. Leur isolement explique qu'ils puissent encore parler français trois siècles après leur arrivée sur le sol américain. Les Anglo-Saxons déforment peu à peu leur nom, d'Acadiens ils deviennent Cadiens, ce qui, prononcé en anglais, donne Cajuns. Méprisés par les citadins, les Acadiens sont surnommés "coonass" (cul de raton laveur) et souvent considérés comme des citoyens de seconde zone.

Le XIXe siècle va apporter son lot de changements, y compris chez les Cajuns dont la population augmente rapidement. L'industrie de la canne à sucre se mécanise. En 1830, dans un climat économique florissant, les Cajuns se scindent en deux groupes : ceux qui profitent des changements pour s'enrichir et ceux qui restent dans les bayous, loin de tout.

Huit pour cent des planteurs en Louisiane sont cajuns : ce sont les "Cadiens dorés". De ce groupe sont issus les hommes politiques (dont le premier gouverneur démocratique, Alexandre Mouton) qui agitent la vie politique louisianaise dès 1840. Mais c'est l'arbre qui dissimule la forêt : une majorité de Cajuns analphabètes. Victimes d'un racisme parfois violent, les "Coonass" sont envoyés de force à l'école où on leur interdit de parler le français.

Lorsque les premières compagnies pétrolières s'installent dans les marécages, les Cajuns commencent à utiliser le dollar (qu'ils appellent piastre). Les échanges commerciaux augmentent et les mariages entre Cajuns et Anglo-Saxons se multiplient, mais ceux qui refusent encore de s'"américaniser" et restent dans les marécages à vivre de pêche, de chasse et du commerce des fourrures, sont nombreux encore. Beaucoup résistent même à l'assimilation jusqu'après la Deuxième Guerre mondiale. Au début des années 50, les soldats d'origine cadjine ont ramené chez eux la radio, la voiture, le téléphone, plus tard la télévision. Peu à peu les Cajuns s'intègrent au monde moderne.

Aujourd'hui complètement assimilés, ils ne se considèrent pourtant pas comme des citoyens ordinaires, ils sont Cajuns avant d'être Américains. Même les jeunes se sentent responsables d'un héritage ethnique spécial et tentent de préserver leur "petite niche dans une grande culture" comme ils disent. Etre Cajun, c'est pouvoir "rire plus fort que les gens du Nord et manger plus épicé que ceux du Sud", ce dont ils sont fiers.

Us et coutumes

Les Cajuns sont de fervents catholiques. Lorsqu'ils étaient isolés dans les marécages, des prêtres s'enfonçaient dans les bayous pour les grandes occasions. Les fêtes religieuses ont toujours été respectées dans les maisons où on privilégie les grandes réunions familiales, où le moindre événement est prétexte à une fête de village. Les "visites du soir" ou veillées, caractéristiques d'une société de culture orale, ont permis aux Cajuns de transmettre à leurs enfants l'héritage historique et culturel de leur communauté.

Tout cela a peu à peu disparu et les enfants ne sont plus capables de comprendre les histoires en français de leurs grands-parents.

Mais un trait caractérise les Cajuns depuis leur installation en Louisiane, et qui ne les a pas quittés : c'est la joie de vivre. Leur maxime : *"Laissez le bon temps rouler"* est reprise et appliquée en toute occasion.

Le week-end idéal à la mode cadjine se résume ainsi : "*Gumbo, geaux-geaux, dodo*". En d'autres termes, manger toute la journée un bon gumbo ou un barbecue avec des amis, boire des dizaines de bières, faire la sieste et surtout ne pas oublier les plaisirs de l'amour : le Cajun est un grand sentimental...

Preuve en sont les chansons d'amour qu'il compose depuis l'époque du Canada. Le rythme et la musique ont évolué, pas les textes. Et les Cajuns n'ont pas non plus oublié leur amour pour la danse. "*Si ta grand-mère n'arrête pas de se plaindre toute la semaine sauf le samedi soir, car elle va au bal, alors tu es un vrai Cajun. Ici, le soleil se couche tôt pour que nous allions danser plus vite*".

Leurs chansons rappellent bien leurs origines françaises : *Cadet Roussel, Malbrough s'en va-t-en guerre, Trois jeunes tambours*, mais leur musique a beaucoup évolué depuis le Canada. Des Indiens, les Cajuns ont appris à chanter d'une voix traînante ; les Noirs leur ont apporté le blues, les percussions et l'art du chant improvisé ; les Espagnols, la guitare, tandis que les Juifs allemands immigrés leur ont fait découvrir l'accordéon dans les années 1830. Un orchestre cajun se compose d'un "ti'fer" (triangle), d'un accordéon, d'un violon et d'une guitare. Qui dit musique, dit danse : valses, polkas, two-steps, one step... Jeunes et vieux réunis dans des "fais-dodo" (les bals) sont infatigables et dansent jusqu'à l'aube. Si vous ne me croyez pas, allez donc voir au Fred's Lounge à Mamou l'atmosphère qui règne encore le samedi matin, ou bien essayez d'assister au "Cajun Heritage and Music Festival" à Lafayette début octobre. A cette période, les orages détrempent souvent les pistes de danse en plein air mais qu'à cela ne tienne, je les ai vus danser dans 40 cm de boue !

Michael Doucet et son groupe Beausoleil, Zachary Richard ou les Basin Brothers font partie des musiciens qui exportent leur talent à l'étranger, mais ils sont des milliers d'autres en Louisiane. Pas une famille cadjine n'échappe au virus musical, c'est dans leurs gènes !

Quel français parlent-ils ?

Au XVIIIe siècle, on trouve en Louisiane trois sortes de français : le français parlé par la haute société, les planteurs, les prêtres français ou québécois qui savent l'écrire mais le font très rarement ; le français des Cajuns et celui de la communauté noire. Lorsque Napoléon vend la Louisiane, les Anglo-Saxons ont tôt fait d'envahir le terrain et pour commercer, l'anglais supplante bien vite notre langue. Seuls les Cajuns isolés dans les bayous continuent de parler français mais ils ne l'écrivent pas.

En 1861, le français est brièvement rétabli comme seconde langue officielle mais dès 1865 il est à nouveau rejeté : plus aucune école ne l'enseigne. Les Cajuns sont mis au ban de la société louisianaise.

En 1916, avec la scolarité obligatoire et gratuite pour tous, les Cajuns envoient docilement leurs enfants à l'école où ils deviennent anglophones, l'usage du français étant formellement interdit en classe.

En 1968, le français est finalement réadmis à l'école, tandis que le Conseil pour le Développement du Français en Louisiane (CODOFIL) est créé. A l'origine de cette association, un avocat et ancien membre du Congrès, Jimmy Domengeaux, quia investi son argent et son énergie pour la sauvegarde du français en Louisiane. Il vient à Paris demander des professeurs au président Pompidou.

En 1970, 50 militaires font leur service en enseignant notre langue aux petits Louisianais. Les autres pays francophones suivent le mouvement : des professeurs québécois, belges et français donnent ainsi entre 30 minutes et 2 heures de cours par jour dans les écoles primaires.

Des programmes bilingues financés par le gouvernement fédéral sont lancés. On ne fait plus uniquement qu'enseigner le français, il est maintenant utilisé comme langue véhiculaire pour l'enseignement de certaines matières. Malgré leurs efforts, peu de jeunes parlent bien le français, même s'ils se montrent de plus en plus motivés pour apprendre la langue de leurs ancêtres.

LE HAUT PAYS CAJUN

Si vous avez du temps, cet itinéraire vaut la peine pour les merveilleuses rencontres que vous pourrez y faire. Si votre temps est compté, allez directement à Lafayette.

De St Francisville, traverser le fleuve avec le ferry et prendre la Hwy 78 sud en direction de Livonia (18 miles). La route longe le bayou de False River, ancien méandre du Mississippi abandonné par son fleuve de père.

LIVONIA

Joe's "Dreyfus Store" Restaurant. **Tél. (504) 637 2625**
Ouvert du mardi au samedi de 11h à 14h et de 17h30 à 21h. Le dimanche uniquement à midi. Prix raisonnables.
Les Louisianais sont capables de faire le détour pour aller manger dans cette ancienne droguerie-pharmacie des années 1920, alors pourquoi pas vous ? Le décor n'a pas changé depuis 60 ans (les vieilles bouteilles de sirop pour la toux sont toujours sur les étagères), mais ce qui arrive dans votre assiette n'aura pas le temps de vieillir : de la vraie cuisine louisianaise, si bonne que vous n'en laisserez pas une miette.

Prendre ensuite la route 190 west vers Opelousas (40 miles), capitale de la musique zydeco.

OPELOUSAS

Office du tourisme **Tél. 1-800 424 5442**
220 Academy St.
Ouvert de 8h à 16h les jours ouvrables.

SE LOGER

Coteau Ridge. 120 Bois de Chêne. **Tél. (318) 942 8180**
Compter 60-70$ la chambre double.
Très joli B&B dans une maison acadienne située dans une petite forêt.

Au sud d'Opelousas

Camelia Cove. 205 W Hill St. à Washington.　　　**Tél. (318) 826 7362**
Un B&B dans une maison antebellum meublée d'antiquités. Bon petit déjeuner.

SE NOURRIR

The Palace Cafe. 167 W Landry St.　　　**Tél. (318) 942 2142**
Ouvert tous les jours de 6h à 21h.
Cuisine familiale, toutes les spécialités du coin. Bon rapport qualité-prix.

POINTS D'INTERET

En avril, se déroule un concours d'histoires drôles cadjines. Si vous estimez pouvoir y comprendre quelque chose, téléphonez à l'office du tourisme pour la date exacte.

Festival de musique zydeco (3/9/1994 ; 2/9/1995) : le zydeco est un mélange de musique cadjine, de rythmes afro-caraïbes, de blues et de soul : autant dire que ça bouge ! Une particularité : l'utilisation de la planche à gratter, suspendue autour du cou et sur laquelle on gratte avec des petites cuillères...

D'Opelousas, prendre la Hwy 167 west pour Ville Platte (17 miles).

VILLE PLATTE

Floyd's Record Shop : Floyd Soileau a créé sa propre compagnie de disques "Swalow Record Company". Il n'enregistre que de la musique cadjine, c'est donc là que vous trouverez l'introuvable.

Dans les environs

Chicot State Park　　　**Tél. (318) 363 2403**
6 miles au nord de Ville Platte, sur la La 3042.

A côté d'un arboretum (verger), un camping tout confort. Pour ceux qui aiment se reposer dans la nature ou pour les fous de pêche.

Mamou (14 miles de Ville Platte)
Fred's Lounge (dans la rue principale).　　　**Tél. (318) 468 2300**
L'endroit à-ne-pas-manquer ! Le samedi matin (cela commence à 9h), une ambiance folle anime le bar. La bière aidant, tout le monde danse sur les airs traditionnels des musiciens invités, et le concert est retransmis en direct par la radio de Lafayette KVPI. Madame, vous ferez des rencontres étonnantes et parlerez cajun avec les danseurs qui ne manqueront pas de venir vous inviter. Ils aiment voir leurs "cousins de loin" (les Français) s'amuser autant qu'eux : leur refuser une danse les vexerait et vous priverait d'un grand plaisir. Si vous êtes dans le coin, ne ratez pas cette occasion d'expérimenter la Louisiane profonde.

LAFAYETTE

A 50 miles de Baton Rouge sur l'I 10, Lafayette est la capitale du pays cajun. Mais si bien manger et danser ne vous intéressent pas particulièrement, il est inutile de faire le voyage, il n'y a pas grand-chose d'autre à faire, et guère à voir.

Office du tourisme
1600 NW Evangeline Thwy (sortie 103 B sur l'I 10).   Tél. 1-800 346 1958
Ouvert de 10h30 à 17h30 tous les jours. Dimanche de 9h à 17h.

Bus Greyhound. 315 Lee Av.,   Tél. 235 1541

Pour rester branché français :

CODOFIL. Organisme chargé de la défense du français.
217 W. Main St.   Tél. 265 5810
Ouvert de 8 à 12 et de 13 à 16h 30

Radios : KRVS (88.7 FM) et KMDL (97.3 FM) émettent des émissions en français cajun.

Télévision : Jim Olivier anime son émission *Passe Partout* en français sur la chaîne 10 KLFY.

SE LOGER

Camping KOA, sortie 97 de l'I 10 à Scott.   Tél. 235 2739

De nombreux hôtels - Motel 6, Super 8, La Quinta, Budget Western... - se trouvent sur Evangeline Thrwy (sur l'I10, sortie 103 B). Les prix, affichés sur de hauts panneaux lumineux, sont à partir de 20$ la nuit.

T'Frere's House. 1905 Verot School Road.   Tél. 984 9347
Chambre double 65$.
Dans une jolie maison blanche de style "cajun-victorien" (!) datant de 1880, trois chambres sont disponibles. Meublées d'antiquités, fleuries pour votre arrivée, elles sont agréables et la propriétaire est charmante. Le matin, vous aurez droit à un vrai petit déjeuner reconstituant.

Mouton Manor Inn. 310 Sidney Martin Road.   Tél. 237 6996
Chambre double 65$, breakfast compris, salle de bains privée. Réservation par téléphone recommandée.
Dans une maison datant de 1806 parfaitement restaurée, deux chambres meublées d'antiquités. Vous pouvez vous reposer en sirotant une boisson fraîche sous la véranda et en vous balançant dans un rocking-chair... Très agréable.

Chretien Point Plantation. 2500 Johnston St. à Sunset (15 miles au nord de Lafayette par la HWY 93).   Tél. 662 5876/233 7050.
Chambre double de 95 à 145$, breakfast compris.
Beaucoup plus chic que les précédentes, cette maison de style Renaissance grecque peut accueillir jusqu'à dix personnes (cinq chambres). Piscine, tennis...Tout le confort et plus encore. La cage d'escalier a servi de modèle pour celle du tournage d'*Autant en emporte le vent*.

SE NOURRIR

Café Vermillionville. 1304 Pinhook Road.　　　　　Tél. 237 0100
Ouvert de 11h à 14h et de 17h 30 à 22h. Compter entre 15 et 20$ pour un plat.
Dans une auberge de 1799 complètement rénovée, grande salle à manger donnant sur une cour intérieure. La cuisine est à l'image du décor : assez sophistiquée, bonne et bien présentée. Spécialités cadjines avec quelques influences françaises.

Prejeans' Restaurant. 3480 US HWY 167 North.　　　Tél. (318) 896 3247
Sortie 103 B sur l'I 10, à côté du champ de courses "Evangeline Downs".
Ouvert tous les jours de 11h à 23h. Compter entre 13 et 16$ pour un plat.
Vous le trouverez facilement : un bateau pour pêcher les crevettes est planté devant l'entrée ! A l'intérieur, un énorme alligator empaillé vous accueille. Le décor rassemble tout l'équipement indispensable à la vie dans les bayous : filet, nasse, épuisette... Les spécialités sont évidemment les fruits de mer (crevettes, écrevisses, crabes) mais aussi alligator (au goût fade, un peu comme un poulet qui aurait vécu dans l'eau), poisson, steak et poulet. Tout cela très bien cuisiné et recommandé par un authentique Cajun du coin. Un orchestre cajun joue tous les soirs à partir de 19h. Des cours de cuisine sont organisés chaque samedi de 11h30 à 13h30 : 15$ repas compris.

La Fête de Lafayette. 4401 Johnston St, .　　　　　Tél. 981 9979
Ouvert tous les jours de 11h à 14h et de 17h à 21h. Compter entre 10 et 15$.
Crevettes, crabes, écrevisses bouillies, cuisses de grenouilles, huîtres... Toutes les spécialités avec l'avantage d'un "all-you-can-eat", c'est-à-dire que pour le prix, vous en mangez autant que vous voulez. Pour les gros appétits.

Dwyer's café. 323 Jefferson St.　　　　　　　　　Tél. 235 9364
Ouvert tous les jours de 5 à 16h.
Pour les budgets modestes, une adresse centrale qui propose de bons plats, chaque jour différents. Les sandwichs sont quelconques.

Antler's. 555 Jefferson St.　　　　　　　　　　　Tél. 234 8877
Ouvert du lundi au vendredi de 11h à 14h.
Petits prix, pour manger un hamburger ou une omelette. Les mercredis et vendredis, un groupe de musiciens vient animer la soirée de 19h à 2h du matin.

SORTIR

La plupart des restaurants présentent des groupes de musique cajuns le soir.

Randol'. 2320 Kaliste Saloom Road.　　　　　　　Tél. 981 7080
Ouvert tous les soirs avec groupe de musique. Grande piste de danse, bonne ambiance, très connu, donc de nombreux touristes.

Grant St Dance Hal. 113 West Grant.　　　　　　Tél. 237 8513
Pour danser valses et two-steps cajuns uniquement. Les touristes y sont rares.

LE PETIT FUTÉ du MEXIQUE, dans toutes les librairies

POINTS D'INTERET

Acadian Village. 200 Greenleaf Road   **Tél. 981 2364**
Sortie 100 sur l'I 10, puis prendre Ambassador Caffery vers le sud, à droite sur Ridge Road, ensuite à gauche sur W. Broussard.

Entrée : 5$

Un village acadien du XVIIe siècle reconstitué. Tout y est : l'église, l'école, la maison du médecin avec ses instruments. Les maisons sont en bousillage (mélange de boue et de mousse espagnole qu'on introduit entre des piquets de cyprès pour bâtir les murs). Toute l'histoire des Acadiens est ici, bien visible. On réalise soudain quelles étaient leurs conditions de vie et ce qu'ils ont enduré. Passionnant.

Cathédrale St John (à l'intersection entre St John Street et Main Street).
Construite en 1821 avec des briques rouges, elle est imposante. Sur son flanc gauche se dresse un énorme chêne vieux de quatre siècles maintenu par des attelles pour qu'il ne s'écroule pas.

FETES ET FESTIVALS

Lafayette pourrait être consacrée "reine des festivals". Tous les week-ends de l'année il se passe quelque chose soit dans la ville, soit dans les alentours.

19 au 24 avril 94 : Festival International de Louisiane
Le centre-ville est livré à la fête. Toute la journée des groupes africains, européens, asiatiques et américains (majoritairement francophones) se succèdent sur trois scènes installées en plein air. C'est gratuit, de très bonne qualité et on s'y amuse bien.

Mi-septembre : Festival acadien
Pendant deux jours, uniquement de la musique cadjine mais la meilleure. Le public ne s'en lasse jamais et danse toute la journée. Etonnant.

Du 7 au 9 octobre : Cajun Heritage and Music Festival
Encore de la musique cadjine mais cette fois dans le cadre bien particulier du village acadien.

DANS LES ENVIRONS

Scott (5 miles de Lafayette). Beau Cajun Art Gallery. 1012 St Mary St. (sortie 93 sur l'I 10 puis faire six blocs sur Hwy 93 sud). **Tél. 237 7104**
Ouvert du lundi au vendredi de 10 à 17h et le samedi de 10 à 16h.
Cette galerie de peinture était un saloon jusqu'en 1976, année où Floyd Sonnier décida d'y exposer ses dessins. L'artiste a gardé le bar mais maintenant on n'y vient plus pour boire un coup, mais pour admirer son coup de pinceau : des dessins au crayon ou à l'encre de Chine qui représentent la vie des cajuns à leur arrivée en Louisiane jusqu'au siècle dernier. Du très beau travail, authentique.

Rayne ((25 miles de Lafayette par l'I 10).

En septembre, festival de la grenouille. La ville est entièrement vouée au culte de la grenouille, elles sont dessinées partout : sur les murs, les bouches d'incendie, les trottoirs... A l'occasion du festival, vous pourrez en manger bien sûr, mais aussi parier sur ces championnes de la course en saut.

Jennings (50 miles de Lafayette, sortie 64 sur l'I10).

WH Tupper General Merchandise Museum. 311 North Main St Tél. (318) 821 5532

Ouvert du mardi au samedi de 10h à 18h, le dimanche de 13h à 17h.

Lorsque Tupper ferma sa quincaillerie-épicerie-droguerie en 1949 après l'avoir tenue pendant près de 40 ans, il décida de tout laisser en l'état. Résultat : un musée très particulier puisqu'on y trouve du savon, des boîtes de conserve, du tabac, des graines et tout cela dans son emballage d'origine. Ainsi nous est restituée une boutique de campagne du début du siècle. Surprenant.

Toujours à Jennings, le Zigler Museum. 411 Clara St. Tél. 824 0114

Ouvert tous les jours sauf lundi, participation financière souhaitée.

Les expositions de peintures changent assez régulièrement. Toiles de Louisiane mais aussi de tous les Etats-Unis et d'Europe. Peinture classique.

LE BASSIN DE L'ATCHAFALAYA

HENDERSON

Situé à 15 miles à l'est de Lafayette (sortie 115 sur l'I 10), Henderson est un petit village échoué au bord du bassin de l'Atchafalaya, le plus grand marécage de rivière du monde (300 km de long). En été, l'ambiance des fins de semaine est tout à fait folle. Les habitants des villes environnantes prennent leurs bateaux et se retrouvent ici. Ils mangent et boivent (beaucoup, et toute la journée), pêchent et dansent pendant que les enfants font du ski nautique sur l'eau couleur marron glacé du bassin. Un orchestre joue en plein air le dimanche après-midi, ce qui attire ceux qui passent le week-end dans des maisons-bateaux au milieu de l'eau. Tout ce monde se retrouve dans une atmosphère d'indescriptible gaieté. Inutile de dire que si vous parlez français, vous serez très vite la coqueluche de la fête.

POINTS D'INTERET

Mc Gee's Landing. Tél. (318) 228 2384

Lorsque vous êtes à Henderson, continuez la route principale tout droit jusqu'à la digue, prenez à droite le chemin en contrebas de la "levée" puis la quatrième entrée sur la gauche (panneau indicateur). Prix : 8,50$. Horaire des départs : 10h, 13h, 15h et 17h.

Vous ne devez pas rater la balade en bateau sur le bassin, ce sera un grand moment de votre tournée en Louisiane. Les deux guides, Harold et Earl, sont d'authentiques cajuns. Ils parlent français avec un très fort accent (qu'est-ce qu'ils disent ?) mais après cinq minutes d'adaptation vous comprendrez que la rivière Atchafalaya est un affluent du Mississippi et qu'elle tient son nom d'un mot indien chittimacha signifiant "grande rivière". Vos guides vous expliqueront que le bassin contient plus de 63 espèces différentes de poissons d'eau douce et plus de 50 000 oiseaux (aigrettes, hérons, flamants, buses, vautours...). Aussi étrange que cela puisse paraître, il y a aussi des ours, des loups, des biches, des renards sur les îlots de terre ferme, des ratons laveurs, des alligators (vous en verrez s'il fait assez chaud, car l'hiver ils hibernent), des tortues et des serpents. Savez-vous que les Etats-Unis ont recensé 36 espèces de serpents différents, dont 7 venimeux ? Eh bien, les sept en question vivent en Louisiane ! Les ouaouarons (grenouilles) et les maringouins (moustiques) ne se font jamais oublier (surtout en été malheureusement...) Selon Earl, il y a deux sortes de maringouins, les tout petits, ceux qui sont assez minuscules pour passer au travers des mailles de la moustiquaire et les gros, ceux qui défoncent la porte de la moustiquaire... Les souches de cyprès émergeant de l'eau dessinent un paysage fantomatique à la tombée du jour. Ce sont les restes d'une forêt exploitée au XVIIIe et au XIXe siècles. Le cyprès, bois imputrescible, était utilisé dans la construction des habitations.

En 1934, les grandes compagnies pétrolières ont commencé à forer dans le bassin :18 puits de pétrole et de gaz sont répartis sur sa surface, mais leur exploitation revient très cher.

Sachez encore que la Louisiane est le premier producteur au monde d'écrevisses. Rien que dans ce bassin, on en ramasse à peu près 11 000 tonnes par an (festival de l'écrevisse à Breaux Bridge en mai, renseignements au 332 6655). Ce n'est qu'un petit extrait de tout ce que vous diront vos guides dans leur parler savoureux, pimenté d'un humour incomparable. En les quittant, je suis sûre que vous aurez vous aussi envie de leur dire : *"Un étranger, c'est un ami qu'on n'avait pas encore rencontré"*.

SE NOURRIR

Mc Gee's Atchafalaya Café (en sortant du bateau, à 15 mètres).   **Tél. 228 7555**
Prix des plats entre 10 et 15$
La famille Allemond (et non pas McGee's comme on pourrait le croire) tient ce grand restaurant décoré à la manière cadjine : poutres au plafond, tables en bois recouvertes de nappes à carreaux rouges et blancs, grand bar et bien sûr une petite place réservée aux musiciens. La cuisine traditionnelle est bonne : ne manquez pas le ragoût de tortue, un régal à manger avec les doigts à cause des petits os, et l'alligator en sauce piquante qui n'est pas mal non plus. Phil, le fils musicien, vient jouer le soir et à midi les week-ends.

 **Partir à l'étranger pour le Petit Futé**

SE LOGER

Basin Landing (deuxième sortie sur la levée d'Henderson).   Tél. (318) 228 7880
De 100 à 115$ la nuit pour quatre personnes (le week-end, 2 nuits minimum)
Vous êtes quatre et voulez passer un week-end à la manière cadjine (en été surtout) ? Louez un house-boat (maison-bateau). Les propriétaires vous remorqueront sur le bassin à l'endroit de votre choix (le house-boat n'est pas équipé de moteur). N'oubliez pas auparavant de faire les provisions d'usage : des cannettes de Bud' (weiser) en nombre suffisant.

Vous trouverez dans le bateau tout le confort souhaité : chambre-salon, kitchenette, salle d'eau, air conditionné, TV, barbecue. Tout ce dont vous avez besoin pour passer un week-end de Robinson au milieu des marécages (la nuit, le bruit de la faune est impressionnant...). A votre disposition, un petit bateau à moteur pour aller boire l'apéro chez vos voisins ou vous réapprovisionner à terre, mais ne soyez pas trop téméraire car même les vieux Cajuns qui ont passé toute leur vie sur l'eau ont parfois du mal à se repérer. On se perd facilement dans ce labyrinthe végétal. Super expérience pour vivre l'Atchafalaya comme les Cajuns.

DANSER

La Poussière. 1301 Grand Point Road (Highway 347).   Tél. 332 1721
Tous les samedis soir, grand "fais-dodo" où les plus de 70 ans ne sont pas les derniers à aller se coucher, ni les plus ridicules sur la piste de danse.

Mulate's. 325 Mills Ave. (à l'entrée de Breaux Bridge).   Tél. 332 4648
Même restaurant qu'à Baton Rouge mais on peut y venir uniquement pour danser. Quelques célébrités y ont d'ailleurs laissé leurs chaussures de danse.

ALLIGATORS, la chasse à la ligne

Dans le labyrinthe marécageux du sud de la Louisiane, les alligators se reproduisent chaque année plus nombreux. Pour préserver l'équilibre naturel des bayous, la chasse au lion des marais a lieu une fois l'an, en septembre. Plus qu'une tradition, c'est une nécessité.

"Sur les bords du Mississippi, un alligator se tapit" : le poème de Robert Desnos me trotte dans la tête depuis que nous avons embarqué dans le petit bateau à moteur. Le soleil se couche sur le lac Ponchartrain, l'ombre gagne peu à peu la rivière et les cyprès prennent des allures fantomatiques. L'air est tiède, les rares maisons installées sur la berge ont allumé leurs lampions. Derniers signes de la civilisation avant de s'enfoncer dans les bayous. Le bateau glisse lentement entre les roseaux. Les cris d'animaux résonnent dans la nuit noire, faiblement éclairée par un quart de lune montant.

Gene balaie la surface de l'eau avec sa lampe frontale et cet halo de lumière attire des milliers d'insectes. Soudain il stoppe le moteur et me montre du doigt deux points rouges qui clignotent : un alligator!

Gene Joanen a cinquante-huit ans, dont quarante-cinq passés à chasser l'alligator dans les bayous de Louisiane *"J'ai appris la technique en allant avec d'autres trappeurs puis je m'y suis lancé tout seul. A l'époque on pouvait chasser toute l'année et la vente des peaux me permettait de financer mes études"*.

Il approche le bateau de l'endroit où l'alligator a plongé, avise un arbre auquel il attache solidement une ficelle longue d'à peu près six mètres. Au bout : un gros hameçon auquel il a accroché un morceau de poulet faisandé.

Il suspend ensuite l'appât au-dessus de l'eau à l'aide d'une canne de bambou, qui fait office de canne à pêche, qu'il plante dans le sol mou de la berge.

Doté d'une vue excellente, de jour comme de nuit, l'alligator chasse dans le noir pour mieux digérer au soleil. Opportuniste, il se jette sur toute proie morte : tortue, poisson, grenouille ou... poulet pour le bonheur des chasseurs.

Les enfants qui vivent au bord des rivières s'amusent parfois à les nourrir avec des petits morceaux de viande ou même des bonbons. L'alligator devient alors dangereux : sa peur de l'homme dissipée, il peut l'attaquer. Les habitants du quartier appellent donc un trappeur qui le déplace dans un endroit plus sauvage. Mais si la bête mesure plus d'1,20 m , le chasseur la tue : comme le chat, l'alligator revient toujours dans son territoire (200 m2) et le déplacer ne sert à rien.

Il y a un trappeur par paroisse en Louisiane, soit environ 2 000 chasseurs d'alligators. La stricte régulation mise en place dans l'État ne leur permet pas de chasser n'importe où ni autant qu'ils le veulent. Après obtention d'un permis (130 F/an), le trappeur doit négocier avec les propriétaires des terres où il désire chasser. Un accord est conclu, le chasseur versera un pourcentage de ses prises au propriétaire (entre 10 et 15%). Ensuite le bureau de la pêche et de la vie sauvage établit le nombre d'alligators susceptibles d'être tués dans chaque territoire et donne un certain nombre d'étiquettes à chaque trappeur. Celui-ci doit accrocher une étiquette sur tous les alligators tués, ce qui lui permettra de les vendre. Ainsi le bureau de la chasse et de la vie sauvage connaît exactement le nombre d'alligators sauvages tués chaque année et établit des quotas pour que la population animale ne soit pas en danger d'extinction.

Pour la paroisse de Saint Tammary, Gene a reçu cent étiquettes cette année. A dix jours de la fin de la saison, il a déjà attrapé 95 alligators. Ce soir, en quelque trois heures, il a posé dix lignes. *"On va p'tet bien en attraper trois"* espère-t-il.

Le jour se lève à peine lorsque nous repartons le lendemain sous un ciel parfaitement dégagé, tandis que des milliers d'oiseaux célèbrent en piaillant le lever du soeil. Le petit bateau bleu se dirige vers la première ligne, tout doucement, comme pour ne pas troubler l'harmonie régnante. L'hameçon n'est plus au bout de la canne. Gene tire doucement sur la corde restée accrochée à l'arbre. *"Tu ne sais jamais sur quoi tu tires : ça peut être des herbes comme ça peut être un monstre de quatre mètres..."* Suspense. Finalement, le crochet apparaît sous un amalgame d'herbes et de joncs. Un alligator s'est régalé du morceau de poulet mais nous a faussé compagnie.

La deuxieme ligne est telle que nous l'avons posée : l'alligator du coin n'avait pas faim, ou c'est un malin... Aux abords immédiats de la troisième ligne, des plants de roseaux ont été arrachés avec violence. Un sourire illumine le visage buriné de Gene : *"Là, je crois bien qu'il y en a un. Il s'est débattu pour se décrocher et il a emmené tous les joncs."*

Avec maintes précautions mais sans difficulté, Gene tire la corde. Un long museau plat apparaît bientôt à la surface. Passif, épuisé par ses heures de lutte sans espoir, l'alligator ne se débat même pas. Deux balles de carabine derrière la tête l'achèvent. *"Depuis le jour où j'ai failli me faire attraper, je tire toujours deux coups. Cette fois-là, j'avais cinq alligators morts dans le bateau. En tirant une ligne, j'ai marché sur l'un d'eux. Il a mordu ma chaussure mais heureusement, sous la pression mon pied en est sorti. L'alligator a sauté par dessus bord, ma chaussure dans la gueule... Je m'en suis bien tiré mais ça m'a servi de leçon : je suis toujours sur mes gardes. Je connais trop l'alligator pour lui faire confiance, j'ai beaucoup de respect pour cet animal et je le traite en égal, donc je suis toujours très prudent. Je n'oublie pas que le 'gator' est sauvage et dangereux. C'est d'ailleurs ce qui est excitant !"*

L'alligator que Gene a remonté dans le bateau mesure environ 1m5o, c'est le plus petit de la saison. Rien à voir avec celui de 4m qu'il a tué dix jours auparavant. C'était alors son jour de chance : pour une centaine de lignes posées, seize alligators avaient mordu. Aujourd'hui un seul s'est laissé attraper. *"Il y avait trop de vent cette nuit, l'alligator ne mord pas quand il fait frais. C'est le hasard de la chasse et c'est ce que j'aime".*

Agent immobilier et consultant dans un bureau d'environnement, Gene prend trois semaines de vacances en septembre pour chasser : *"Les alligators sont trop nombreux, si nous ne les chassions pas, ils menaceraient la sécurité des gens et puis à terme, ils s'entre-tueraient car leur espace vital serait insuffisant."*

Après avoir failli s'éteindre dans les années 60, la population alligator s'est multipliée jusqu'à augmenter de 10 % par an. Aujourd'hui on estime à 800 000 le nombre d'alligators sauvages en Louisiane : beaucoup trop pour garantir la sécurité du public. L'Etat a donc mis en place plusieurs programmes de régulation qui permettent aux chasseurs d'en tuer 25 000 par an.

Nous portons l'alligator chez Robert Raymond, grossiste a Slidell. Il le mesure, le pèse. A 60 F les 30 cm de peau et 30 F le kg, Gene va toucher environ 600 F. Même si ce n'est pas le plus important, la chasse est donc un hobby rémunérateur pour Gene, bien que les prix aient terriblement baissé : il y a trop d'alligators sur le marché.

Dans son petit atelier où travaillent six personnes, Robert découpe la peau avec mille précautions pour ne pas l'abîmer puis débite la viande "sans cholestérol" qu'il vendra aux restaurants de la région.

Il existe quatre tanneurs de peau de reptiles aux Etats-Unis, mais Robert préfère envoyer ses peaux chez le *"meilleur tanneur du monde"*, à Paris. Le transport lui coûte cher (5F par peau environ) mais il s'y retrouve en qualité. Une fois tannées, les peaux sont achetées par le Japon, Singapour, l'Italie et la France qui en font de la maroquinerie.

La vente de la peau, de la viande et la fabrication de souvenirs avec les têtes et les dents des alligators rapportent environ 30 millions de dollars (150 millions de francs) qui représentent une part non négligeable dans l'économie louisianaise, et d'autant plus appréciable que c'est une ressource inépuisable si l'on y prend garde. Environ 150 fermiers élèvent des alligators et vivent de leur commerce toute l'année.

Avec quelque 7 000 bêtes tuées par an, les frères Fitzmorris sont l'un des plus gros producteurs du pays. A une dizaine de kilomètres au nord de Covington, leur ferme est un ensemble de maisonnettes en bois rouge. A l'intérieur, dans une chaleur suffocante vivent des centaines d'alligators, répartis par taille dans des bassins. Engraissés, ils grossissent 4 fois plus vite que dans la nature et atteignent en un an la taille d'1m20.

Chaque année, en trois semaines, les deux frères en tuent environ 7 000 qu'ils revendent à des grossistes. Ils relâchent 17 % de leur production à l'endroit même où l'année précédente, ils avaient pris les œufs des alligators sauvages. Ce faisant, ils contribuent fortement à l'accroissement de l'espèce.

VOYAG AIR

Vols aller/retour sur plus de 350 destinations
à des prix qui vous font tourner la terre...

NEW YORK	**1990 F**
MIAMI	**2590 F**
LOS ANGELES	**3590 F**
SAN FRANCISCO	**3590 F**

PROMOS DISPOS
42 62 20 20

BALAD'AIR

*DES PRESTATIONS TERRESTRES
A LA CARTE ET À PETITS PRIX*

HÉBERGEMENT À
MIAMI
À PARTIR DE, PAR PERSONNE
180 F

HÉBERGEMENT À
ORLANDO
PAR NUIT, BAOE CHAMBRE,
DOUBLE EN HOTEL DE CATÉ. STANDARD
À PARTIR DE, PAR PERSONNE
130 F

**ET DE NOMBREUX BALAD'N DRIVE EN LOUISIANE
CIRCUIT CAMPING EN FLORIDE**

INFORMATIONS ET RÉSERVATIONS : (1) 42 62 45 45
OU DANS VOTRE AGENCE DE VOYAGES
VPS VOYAGES LIC. 175 374

ROUTE 90

Pour retourner vers la Nouvelle-Orléans de Lafayette, vous pouvez reprendre l'I 10 Est ou, si vous avez du temps, prendre la 90 Sud et découvrir une autre partie du pays cajun.

SAINT MARTINVILLE

A 7 miles à l'est de la 90 par la 96.

Surnommé "le petit Paris de Louisiane", Saint Martinville est un village dont la jolie petite église, du nom de Saint-Martin-de-Tours, fut construite en 1837. Tout près de là, sur le bord du bayou Tèche, un énorme chêne est, selon la légende, celui au pied duquel Evangeline venait pleurer son amour perdu lors du "Grand Dérangement".

S'il fait beau, vous aurez la chance de voir et d'écouter les frères Romero, deux vieux Cajuns qui jouent de l'accordéon et du p'tit fer pour les gens de passage. De nombreux bus de touristes s'y arrêtent souvent mais en venant à une heure creuse, les deux frères vous raconteront (en français) les petites histoires de leur vie d'agriculteurs-musiciens. Très sympathique !

SE LOGER

Old Castillo Hotel. 220 Evangeline Blvd
(à côté du chêne d'Evangeline).   **Tél. 1-800) 621 3017**
Compter de 45 à 75$.
Cette jolie bâtisse datant de 1835 a d'abord servi d'auberge puis d'école pour filles et aujourd'hui de B&B. Ses sept chambres sont bien tenues et agréables. L'endroit, situé au bord du bayou Tèche, est très reposant.

NEW IBERIA

Cette petite ville, capitale de la canne à sucre, a gardé son nom espagnol. De belles petites maisons créoles s'alignent sur Main Street.

Office du tourisme : Center St. à côté du motel Best Western. Tél. (318) 365 1540
Ouvert tous les jours de 9h à 17h.

Bus Greyhound. 101 Perry St.   Tél. 828 3715

POINTS D'INTERET

Shadows-on-the-Teche. 317 E. Main St.   **Tél. (318) 369 6446**
Ouvert tous les jours de 9h à 16h 30.
Cette très jolie maison fut construite en 1834 par David Weeks, un riche planteur de canne à sucre. Son arrière-petit-fils l'a entièrement restaurée en 1920. Classée monument historique, elle est entourée par de magnifiques jardins.

Konriko Rice Mill. 309 Ann St.   Tél. (800) 551 3245
Ouvert du lundi au samedi de 9h à 17h.
C'est le plus vieux moulin à riz toujours en activité aux Etats-Unis. Le riz est encore préparé de façon traditionnelle. Visite guidée et diaporama.

DANS LES ENVIRONS

Live Oak Garden. 284 Rip Van Winckle Road   Tél. (318) 365 3332
Prendre la route 14 en direction d'Abbeville puis la 675 à droite, panneau indicateur.
Ouvert de 9h à 17h (16h en hiver). Entrée : 10$.
Au bord d'un petit lac, entourée d'un immense et magnifique jardin de plantes rares, la plantation vaut la peine d'être visitée. Construite en 1870 par un acteur américain, Joseph Jefferson, la maison a été parfaitement entretenue et décorée à la façon "vieux Sud". On peut aussi faire une balade en bateau sur le lac mais c'est cher pour ce qu'on y voit.

McIlhenny Co Tabasco Factory (au sud de New Iberia, prendre la La 329 à droite vers Avery Island).   Tél. (318) 365 8173
Ouvert du lundi au vendredi de 9h à 16h et le samedi de 9h à 12h. Entrée gratuite.
Saviez-vous que la fameuse petite bouteille de sauce piquante Tabasco était fabriquée en Louisiane depuis plus d'un siècle ? Eh bien, vous en connaîtrez aussi la recette en allant à l'usine en briques rouges située non loin de la mine de sel d'Avery Island. Petits piments rouges soigneusement sélectionnés et sel sont les principaux composants du Tabasco. On vous montre un film pour vous l'expliquer mais dans l'usine, vous ne verrez que l'embouteillage.

Avery Island's Jungle Gardens (à côté de l'usine Tabasco, suivre les panneaux indicateurs).   Tél. (318) 365 8173
Ouvert tous les jours de 9h à 17h. Entrée : 5$
Ne ratez pas ce superbe parc à la végétation tropicale luxuriante car outre les arbres, les camélias, les bambous géants, vous verrez de nombreux animaux des marécages (tortues, ratons laveurs, alligators) et des milliers d'oiseaux protégés (échassiers, aigrettes...).

Delcambre (12 miles de New Iberia par la Hwy 14) est un port de pêche à la crevette. Flottille impressionnante !

A Abbeville (20 miles de New Iberia par la Hwy 14), vous pourrez assister à des combats de coqs le samedi soir dans une petite salle en terre battue. L'ambiance, plutôt calme au début, se déchaîne vers 1h ou 2h du matin lorsque des coqs atteignant jusqu'à 10 000$ à l'achat, commencent à se battre.
Le dimanche, les propriétaires de chevaux de la région se retrouvent au champ de courses où de jeunes jockeys se chargent de dégourdir les pattes des concurrents. Bien sûr, les paris vont bon train et l'ambiance est sympathique, c'est un des rares endroits où Cajuns et Noirs se côtoient. Après les courses de chevaux, il n'est pas rare que les jockeys eux-mêmes fassent la course entre eux...
Pour les combats de coqs et les courses, mieux vaut appeler **Doris-Alice Herbert** au Cajun Down Race Track, Tél.(318- 893 8160) car les dates et horaires sont très irréguliers.

Si le **tourisme industriel** vous intéresse, appelez Pat Herpin à Kaplan (28 miles de New Iberia par la Hwy 14) au (318) 643 8481. Elle vous proposera des visites à votre convenance : visiter une ferme d'écrevisses, de catfish, aller voir les paysans planter le riz, la canne à sucre ou bien suivre les propriétaires de fermes d'alligators lorsqu'ils vont prélever les œufs dans les nids sauvages. Prix d'une demi-journée (3 à 4 visites) : 35$.

FRANKLIN

Si vous ne vous en lassez pas, voici trois belles maisons de style Renaissance grecque à visiter.

Arlington Plantation. 56 Main St.   **Tél. (318) 828 2644**
Ouvert sur rendez-vous seulement. Entrée : 4$

Grevemberg House Museum (dans le City Park).   **Tél. 828 2092**
Ouvert du jeudi au dimanche de 10 à 16h. Entrée : 3$

Oaklawn Manor   **Tél. 828 0434**
Ouvert tous les jours de 10 à 16h. Entrée : 6$.
Lorsque vous êtes sur la 182, tournez sur Irish Bend Road et suivez les panneaux. La plus intéressante.

MORGAN CITY

Très peu de points d'intérêt dans cette ville qui vit du pétrole et de la pêche. Grosse animation le jour de la fête du travail (début septembre) pour les festivals du pétrole et de la crevette.

SE LOGER

Acadian Inn. 1924 Hwy 90 E.   **Tél. (504) 384 5750**
Compter 35$.

Holiday Inn. 520 Roderick St.   **Tél. (504) 385 2200**
Compter 44$.

Camping : Lake End Park and Campground,   **Tél. (504) 380 4623**
Très beau camping, sur la Hwy 70 au nord de la ville, ombragé et de tout confort, au bord du bayou.

SE NOURRIR

Lorsque vous êtes sur la route, n'hésitez pas à vous arrêter dans les station-service-épiceries-bazars. La plupart vendent du boudin cajun fait maison (mélange de viande et riz très épicé) ou bien des écrevisses bouillies. C'est souvent bon, pas cher du tout et cela donne l'occasion de faire de drôles de rencontres.

Pat's Pit Restaurant.   **Tél. (504) 84 6760**
Sur la Hwy 90 à côté du supermarché Rouse's. Grand choix de po-boys (2-4$), de plats variés (2-13$) et de plats du jour (4-6$). Spécialités locales sans prétention.

Rita Mae's Kitchen. 711 Federal Ave.   **Tél. (504) 384 3550**
Pour les gros appétits car les portions sont conséquentes. Breakfast (3-4$), viandes (6-11$), sandwichs (3-5$), po-boys, red beans and rice... Un grand choix.

POINTS D'INTERET

Swamp Gardens and Wildlife Zoo ((en face de l'office du tourisme).
725 Myrtle St..   **Tél. (504) 384 3343**
Ouvert du lundi au vendredi de 8h à 16h et le week-end de 9h à 16h.
Si vous n'avez pas encore vu de marécages, celui-ci est habité par des répliques en cire des premiers occupants du terrain (Indiens et Cajuns). Des haut-parleurs explique leurs conditions de vie de l'époque. Les alligators et autres bestioles sont enfermés dans des cages ou de petites aires grillagées.

Scully's Swamp Tour. Prendre la Highway 70 nord : les bateaux se trouvent à 3 miles de Morgan City sur la droite.   **Tél. (504) 385 2388**
Vous pouvez louer une barque ou un canoë pour vous balader sur le bayou, ou bien choisir le tour organisé en bateau. Si vous avez la chance d'y passer en septembre, essayez le tour qui suit les chasseurs d'alligators, c'est très intéressant et cela peut même donner quelques frissons suivant la taille des bêtes rencontrées...

HOUMA

Sur la route entre Morgan City et Houma, vous verrez de nombreux chantiers navals et des industries de maintenance des plates-formes pétrolières : le paysage semble se résumer à une forêt de grues. De nombreux bars sombres aux néons aguicheurs vantent les performances de danseuses exotiques : les hommes seuls sont nombreux dans la région. Les "contractors" travaillent un certain temps sur les plates-formes pétrolières dans le golfe du Mexique puis viennent ici se reposer à terre.

Houma est surnommée la "Venise de l'Amérique" car sept bayous convergent vers le centre-ville. Les Américains, qui ne reculent devant rien, y ont construit 55 ponts pour faciliter la vie des 50 000 habitants. Lorsque vous êtes à Houma, vous êtes à 57 miles de la Nouvelle-Orléans.

Office du tourisme : à l'intersection de l'US 90 et de St Charles St.   Tél. 868 2732
Ouvert tous les jours de 9h à 17h.

SE LOGER

Wildlife Gardens. 5306 North Bayou Black Drive   **Tél. (504) 575 3676**
Panneaux indicateurs à droite sur la Hwy 90 lorsqu'on vient de Morgan City, à 10 miles de Houma.
Chambre double 60$, breakfast compris.
Dans un environnement naturel de bayou, quatre petites maisonnettes en bois à louer, très confortables et très calmes. Vous dormez véritablement au cœur de la forêt marécageuse.

Les deux hôtes, James et Betty Provost, sont très sympathiques. Ils ont décidé de tenir cet original B&B pour aller à la rencontre des gens, c'est leur façon de voyager à eux. Ils sont donc très disponibles et vous expliquent tout sur leur pays (en anglais uniquement). Betty cuisine parfois des plats typiques pour ses invités. A votre disposition, un canoë permet de vous balader à votre guise sur le petit bayou, sans risque de vous perdre.

Si vous n'y dormez pas, vous pouvez opter pour une visite à pied (8$ pour une heure et demie) dans le sous-bois. Betty ou James vous expliquera les différentes techniques de chasse et de pêche de leurs ancêtres et des Indiens des alentours. De nombreux animaux (dont d'énormes alligators) sont les familiers des Provost. Dans leur boutique : des sculptures sur bois représentant des canards sont tellement bien faites (par James) qu'on peut sentir le détail des plumes comme sur les vrais. Betty fabrique des bijoux très originaux avec des cartilages d'alligator.

Chez Maudrey B & B. 311 Pecan St.   Tél. (504) 868 9519/879 3285
Compter 50-55$, dîner et breakfast compris.
Une fort bonne adresse pour ceux qui veulent approcher les autochtones de près. Maudrey et sa sœur Audrey tiennent quatre chambres confortables à la disposition des voyageurs. Pures Cadjines, elles parlent français. Elles ont planté du coton et du tabac dans leur jardin pour vous montrer une mini plantation. Elles ont un impressionnant carnet de bonnes adresses et seront ravies de vous en faire profiter. A ne pas manquer.

Camping

Capri Court Campground.   Tél. 879 4288
Prendre l'US 90 vers l'est puis tourner sur la 316 en direction du nord. Le camping est à 4 miles de l'intersection. Ouvert toute l'année.Tout confort.

SE NOURRIR

Bear's Cafe. 809 Bayou Black Drive.   Tél. 872 6306
Ouvert en semaine de 7h à 17h et le samedi de 7h à 14h. Prix : gumbo à 5$, plateau de fruits de mer 14$, alligator frit 8$.
Dans une petite maisonnette en bois, un intérieur gris et rose, simple et propre, des tables avec nappes à carreaux et de grands ventilateurs. Tous les vendredis soir, vous pouvez avoir un "all-you-can-eat" (service à volonté) de poissons frits pendant qu'un groupe de musiciens assure l'ambiance (de 19h à 21h).

Dino'. 3019 Grand Caillou Road.   Tél. 876 4896
Ouvert tous les jours, midi et soir. Prix : entre 9 et 15$ le plat, 6-8$ à midi.
Une fameuse adresse pour les fruits de mer. La "cajun combination" (crabe, huîtres, poissons, crevettes) est à 9$, le homard à 15$. A midi, les plats du jour sont copieux.

Des leçons de danse cadjine gratuites sont données les mercredis soir à partir de 19h.

La Trouvaille. 4696 Hwy 56 à Chauvin.   Tél. 594 9503/ 873 8005
15 miles au sud de Houma.

Vous devez impérativement réserver car ce n'est pas un restaurant comme les autres : fermé pendant les trois mois d'été, il n'ouvre que le mercredi, jeudi et vendredi de 11h 30 à 13h. La famille Dusenbery ne cuisine qu'à la demande, il n'y a pas de menu mais un repas cajun pour 4,25$. Une vraie cuisine familiale et authentique. Le premier dimanche de chaque mois, à midi, un énorme repas avec toutes les spécialités cadjines (12$) est animé par les Dusenbery qui délaissent les casseroles pour les instruments de musique : sympathique !

POINTS D'INTERET

Indian Ridge Shrimp Co., à Chauvin   Tél. (504) 594 3361
15 miles au sud de Houma.

Visite d'une usine d'épluchage et d'empaquetage des crevettes. Gratuit mais sur rendez-vous.

Si vous voulez chasser le canard ou bien pêcher dans le golfe du Mexique, plusieurs adresses :

Coup Platte. Appeler Terry Trosclair   Tél 868 7940 ou 868 7865

Sportsman's Paradise à Chauvin.   Tél. 872 6157

It's showtime. 101 Rosewood.   Tél. 876 1741/563 4596

SORTIR

Il existe de très nombreuses boîtes ou plus exactement bars dansants à Houma. Mettez à profit votre séjour en apprenant à danser la valse et le two-steps.

Confetti's. 100 Moss Lane.
Gratuit pour les femmes les mercredis et jeudis

Rodeo. 109 Moss Lane.   Tél. 876 9031
Musique country (leçons de danse gratuites le jeudi de 19h à 21h).

Cowboys Inc. 201 Monarch Drive.   Tél. 872 3737
Musique country

Sunset Inn. 2853 Bayou Blue Road (Hwy 316).   Tél. 857 9020
Musique country et cadjine.

Frontiers. 227 Howard Ave.   Tél. 851 3382
Musique cadjine et country.

INDEX GENERAL

PRENEZ L'AIR MAIS PAS A N'IMPORTE QUEL PRIX.

MIAMI Vol AR
à partir de 3 005 F

NEW ORLEANS Vol AR
à partir de 2 890 F

Prix promo 2 750 F
Vols quotidiens

* Prix A/R au départ de Paris, à partir de... Vols soumis à des conditions particulières.

INDEX GENERAL

Les guides du PETIT FUTÉ sont dans toutes les librairies

Table des matières pages 6 et 7

LES COUNTRY GUIDES DU PETIT FUTE

Allemagne, Australie, Baléares, Belgique, Californie, Canada, Cuba, Danemark, Egypte, Espagne, Grande-Bretagne, France, Grèce, Indonésie, Irlande, Italie, Londres, Mexique, Miami-New Orleans, New York, Norvège, Océan Indien, Portugal, Rép. dominicaine, Rép. tchèque, Russie, Singapour, Suède, Thaïlande, Vietnam...

Des guides drôlement débrouillards

QUESTIONNAIRE

C omme le disait, dès la fin du XIXe siècle, notre prestigieux ancêtre, le guide Baedeker : *"Les indications d'un guide du voyageur ne pouvant pas prétendre à une exactitude absolue, l'auteur compte sur la bienveillance des touristes et les prie de bien vouloir lui signaler les erreurs ou omissions qu'ils pourraient rencontrer, en lui faisant part de leurs observations qui seront reproduites dans la prochaine édition, et en les lui envoyant sur une feuille de papier écrite d'un seul côté, afin d'en éviter la copie et de parer ainsi à de nouvelles erreurs."*

N ous offrons *gratuitement la nouvelle édition* à tous ceux dont nous retiendrons les suggestions, tuyaux et adresses inédites ou futées.

F aites-nous part de vos expériences et découvertes en utilisant la page suivante, ou si nécessaire sur papier libre. N'oubliez pas, plus précisément pour les hôtels, restaurants et commerces, de préciser avant votre commentaire détaillé (de 5 à 15 lignes) l'adresse complète, le téléphone et les moyens de transport pour s'y rendre ainsi qu'une indication de prix.

S ignalez-nous les renseignements périmés, incomplets ou qui ont selon vous changé, en précisant le pays, la date d'achat et la page du guide.

QUESTIONNAIRE ────────────

Nom et prénom : ....
....

Adresse : ....
....
....

Qui êtes-vous ? *(entourez la mention exacte)*
Patron • Cadre • Commerçant • Employé • Ouvrier • Fonctionnaire • Femme au foyer • Retraité • Profession libérale • Etudiant • Autre

Quel âge avez-vous ? ..... ans

Combien d'enfants avez-vous ? .....

Voyagez-vous : seul • à plusieurs et combien ? ....

Voyagez-vous : en indépendant • en voyage organisé ?

Le Petit Futé vous paraît-il : cher • pas cher • raisonnable ?

Date d'achat : ....

FLORIDE - LOUISIANE

Expérience · découvertes · bons tuyaux
Adresses inédites ou futées

Joignez éventuellement un complément sur papier libre avec vos coordonnées

....

....

....

....

....

....

....

....

....

....

....

....

....

....

....

....

....

....

....

....

Cette page avec toutes vos suggestions doit être envoyée à l'adresse suivante :

LE PETIT FUTÉ COUNTRY GUIDE
18, rue des Volontaires - 75015 PARIS